붙여 놓고 외우면 시험도 붙는

빈출 핵심동작 38

KB153526

01 덤벨 벤치 프레스

02 덤벨 플라이

03 덤벨 풀 오버

04 벤트 오버 바벨 로우

05 언더 그립 바벨 로우

06 벤트 오버 원암 덤벨 로우

07 뉴트럴 그립 투암 덤벨 로우

08 바벨 굿모닝 엑서사이즈

09 바벨 힙 트러스트

10 덤벨 숄더 프레스

11 바벨 밀리터리 프레스

12 덤벨 레터럴 레이즈

13 바벨 프론트 레이즈

14 벤트 오버 레터럴 레이즈

15 비하인드 넥 프레스

16 바벨 컬

17 컨센트레이션 컬

18 라잉 바벨 트라이셉스 익스텐션

19 스탠딩 바벨 트라이셉스 익스텐션

20 시티드 트라이셉스 익스텐션

21 원암 덤벨 오버헤드 트라이셉스 익스텐션

22 프론트 스쿼트

23 백 스쿼트

24 덤벨 런지

25 스티프 레그 데드리프트

26 루마니안 데드리프트

27 컨벤셔널 데드리프트

28 프론트 더블 바이셉스

29 프론트 랫 스프레드

30 사이드 체스트

31 백 더블 바이셉스

32 백 랫 스프레드

33 사이드 트라이셉스

34 업도미널 앤 타이

35 프론트 포즈

36 사이드 체스트

37 백 포즈

38 사이드 트라이셉스

2021

에듀윌 스포츠지도사

실기+구술 한권끝장

보디빌딩 | 5종대비

스포츠지도사 필기 1위 저자가 **보디빌딩 실기 시험**에 **합격**하는 **책**을 만들었습니다.

■ 학력사항
- City University of New York at Brooklyn college
- 국민대학교 대학원 이학박사

■ 경력사항
- 현) 한양대학교 미래인재교육원 겸임교수
- 현) 홈짐(HomeGym) 대표
- 현) 한국스포츠학회 이사

■ 자격사항
생활 스포츠지도사(보디빌딩, 배드민턴, 축구, 게이트볼)

정수봉

오늘도 꿈만 꾸는가?

대학 강단에서 체육을 전공하는 학생들에게 항상 질문한다. "전문성을 요구하는 이 시대에 여러분들은 무엇을 준비해야 하는가?"

정답은 여러분의 능력을 증명할 자격증이다.

의료 · 복지 및 기술은 전 세계 경제 분야 중 가장 빠르게 성장하는 분야 중 하나이다. 미국의 노동 통계 기관은 매년 발표된 직업 성장률을 통해 최고의 직업이 어떤 것인지 추측하였다. 그 결과의 10위 안에 의료 및 건강에 관련된 서비스 관리자가 포함되어 있었다.

특히 인구 고령화가 급속도로 진행되고 있는 대한민국에서 국민의 건강과 행복을 증진시키는 체육 활동은 국민의 삶의 한 부분으로 스며들고 있으며, 이러한 체육 활동을 가르치는 지도자로서 전문성을 갖추기 위해 국가공인 자격증인 스포츠지도사 자격증을 취득하는 것은 필수 불가결한 요소이다.

대학에서 직접 학생을 가르치는 입장에서 모든 수험생 여러분이 조금 더 쉽게 스포츠 관련 이론을 이해하고 학습할 수 있도록 집필을 하기 위해 노력하였다.

오늘도 꿈만 꾸지 말고, 본 수험서를 통해 수험생 여러분의 목표에 한발 다가가기를 간절히 바란다.

1 스포츠지도사란?

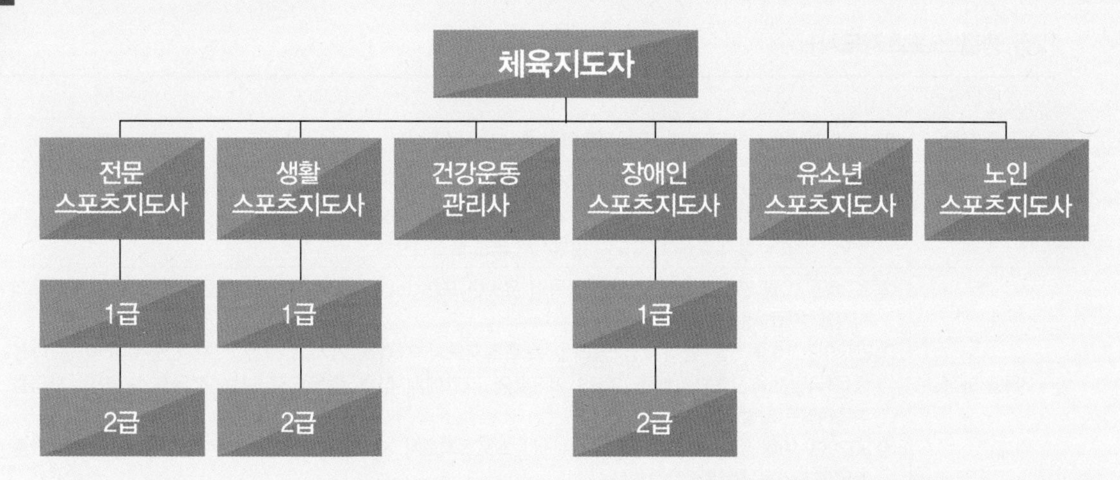

[체육지도자] 학교 · 직장 · 지역사회 또는 체육 단체 등에서 체육을 지도할 수 있도록 「국민체육진흥법」에 따라 해당 자격을 취득한 사람을 말한다.

[전문/생활 스포츠지도사] 자격 종목에 대하여 전문체육이나 생활체육을 지도하는 사람

[유소년 스포츠지도사] 유소년(만 3세부터 중학교 취학 전)의 행동양식, 신체발달 등에 대한 지식을 갖추고 자격 종목에 대하여 유소년을 대상으로 체육을 지도하는 사람

[노인 스포츠지도사] 노인의 신체적 · 정신적 변화 등에 대한 지식을 갖추고 자격종목에 대하여 노인을 대상으로 생활체육을 지도하는 사람

2 시험 개요(2020년 공고 기준)

[대상 자격] 전문(2급), 생활(1 · 2급), 유소년, 노인 스포츠지도사

[검정 대상] 2020년도 전문(2급), 생활(1 · 2급), 유소년, 노인 필기시험 합격자 및 필기시험 면제자

[주요 일정]

구분	일시
실기 · 구술시험 원서 접수	2020. 9. 18(금) 09:00 ~ 9. 25(금) 18:00
응시수수료 납부	2020. 9. 18(금) 09:00 ~ 9. 28(월) 24:00
실기 · 구술시험	2020. 10. 5(월) ~ 12. 31(목)
최종 합격자 발표	2021. 1. 7(목) 09:00

[합격 기준] 실기시험과 구술시험 각각 만점의 70% 이상 득점

■ 2021년 시험 일정에 관한 자세한 내용은 체육지도자 홈페이지(www.insports.or.kr)에서 확인할 수 있습니다.

3 응시 자격 요건

[2급 생활 스포츠지도사]

구분	응시 자격 요건
공통 사항	만 18세 이상인 사람(2002년 10월 5일 이전 출생한 사람)
일반 과정	① 2급 생활 스포츠지도사 필기시험 합격자 – 가. '20년도 필기 합격자 – 나. '19년도 필기 합격자 중 실기 미응시자 또는 불합격자
특별 과정	② 2020년 10월 5일 현재 해당 자격 종목의 유소년 또는 노인 스포츠지도사 자격을 가지고 동일한 종목의 자격을 취득하려는 사람 ③ 2020년 10월 5일 현재 2급 장애인 스포츠지도사 자격을 가지고 보유한 자격 종목이 아닌 다른 종목(국민체육진흥법시행령 별표1 제3호의 비고에서 다른 종목으로 보는 경우를 포함)의 자격을 취득하려는 사람 ④ 2020년 10월 5일 현재 유소년 또는 노인 스포츠지도사 자격을 가지고 보유한 자격 종목이 아닌 다른 종목의 자격을 취득하려는 사람
추가 취득	⑤ 2020년 10월 5일 현재 2급 생활 스포츠지도사 자격을 가지고 보유한 자격 종목이 아닌 다른 종목의 자격을 취득하려는 사람

[2급 전문 스포츠지도사]

구분	응시 자격 요건
공통 사항	만 18세 이상인 사람(2002년 10월 5일 이전 출생한 사람)
일반 과정	① 2급 전문 스포츠지도사 필기시험 합격자 – 가. '20년도 필기 합격자 – 나. '19년도 필기 합격자 중 실기 미응시자 또는 불합격자
특별 과정	② 2020년 10월 5일 현재 학교체육교사로서 「초 · 중등교육법」 별표 2에 따른 중등학교 정교사(체육 과목) 자격을 가지고, 같은 법 제2조에 따른 학교에서 해당 자격 종목의 경기 지도 경력이 3년 이상인 사람 ③ 2020년 10월 5일 현재 학교 체육 교사(학교 체육 교사였던 사람을 포함)로서 「초 · 중등교육법」 별표 2에 따른 중등학교 준교사(체육 과목) 자격을 가지고, 같은 법 제2조에 따른 학교에서 체육 교사로 재직하면서 해당 자격 종목의 경기 지도 경력이 3년 이상인 사람 ④ 2020년 10월 5일 현재 해당 자격 종목의 국가 대표 선수(국가 대표 선수였던 사람을 포함)로서 국제올림픽위원회, 아시아올림픽평의회, 종목별 국제연맹, 종목별 아시아연맹에서 주최하는 국제대회 중 어느 하나에 참가한 경력이 있는 사람 ⑤ 2020년 10월 5일 현재 문화체육관광부장관이 지정하는 프로 스포츠 단체(축구, 야구, 농구, 배구, 골프 종목에 한함)에 등록된 프로 스포츠 선수(프로 스포츠 선수였던 사람을 포함)로서 해당 자격 종목의 프로 스포츠 단체 선수 경력 3년 이상 또는 정회원 경력이 3년 이상인 사람
추가 취득	⑥ 2020년 10월 5일 현재 2급 전문 스포츠지도사 자격을 가지고 보유한 자격 종목이 아닌 다른 종목의 자격을 취득하려는 사람

■ 각 자격별 세부 응시 자격 요건은 체육지도자 홈페이지(www.insports.or.kr)에서 확인할 수 있습니다.

4 실기평가 영역

[1급 · 2급 생활, 유소년, 노인 스포츠지도사]

대분류		세부 기술
상체, 가슴/팔	(80)	바벨 벤치 프레스, 덤벨 벤치 프레스, 덤벨 플라이, 덤벨 풀 오버, 클로즈 그립 푸쉬업, 덤벨 컬, 해머 컬, 바벨 컬, 컨센트레이션 컬, 리버스 바벨 컬, 얼터네이트 덤벨 컬, 얼터네이트 해머 컬, 덤벨 리스트 컬, 바벨 리스트 컬, 스탠딩 바벨 트라이셉스 익스텐션, 라잉 바벨 트라이셉스 익스텐션, 원암 덤벨 오버헤드 트라이셉스 익스텐션, 시티드 트라이셉스 익스텐션, 덤벨 킥 백, 벤치 딥
상체, 등, 어깨		벤트 오버 원암 덤벨 로우, 벤트 오버 바벨 로우, 언더 그립 바벨 로우, 뉴트럴 그립 투암 덤벨 로우, 바벨 굿모닝 엑서사이즈, 백 익스텐션, 바벨 밀리터리 프레스, 비하인드 넥 프레스, 덤벨 숄더 프레스, 덤벨 레터럴 레이즈, 덤벨 프론트 레이즈, 벤트 오버 레터럴 레이즈, 바벨 프론트 레이즈, 바벨 업라이트 로우, 덤벨 쉬러그, 바벨 쉬러그
하체, 복근, 전신		백 스쿼트, 프론트 스쿼트, 바벨 런지, 덤벨 런지, 시티드 카프 레이즈, 힙 브릿지, 덩키 킥, 바벨 힙 트러스트(주동근: 둔근), 힙 트러스트(주동근: 하복부), 루마니안 데드리프트, 스티프 레그 데드리프트, 컨벤셔널 데드리프트, 덤벨 사이드 밴드, 크런치, 레그 레이즈, 오블리크 크런치, 시티드 니업, 리버스 크런치, V-싯업
실전 기술 (20)		(남) 프론트 더블 바이셉스, 프론트 랫 스프레드, 사이드 체스트, 백 더블 바이셉스, 백 랫 스프레드, 사이드 트라이셉스, 업도미널 앤 타이
		(여) 프론트 포즈, 사이드 체스트, 백 포즈, 사이드 트라이셉스

[2급 전문 스포츠지도사]

대분류		세부 기술
상체, 가슴/팔	(80)	바벨 벤치 프레스, 덤벨 벤치 프레스, 덤벨 플라이, 덤벨 풀 오버, 클로즈 그립 푸쉬업, 덤벨 컬, 해머 컬, 바벨 컬, 컨센트레이션 컬, 리버스 바벨 컬, 얼터네이트 덤벨 컬, 얼터네이트 해머 컬, 덤벨 리스트 컬, 바벨 리스트 컬, 스탠딩 바벨 트라이셉스 익스텐션, 라잉 바벨 트라이셉스 익스텐션, 원암 덤벨 오버헤드 트라이셉스 익스텐션, 시티드 트라이셉스 익스텐션, 덤벨 킥 백, 벤치 딥
상체, 등, 어깨		벤트 오버 원암 덤벨 로우, 벤트 오버 바벨 로우, 언더 그립 바벨 로우, 뉴트럴 그립 투암 덤벨 로우, 바벨 굿모닝 엑서사이즈, 백 익스텐션, 바벨 밀리터리 프레스, 비하인드 넥 프레스, 덤벨 숄더 프레스, 덤벨 레터럴 레이즈, 덤벨 프론트 레이즈, 벤트 오버 레터럴 레이즈, 바벨 프론트 레이즈, 바벨 업라이트 로우, 덤벨 쉬러그, 바벨 쉬러그
하체, 복근, 전신		백 스쿼트, 프론트 스쿼트, 바벨 런지, 덤벨 런지, 시티드 카프 레이즈, 힙 브릿지, 덩키 킥, 바벨 힙 트러스트(주동근: 둔근), 힙 트러스트(주동근: 하복부), 루마니안 데드리프트, 스티프 레그 데드리프트, 컨벤셔널 데드리프트, 덤벨 사이드 밴드, 크런치, 레그 레이즈, 오블리크 크런치, 시티드 니업, 리버스 크런치, V-싯업, 스쿼팅 바벨 컬
실전 기술 (20)		(남) 프론트 더블 바이셉스, 프론트 랫 스프레드, 사이드 체스트, 백 더블 바이셉스, 백 랫 스프레드, 사이드 트라이셉스, 업도미널 앤 타이, 클래식 보디빌딩 쿼터 턴
		(여) 프론트 포즈, 사이드 체스트, 백 포즈, 사이드 트라이셉스, 여자 피지크 쿼터 턴, 보디 피트니스 쿼터 턴, 비키니 피트니스 쿼터 턴

■ 각 자격별 실기평가 영역은 체육지도자 홈페이지(www.insports.or.kr)에서 확인할 수 있습니다.

5 구술평가 영역

[1급 생활 스포츠지도사]

영역	배점	분야	내용
규정	40점	협회 최신 규정	경기인 등록 규정(동호인), 선수위원회 규정, 도핑 방지 규정, 심판위원회 규정, 경기력향상위원회 규정
		종목 소개(운영, 규정, 진행)	보디빌딩, 클래식 보디빌딩, 피지크, 바디 피트니스, 비키니 피트니스
		스포츠 인권	스포츠 폭력 및 성폭력
지도 방법	40점	웨이트 트레이닝	기본 자세, 훈련별 · 부위별 지도 방법
		과학적 지도 방법	운동 영양학, 운동 생리학
		규정 포즈	보디빌딩, 클래식 보디빌딩, 피지크, 바디 피트니스, 비키니 피트니스
		응급 처치	응급 시 대처 요령
		생활체육 지도자의 개념	역할, 원리, 필요성, 목표, 기능 등
태도	20점	자세	질문 이해, 내용 표현(목소리)
		신념	복장, 용모

[2급 생활, 유소년, 노인 스포츠지도사]

영역	배점	분야	내용
규정	40점	협회 최신 규정	경기인 등록 규정, 선수위원회 규정, 도핑 방지 규정, 심판위원회 규정, 경기력향상위원회 규정
		종목 소개(운영, 규정, 진행)	보디빌딩, 클래식 보디빌딩, 피지크, 바디 피트니스, 비키니 피트니스
		스포츠 인권	스포츠 폭력 및 성폭력
지도 방법	40점	웨이트 트레이닝	기본 자세, 훈련별 · 부위별 지도 방법
		과학적 지도 방법	기초 운동 영양학, 기초 운동 생리학
		규정 포즈	남자 보디빌딩, 여자 피지크
		응급 처치	응급 시 대처 요령
		생활체육 지도자의 개념	역할, 원리, 필요성, 목표, 기능 등
태도	20점	자세	질문 이해, 내용 표현(목소리)
		신념	복장, 용모

[2급 전문 스포츠지도사]

영역	배점	분야	내용
규정	40점	협회 최신 규정	경기인 등록 규정(전문 선수, 지도자, 심판 등), 국가 대표 선발 규정, 선수위원회 규정, 도핑 방지 규정, 심판위원회 규정, 경기력향상위원회 규정
		종목 소개(운영, 규정, 진행)	보디빌딩, 클래식 보디빌딩, 피지크, 바디 피트니스, 비키니 피트니스
		스포츠 인권	스포츠 폭력 및 성폭력
지도 방법	40점	웨이트 트레이닝	기본 자세, 훈련별 · 부위별 지도 방법
		과학적 지도 방법	운동 영양학, 운동 생리학
		규정 포즈	보디빌딩, 클래식 보디빌딩, 피지크, 바디 피트니스, 비키니 피트니스
		응급 처치	응급 시 대처 요령
태도	20점	자세	질문 이해, 내용 표현(목소리)
		신념	복장, 용모

- 각 자격별 구술평가 항목은 체육지도자 홈페이지(www.insports.or.kr)에서 확인할 수 있습니다.

6 실기 세부평가 기준

[1급 · 2급 생활, 유소년, 노인 스포츠지도사]

영역			내용	평가기준
기초 기술 (80)	상체	가슴·팔	바벨 벤치 프레스	① 바벨은 어깨너비보다 넓게 잡았는가? ② 벤치에 머리, 어깨, 엉덩이가 밀착되어 있는가? ③ 그립은 오버핸드 그립으로 정확히 잡고 있는가? ④ 바가 수직으로 보이도록 눕고 턱을 가슴으로 당겨 고정되어 있는가? ⑤ 팔꿈치와 어깨가 일직선이 되게 옆으로 펴고 손목이 뒤로 꺾이지 않았는가?
			덤벨 벤치 프레스	① 어깨는 고정되어 있는가? ② 덤벨을 올릴 때 가슴을 수축하고 있는가? ③ 팔은 정확히 밀고 있는가? ④ 호흡은 덤벨을 내릴 때 들이마시고 올릴 때 내뱉고 있는가?
			덤벨 플라이	① 어깨는 고정되어 있는가? ② 덤벨을 올릴 때 가슴을 수축하고 있는가? ③ 주관절의 굽힘 정도가 적당한가?
			덤벨 풀 오버	① 양발이 어깨너비로 고정되어 있는가? ② 팔꿈치 관절을 충분히 연 상태에서 수직이 되도록 팔을 올리는가? ③ 팔이 바닥과 평행이 될 때까지 내리는가? ④ 덤벨이 가슴 앞쪽으로 오면서 호흡을 내쉬는가?
			클로즈 그립 푸쉬업	① 그립은 어깨너비보다 좁게 위치하였는가? ② 내리는 단계에 팔꿈치가 몸통에서 멀어지지 않고 있는가? ③ 올리는 단계에 삼두근의 수축이 일어나는가? ④ 운동하는 동안에 몸통이 고정되어 있는가? ⑤ 머리, 어깨, 골반, 무릎, 발목이 일직선을 유지하는가?
			덤벨 컬	① 팔꿈치가 어깨 뒤로 빠지지 않게 하고 있는가? ② 팔꿈치가 움직이지 않도록 고정시키고 있는가? ③ 덤벨을 올릴 때 호흡을 내쉬고 있는가?
			해머 컬	① 덤벨을 뉴트럴 그립으로 잡았는가? ② 팔꿈치가 어깨 뒤로 빠지지 않게 하고 있는가? ③ 팔꿈치가 움직이지 않도록 고정시키고 있는가? ④ 덤벨을 올릴 때 호흡을 내쉬고 있는가?
			바벨 컬	① 바를 잡는 양손의 간격이 어깨너비 정도인가? ② 팔꿈치가 어깨 뒤로 빠지지 않게 하고 있는가? ③ 팔꿈치가 움직이지 않도록 고정시키고 있는가? ④ 바를 들어 올릴 때 호흡을 내쉬고 있는가?
			컨센트레이션 컬	① 덤벨을 잡고 벤치에 앉아있는가? ② 팔꿈치를 대퇴부 안쪽에 고정하였는가? ③ 숨을 내쉬면서 팔꿈치를 구부려 전완을 들어 올리고 다시 시작 자세로 돌아오며 숨을 들이마시는가?
			리버스 바벨 컬	① 서서 오버 그립으로 바벨을 잡았는가? ② 숨을 내쉬면서 팔꿈치를 굽혀 바벨을 들어 올리고 다시 내리면서 숨을 들이마시는가? ③ 팔꿈치가 움직이지 않도록 고정시키고 있는가?
			얼터네이트 덤벨 컬	① 팔꿈치가 어깨 뒤로 빠지지 않게 하고 있는가? ② 팔꿈치가 움직이지 않도록 고정시키고 있는가? ③ 덤벨을 올릴 때 호흡을 하고 있는가? ④ 양팔을 교대로 들어 올리는가?
			얼터네이트 해머 컬	① 덤벨을 뉴트럴 그립으로 잡았는가? ② 팔꿈치가 어깨 뒤로 빠지지 않게 하고 있는가? ③ 팔꿈치가 움직이지 않도록 고정시키고 있는가? ④ 덤벨을 올릴 때 호흡을 하고 있는가? ⑤ 양팔을 교대로 들어 올리는가?
			덤벨 리스트 컬	① 벤치에 앉거나 대퇴부에 팔을 올려놓은 다음 언더 그립으로 덤벨을 잡았는가? ② 숨을 내쉬며 손목을 올리고, 손목을 내리면서 숨을 들이쉬는가? ③ 팔꿈치가 움직이지 않도록 고정시키고 있는가?
			바벨 리스트 컬	① 벤치에 앉거나 대퇴부에 팔을 올려놓은 다음 언더 그립으로 덤벨을 잡았는가? ② 숨을 내쉬며 손목을 올리고, 손목을 내리면서 숨을 들이쉬는가? ③ 팔꿈치가 움직이지 않도록 고정시키고 있는가?

기초 기술 (80)	상체	가슴·팔	스탠딩 바벨 트라이셉스 익스텐션	① 서서 허리는 곧게 세우며 펴고 있는가? ② 양손의 간격을 어깨너비보다 좁게 하고 있는가? ③ 바벨을 머리 뒤쪽으로 내리고 있는가? ④ 바벨을 잡은 상완이 지면과 수직이 되도록 하였는가? ⑤ 바벨을 내릴 때 숨을 들이마시고 올릴 때 내뱉고 있는가?
			라잉 바벨 트라이셉스 익스텐션	① 가슴은 들고 척추는 정상 만곡을 유지하고 있는가? ② 양손의 간격을 어깨너비보다 좁게 하고 있는가? ③ 바벨을 머리 쪽으로 내리고 있는가? ④ 바벨을 잡은 팔이 지면과 수직이 되도록 하였는가? ⑤ 바를 내릴 때 숨을 들이마시고 올릴 때 내뱉고 있는가?
			원암 덤벨 오버헤드 트라이셉스 익스텐션	① 팔꿈치가 고정이 되어 있는가? ② 덤벨이 내려갈 때 팔꿈치의 각도를 90°까지 내리는가? ③ 팔꿈치를 펼 때 호흡을 내쉬는가?
			시티드 트라이셉스 익스텐션	① 앉아서 허리는 곧게 세우며 펴고 있는가? ② 양손의 간격을 어깨너비보다 좁게 하고 있는가? ③ 바벨을 머리 뒤쪽으로 내리고 있는가? ④ 바벨을 잡은 상완이 지면과 수직이 되도록 하였는가? ⑤ 바벨을 내릴 때 숨을 들이마시고 올릴 때 내뱉고 있는가?
			덤벨 킥 백	① 운동 중 상완은 바닥과 수평인 상태를 유지하는가? ② 팔꿈치는 몸통에서 붙인 상태를 유지하는가? ③ 등은 곧게 편 상태를 유지하는가? ④ 발은 바닥에 밀착시켰는가?
			벤치 딥	① 허리는 곧게 편 자세를 유지하는가? ② 내리는 단계에 팔꿈치가 직각으로 내려가는가? ③ 올리는 단계에 팔꿈치가 완전히 펴지는가? ④ 호흡을 똑바로 하고 있는가?
		등·어깨	벤트 오버 원암 덤벨 로우	① 팔꿈치를 몸통 가까이 들어 올렸는가? ② 손목은 구부리지 않고 편 상태를 유지했는가? ③ 덤벨을 위로 당기는 단계에서 반동을 이용하지 않고 진행했는가? ④ 머리, 몸통, 손, 발의 위치와 무릎 각도를 유지했는가?
			벤트 오버 바벨 로우	① 허리는 곧게 펴져 있는가? ② 엉덩이를 심하게 뒤로 빼지 않고 있는가? ③ 무릎은 바를 내리면서 약간 구부리고 있는가? ④ 바를 올리는 동작 시 배 방향으로 올리고 있는가? ⑤ 등은 곧게 펴져 있는가?
			언더 그립 바벨 로우	① 바벨을 언더 그립으로 잡고 몸통은 곧게 편 자세를 유지하는가? ② 바를 올리는 단계에서 손목을 펴고 올리는가? ③ 목을 과도하게 뒤로 펴진 않았는가? ④ 몸의 무게 중심을 균형적으로 고르게 유지하는가?
			뉴트럴 그립 투암 덤벨 로우	① 덤벨을 뉴트럴 그립으로 잡고 팔꿈치를 몸통 가까이 들어 올렸는가? ② 손목은 구부리지 않고 편 상태를 유지했는가? ③ 덤벨을 위로 당기는 단계에서 반동을 이용하지 않았는가? ④ 머리, 몸통, 손, 발의 위치와 무릎 각도를 유지했는가?
			바벨 굿모닝 엑서사이즈	① 바벨을 승모근에 올리고 있는가? ② 무릎과 허리를 펴고 내려가는가? ③ 시선은 전방을 주시하는가? ④ 올라올 때 호흡을 내쉬고 있는가?
			백 익스텐션	① 매트에 배를 깔고 엎드려 있는가? ② 상체와 하체를 함께 올리고 있는가? ③ 호흡은 올리는 단계에 내쉬고 있는가?
			바벨 밀리터리 프레스	① 반동 없이 얼굴 가까이 바닥과 수직으로 들어 올렸는가? ② 올리는 단계에서 팔꿈치를 이용하지 않고 운동하였는가? ③ 운동 시 주동근의 긴장을 유지했는가? ④ 내리는 단계 시 갑자기 힘을 빼지 않고 팔꿈치를 천천히 굽혔는가?
			비하인드 넥 프레스	① 반동 없이 머리 뒤쪽 가까이 바닥과 수직으로 들어 올렸는가? ② 올리는 단계에서 팔꿈치를 이용하지 않고 운동하였는가? ③ 운동 시 주동근의 긴장을 유지했는가? ④ 내리는 단계에서 팔꿈치의 각도를 90°로 유지했는가?
			덤벨 숄더 프레스	① 운동 중 덤벨이 움직이지 않도록 통제하였는가? ② 올리는 단계에서 팔꿈치를 이용하지 않고 운동하였는가? ③ 운동 시 주동근의 긴장을 유지했는가? ④ 내리는 단계 시 팔꿈치의 각도를 90°로 유지했는가?

기초 기술 (80)	상체	등·어깨	덤벨 레터럴 레이즈	① 옆으로 올리는 동작 시 상체를 곧게 펴고 시선은 정면을 유지했는가? ② 덤벨을 잡은 손이 팔꿈치보다 아래 있는가? ③ 몸통을 곧게 폈는가? ④ 올리는 단계에서 숨을 내쉬었는가? ⑤ 내리는 동작 시 몸통이 견고하게 지지하고 있는가?
			덤벨 프론트 레이즈	① 위로 올리는 동작 시 상체를 곧게 펴고 시선은 정면을 유지했는가? ② 어깨보다 약간 높은 위치까지 팔을 들어 올렸는가? ③ 몸통을 곧게 폈는가? ④ 올리는 단계에서 숨을 내쉬었는가? ⑤ 내리는 동작 시 몸통이 견고하게 지지하고 있는가?
			벤트 오버 레터럴 레이즈	① 상체를 구부린 자세에서 팔꿈치와 상완이 덤벨보다 높은 상태를 유지하고 있는가? ② 어깨보다 약간 높은 위치까지 팔을 들어 올렸는가? ③ 몸통을 곧게 펴고 무릎은 약간 구부린 자세를 유지했는가? ④ 모든 동작의 단계에서 몸의 반동을 이용하지 않았는가?
			바벨 프론트 레이즈	① 위로 올리는 동작 시 상체를 곧게 펴고 시선은 정면을 유지했는가? ② 어깨보다 약간 높은 위치까지 팔을 들어 올렸는가? ③ 몸통을 곧게 폈는가? ④ 올리는 단계에서 숨을 내쉬었는가? ⑤ 내리는 동작 시 몸통이 견고하게 지지하고 있는가?
			바벨 업라이트 로우	① 바벨을 들어 올렸을 때 팔꿈치가 어깨와 평행이 되었는가? ② 허리를 곧게 펴고 있는가? ③ 시선은 정면을 주시하고 있는가? ④ 오버 그립으로 바벨을 잡고 있는가?
			덤벨 쉬러그	① 어깨너비로 서서 양손에 덤벨을 들고 있는가? ② 등을 곧게 펴고 있는가? ③ 천천히 어깨를 끌어올리고 내리는가?
			바벨 쉬러그	① 어깨너비로 서서 바벨을 어깨너비 스탠다드 그립으로 잡았는가? ② 등을 곧게 펴고 있는가? ③ 천천히 어깨를 끌어올리고 내리는가?
	하체	복근·전신	백 스쿼트	① 몸통과 바닥이 이루는 각도를 일정하게 유지하면서 서서히 앉았는가? ② 무게 중심을 양발과 중앙 부분에 놓이게 했는가? ③ 대퇴가 바닥과 수평이 될 때까지 앉았는가? ④ 일어설 때 반동을 이용하거나 상체를 구부리지 않았는가? ⑤ 바벨이 승모근에 위치하고 있는가?
			프론트 스쿼트	① 바벨은 쇄골과 어깨로 지탱하고 있는가? ② 가슴과 팔꿈치를 들고 허리는 꼿꼿이 세우고 있는가? ③ 무릎이 발끝을 넘지 않고 있는가? ④ 시선은 정면을 주시하고 있는가?
			바벨 런지	① 앞으로 내딛는 다리의 발바닥이 바닥에 닿도록 했는가? ② 허리와 등을 곧게 편 상태로 유지하고 몸의 균형을 잡았는가? ③ 무릎이 발끝보다 나오지 않게 하였는가? ④ 올라오는 단계에서 숨을 내쉬었는가? ⑤ 동작 중 앞발과 무릎이 일직선을 유지하는가? ⑥ 바벨이 승모근에 위치하고 있는가?
			덤벨 런지	① 앞으로 내딛는 다리의 발바닥이 바닥에 닿도록 했는가? ② 허리와 등을 곧게 편 상태로 유지하고 몸의 균형을 잡았는가? ③ 무릎이 발끝보다 나오지 않게 하였는가? ④ 올라오는 단계에서 숨을 내쉬었는가? ⑤ 동작 중 앞발과 무릎이 일직선을 유지하는가? ⑥ 덤벨을 양손에 들고 덤벨이 흔들리지 않게 유지하는가?
			시티드 카프 레이즈	① 앉은 상태로 발뒤꿈치를 최대한 들어 올리고 있는가? ② 발뒤꿈치가 지면에 닿기 전에 다시 올리는가?
			힙 브릿지	① 천장을 바라보고 누워 양팔은 펴서 손바닥을 대고 무릎은 세웠는가? ② 숨을 내쉬면서 엉덩이를 위로 올렸는가? ③ 동작 시 허리를 곧게 펴고 엉덩이에 긴장을 주고 있는가?
			덩키 킥	① 엎드린 자세로 한쪽 다리의 허벅지가 수평이 되도록 들어 올리는가? ② 골반이 바닥과 수평이 되도록 유지하였는가? ③ 골반이 틀어지지 않도록 중심을 잡고 있는가?
			바벨 힙 트러스트 (주동근: 둔근)	① 벤치에 등을 대고 무릎을 세워 누웠는가? ② 바벨이나 원판을 하복부 위에 올렸는가? ③ 바닥과 수평이 될때까지 몸통을 올렸는가? ④ 몸통을 올리면서 호흡을 내쉬었는가?

기초 기술 (80)	하체	복근·전신	힙 트러스트 (주동근: 하복부)	① 바닥에 등을 대고 누워서 두 팔을 몸통 옆 바닥에 밀착시켰는가? ② 두 다리를 펴고 수직으로 올렸는가? ③ 무릎을 편 상태로 천정을 향해 힙과 발바닥을 똑바로 들어 올렸는가? ④ 하복부를 위로 올리면서 호흡을 내쉬었는가?
			루마니안 데드리프트	① 바를 어깨너비 혹은 약간 넓게 잡고 있는가? ② 운동하는 동안 등이 굽지 않도록 곧게 편 자세를 유지하는가? ③ 올리는 동작 시 바벨이 대퇴부에 가까이 위치하여 올려지는가? ④ 내리는 동작에 시선은 정면을 향하고 있는가? ⑤ 내리는 동작에서 무릎이 고정되어 있는가?
			스티프 레그 데드리프트	① 척추 기립근은 펴져 있는가? ② 고개는 들고 정면을 주시하며 동작을 실시하고 있는가? ③ 올리는 동작 시 바벨이 대퇴부에 가까이 위치하여 올려지는가? ④ 동작 수행 간 무릎의 관절은 구부러지지 않는가?
			컨벤셔널 데드리프트	① 바를 어깨너비 혹은 약간 넓게 잡고 있는가? ② 바벨을 바닥에 완전히 내렸다가 올렸는가? ③ 운동하는 동안 등이 굽지 않도록 곧게 편 자세를 유지하는가? ④ 올리는 동작 시 바벨이 대퇴부에 가까이 위치하여 올려지는가?
			덤벨 사이드 밴드	① 덤벨을 옆구리에 밀착시키는가? ② 엉덩이가 앞뒤로 흔들리지 않게 통제하는가? ③ 덤벨이 몸에서 멀어지지 않도록 운동하고 있는가? ④ 엉덩이가 좌우로 과도하게 움직이지 않는가?
			크런치	① 목이 고정된 상태에서 상체를 숙였는가? ② 양어깨가 바닥에 닿지 않을 정도까지 내렸는가? ③ 들어 올리는 단계에서 몸통의 반동을 이용하지 않았는가? ④ 양손을 머리에서 떨어뜨리지 않고 운동을 실시하였는가? ⑤ 허리를 바닥에서 떨어뜨리지 않았는가?
			레그 레이즈	① 숨을 내쉬며 양발이 바닥과 90°를 이룰 때까지 올렸는가? ② 양어깨와 등 상부를 바닥과 밀착시켰는가? ③ 발끝이 바닥에 닿지 않을 정도까지 천천히 내렸는가? ④ 올리는 단계에 숨을 내쉬었는가?
			오블리크 크런치	① 목이 고정된 상태에서 상체를 숙였는가? ② 양어깨가 바닥에 닿지 않을 정도까지 내렸는가? ③ 들어 올리는 단계에서 몸통의 반동을 이용하지 않았는가? ④ 양손을 머리에서 떨어뜨리지 않고 운동을 실시하였는가?
			시티드 니 업	① 앉아서 상체를 고정시키고 무릎을 구부리는가? ② 발이 땅에 닿지 않게 운동하는가? ③ 발끝이 바닥에 닿지 않을 정도까지 천천히 내렸는가? ④ 올리는 단계에 숨을 내쉬었는가?
			리버스 크런치	① 숨을 내쉬며 엉덩이가 바닥에서 떨어질 때까지 올렸는가? ② 양어깨와 등 상부를 바닥과 밀착시켰는가? ③ 발끝이 바닥에 닿지 않을 정도까지 천천히 내렸는가? ④ 올리는 단계에서 숨을 내쉬었는가? ⑤ 무릎 관절을 90° 구부리며 하는가?
			V-싯업	① 다리와 상체를 동시에 올렸는가? ② 양다리와 양팔을 천천히 내렸는가? ③ 팔과 다리가 구부러지지 않고 펴져 있는가? ④ 올리는 단계에서 숨을 내쉬었는가?
실전 기술 (20)	남자 (20)	보디빌딩 규정 포즈	프론트 더블 바이셉스	① 이두박근과 전완근을 표현하고 있는가? ② 팔의 높이는 어깨보다 같거나 높게 하고 있는가? ③ 가슴이 들리고 가슴 근육의 선을 표현하고 있는가? ④ 광배근을 표현하고 있는가? ⑤ 하체에 힘을 지속적으로 유지하여 대퇴근을 표현하고 있는가?
			프론트 랫 스프레드	① 가슴근육의 수축을 표현하고 있는가? ② 하체에 힘을 지속적으로 유지하여 대퇴근을 표현하고 있는가? ③ 심판을 향해 정면으로 서서 발의 간격을 최대 15cm로 유지하고 있는가?
			사이드 체스트	① 가슴을 들고 가슴 라인을 표현하고 있는가? ② 어깨와 이두근을 수축하여 표현하고 있는가? ③ 앞다리를 약간 구부려 대퇴 이두근을 표현하고 있는가? ④ 하체를 수축하여 대퇴근을 표현하고 있는가? ⑤ 종아리를 수축하여 비복근을 표현하고 있는가?

실전 기술 (20)	남자 (20)	보디빌딩 규정 포즈	백 더블 바이셉스	① 팔의 높이는 어깨보다 같거나 높게 하고 있는가? ② 등 근육을 수축하고 몸이 앞으로 구부러지지 않게 하고 있는가? ③ 한 다리를 뒤로 뻗어 슬와근을 표현하고 있는가? ④ 종아리를 수축하여 비복근을 표현하고 있는가? ⑤ 이두근과 삼각근을 수축하여 표현하고 있는가?
			백 랫 스프레드	① 등 근육을 잘 펴고 있는가? ② 등 모양이 V자가 되고 있는가? ③ 발의 간격을 최대 15cm로 유지한 채 두 다리를 곧게 편 상태로 근육을 수축하고 있는가? ④ 종아리를 수축하여 비복근을 표현하고 있는가? ⑤ 팔꿈치는 어깨보다 전방을 향하고 있는가?
			사이드 트라이셉스	① 삼두근을 수축하여 표현하고 있는가? ② 가슴의 모양을 보여 주고 있는가? ③ 심판과 가까운 쪽 다리의 무릎을 구부린 상태로 발을 지면 위에 두고, 다른 다리는 뒤로 뺀 채 무릎을 구부려 발가락으로 지탱하며 대퇴부와 비복근을 표현하고 있는가? ④ 전면 · 측면 · 후면 삼각근을 동시에 표현하고 있는가?
			업도미널 앤 타이	① 손은 머리 뒤에 위치하고 있는가? ② 복부를 수축하여 복근을 표현하고 있는가? ③ 이두근을 수축하여 표현하고 있는가? ④ 대퇴근을 수축하여 표현하고 있는가? ⑤ 광배근을 수축하여 표현하고 있는가?
	여자 (20)	여자 피지크 규정 포즈	프론트 포즈	① 두 다리(오른쪽 또는 왼쪽 다리를 바깥쪽으로)와 발의 위치(일직선상)는 정확한가? ② 두 팔의 높이(어깨높이)와 팔꿈치를 구부리고 있는 동작이 정확한가? ③ 손과 손가락이 하늘을 향하고 있는가? ④ 최대한 많은 근육들을 수축하고 있는가?
			사이드 체스트	① 심판을 향해 오른쪽 또는 왼쪽으로 비틀게 서 있는가? ② 오른쪽 또는 왼쪽 무릎은 구부리지 않은 채로 다리를 곧게 펴고 있으며 왼쪽 또는 오른쪽 무릎은 살짝 구부리고 있는가? ③ 팔, 팔꿈치, 손가락 및 손바닥의 자세 및 위치는 정확한가? ④ 가슴 근육, 상완 삼두근, 대퇴 사두근, 대퇴 이두근 및 비복근을 수축하고 있는가?
			백 포즈	① 두 다리(한 발을 뒤에 위치하여 발가락으로 지탱)와 발의 위치는 정확한가? ② 두 팔의 높이(어깨높이)와 팔꿈치는 구부리고 있는 동작이 정확한가? ③ 손과 손가락이 하늘을 향하고 있는가? ④ 삼각근, 등 상하부, 대퇴 이두근 및 비복근을 수축하고 있는가?
			사이드 트라이셉스	① 오른쪽 또는 왼쪽 측면이 심판을 향하게 서 있는가? ② 팔을 등 뒤에 위치시켜 오른쪽 또는 왼쪽 손목을 왼쪽 또는 오른쪽 손으로 잡고 있으며 손과 손가락을 편 상태로 손바닥이 아래 지면과 평행하게 되어 있는가? ③ 오른쪽 또는 왼쪽 무릎을 구부리지 않고 다리를 곧게 펴서 바닥에 내려놓았으며 왼쪽 또는 오른쪽 무릎은 살짝 구부렸는가? ④ 상완 삼두근, 가슴, 복부, 대퇴근부 및 비복근을 수축하고 있는가?

[2급 전문 스포츠지도사]

영역			내용	평가기준
기초 기술 (80)	상체	가슴·팔	바벨 벤치 프레스	① 바벨은 어깨너비보다 넓게 잡았는가? ② 벤치에 머리, 어깨, 엉덩이가 밀착되어 있는가? ③ 그립은 오버핸드 그립으로 정확히 잡고 있는가? ④ 바가 수직으로 보이도록 눕고 턱을 가슴으로 당겨 고정되어 있는가? ⑤ 팔꿈치와 어깨가 일직선이 되게 옆으로 펴고 손목이 뒤로 꺾이지 않았는가?
			덤벨 벤치 프레스	① 어깨는 고정되어 있는가? ② 덤벨을 올릴 때 가슴을 수축하고 있는가? ③ 팔은 정확히 밀고 있는가? ④ 호흡은 덤벨을 내릴 때 들이마시고 올릴 때 내뱉고 있는가?
			덤벨 플라이	① 어깨는 고정되어 있는가? ② 덤벨을 올릴 때 가슴을 수축하고 있는가? ③ 주관절의 굽힘 정도가 적당한가?
			덤벨 풀 오버	① 양발이 어깨너비로 고정되어 있는가? ② 팔꿈치 관절을 충분히 연 상태에서 수직이 되도록 팔을 올리는가? ③ 팔이 바닥과 평행이 될 때까지 내리는가? ④ 덤벨이 가슴 앞쪽으로 오면서 호흡을 내쉬는가?
			클로즈 그립 푸쉬업	① 그립은 어깨너비보다 좁게 위치하였는가? ② 내리는 단계에 팔꿈치가 몸통에서 멀어지지 않고 있는가? ③ 올리는 단계에 삼두근의 수축이 일어나는가? ④ 운동하는 동안에 몸통이 고정되어 있는가? ⑤ 머리, 어깨, 골반, 무릎, 발목이 일직선을 유지하는가?
			덤벨 컬	① 팔꿈치가 어깨 뒤로 빠지지 않게 하고 있는가? ② 팔꿈치가 움직이지 않도록 고정시키고 있는가? ③ 덤벨을 올릴 때 호흡을 내쉬고 있는가?
			해머 컬	① 덤벨을 뉴트럴 그립으로 잡았는가? ② 팔꿈치가 어깨 뒤로 빠지지 않게 하고 있는가? ③ 팔꿈치가 움직이지 않도록 고정시키고 있는가? ④ 덤벨을 올릴 때 호흡을 내쉬고 있는가?
			바벨 컬	① 바를 잡는 양손의 간격이 어깨너비 정도인가? ② 팔꿈치가 어깨 뒤로 빠지지 않게 하고 있는가? ③ 팔꿈치가 움직이지 않도록 고정시키고 있는가? ④ 바를 들어 올릴 때 호흡을 내쉬고 있는가?
			컨센트레이션 컬	① 덤벨을 잡고 벤치에 앉아있는가? ② 팔꿈치를 대퇴부 안쪽에 고정하였는가? ③ 숨을 내쉬면서 팔꿈치를 구부려 전완을 들어 올리고 다시 시작 자세로 돌아오며 숨을 들이마시는가?
			리버스 바벨 컬	① 서서 오버 그립으로 바벨을 잡았는가? ② 숨을 내쉬면서 팔꿈치를 굽혀 바벨을 들어 올리고 다시 내리면서 숨을 들이마시는가? ③ 팔꿈치가 움직이지 않도록 고정시키고 있는가?
			얼터네이트 덤벨 컬	① 팔꿈치가 어깨 뒤로 빠지지 않게 하고 있는가? ② 팔꿈치가 움직이지 않도록 고정시키고 있는가? ③ 덤벨을 올릴 때 호흡을 하고 있는가? ④ 양팔을 교대로 들어 올리는가?
			얼터네이트 해머 컬	① 덤벨을 뉴트럴 그립으로 잡았는가? ② 팔꿈치가 어깨 뒤로 빠지지 않게 하고 있는가? ③ 팔꿈치가 움직이지 않도록 고정시키고 있는가? ④ 덤벨을 올릴 때 호흡을 하고 있는가? ⑤ 양팔을 교대로 들어 올리는가?
			덤벨 리스트 컬	① 벤치에 앉거나 대퇴부에 팔을 올려놓은 다음 언더 그립으로 덤벨을 잡았는가? ② 숨을 내쉬며 손목을 올리고, 손목을 내리면서 숨을 들이쉬는가? ③ 팔꿈치가 움직이지 않도록 고정시키고 있는가?
			바벨 리스트 컬	① 벤치에 앉거나 대퇴부에 팔을 올려놓은 다음 언더 그립으로 덤벨을 잡았는가? ② 숨을 내쉬며 손목을 올리고, 손목을 내리면서 숨을 들이쉬는가? ③ 팔꿈치가 움직이지 않도록 고정시키고 있는가?

기초 기술 (80)	상체	가슴·팔	스탠딩 바벨 트라이셉스 익스텐션	① 서서 허리는 곧게 세우며 펴고 있는가? ② 양손의 간격을 어깨너비보다 좁게 하고 있는가? ③ 바벨을 머리 뒤쪽으로 내리고 있는가? ④ 바벨을 잡은 상완이 지면과 수직이 되도록 하였는가? ⑤ 바벨을 내릴 때 숨을 들이마시고 올릴 때 내뱉고 있는가?
			라잉 바벨 트라이셉스 익스텐션	① 가슴은 들고 척추는 정상 만곡을 유지하고 있는가? ② 양손의 간격을 어깨너비보다 좁게 하고 있는가? ③ 바벨을 머리 쪽으로 내리고 있는가? ④ 바벨을 잡은 팔이 지면과 수직이 되도록 하였는가? ⑤ 바를 내릴 때 숨을 들이마시고 올릴 때 내뱉고 있는가?
			원암 덤벨 오버헤드 트라이셉스 익스텐션	① 팔꿈치가 고정이 되어 있는가? ② 덤벨이 내려갈 때 팔꿈치의 각도를 90°까지 내리는가? ③ 팔꿈치를 펼 때 호흡을 내쉬는가?
			시티드 트라이셉스 익스텐션	① 앉아서 허리는 곧게 세우며 펴고 있는가? ② 양손의 간격을 어깨너비보다 좁게 하고 있는가? ③ 바벨을 머리 뒤쪽으로 내리고 있는가? ④ 바벨을 잡은 상완이 지면과 수직이 되도록 하였는가? ⑤ 바벨을 내릴 때 숨을 들이마시고 올릴 때 내뱉고 있는가?
			덤벨 킥 백	① 운동 중 상완은 바닥과 수평인 상태를 유지하는가? ② 팔꿈치는 몸통에서 붙인 상태를 유지하는가? ③ 등은 곧게 편 상태를 유지하는가? ④ 발은 바닥에 밀착시켰는가?
			벤치 딥	① 허리는 곧게 편 자세를 유지하는가? ② 내리는 단계에 팔꿈치가 직각으로 내려가는가? ③ 올리는 단계에 팔꿈치가 완전히 펴지는가? ④ 호흡을 똑바로 하고 있는가?
		등·어깨	벤트 오버 원암 덤벨 로우	① 팔꿈치를 몸통 가까이 들어 올렸는가? ② 손목은 구부리지 않고 편 상태를 유지했는가? ③ 덤벨을 위로 당기는 단계에서 반동을 이용하지 않고 진행했는가? ④ 머리, 몸통, 손, 발의 위치와 무릎 각도를 유지했는가?
			벤트 오버 바벨 로우	① 허리는 곧게 펴져 있는가? ② 엉덩이를 심하게 뒤로 빼지 않고 있는가? ③ 무릎은 바를 내리면서 약간 구부리고 있는가? ④ 바를 올리는 동작 시 배 방향으로 올리고 있는가? ⑤ 등은 곧게 펴져 있는가?
			언더 그립 바벨 로우	① 바벨을 언더 그립으로 잡고 몸통은 곧게 편 자세를 유지하는가? ② 바를 올리는 단계에서 손목을 펴고 올리는가? ③ 목을 과도하게 뒤로 펴진 않았는가? ④ 몸의 무게 중심을 균형적으로 고르게 유지하는가?
			뉴트럴 그립 투암 덤벨 로우	① 덤벨을 뉴트럴 그립으로 잡고 팔꿈치를 몸통 가까이 들어 올렸는가? ② 손목은 구부리지 않고 편 상태를 유지했는가? ③ 덤벨을 위로 당기는 단계에서 반동을 이용하지 않았는가? ④ 머리, 몸통, 손, 발의 위치와 무릎 각도를 유지했는가?
			바벨 굿모닝 엑서사이즈	① 바벨을 승모근에 올리고 있는가? ② 무릎과 허리를 펴고 내려가는가? ③ 시선은 전방을 주시하는가? ④ 올라올 때 호흡을 내쉬고 있는가?
			백 익스텐션	① 매트에 배를 깔고 엎드려 있는가? ② 상체와 하체를 함께 올리고 있는가? ③ 호흡은 올리는 단계에 내쉬고 있는가?
			바벨 밀리터리 프레스	① 반동 없이 얼굴 가까이 바닥과 수직으로 들어 올렸는가? ② 올리는 단계에서 팔꿈치를 이용하지 않고 운동하였는가? ③ 운동 시 주동근의 긴장을 유지했는가? ④ 내리는 단계 시 갑자기 힘을 빼지 않고 팔꿈치를 천천히 굽혔는가?
			비하인드 넥 프레스	① 반동 없이 머리 뒤쪽 가까이 바닥과 수직으로 들어 올렸는가? ② 올리는 단계에서 팔꿈치를 이용하지 않고 운동하였는가? ③ 운동 시 주동근의 긴장을 유지했는가? ④ 내리는 단계에서 팔꿈치의 각도를 90°로 유지했는가?
			덤벨 숄더 프레스	① 운동 중 덤벨이 움직이지 않도록 통제하였는가? ② 올리는 단계에서 팔꿈치를 이용하지 않고 운동하였는가? ③ 운동 시 주동근의 긴장을 유지했는가? ④ 내리는 단계 시 팔꿈치의 각도를 90°로 유지했는가?

기초 기술 (80)	상체	등·어깨	덤벨 레터럴 레이즈	① 옆으로 올리는 동작 시 상체를 곧게 펴고 시선은 정면을 유지했는가? ② 덤벨을 잡은 손이 팔꿈치보다 아래 있는가? ③ 몸통을 곧게 폈는가? ④ 올리는 단계에서 숨을 내쉬었는가? ⑤ 내리는 동작 시 몸통이 견고하게 지지하고 있는가?
			덤벨 프론트 레이즈	① 위로 올리는 동작 시 상체를 곧게 펴고 시선은 정면을 유지했는가? ② 어깨보다 약간 높은 위치까지 팔을 들어 올렸는가? ③ 몸통을 곧게 폈는가? ④ 올리는 단계에서 숨을 내쉬었는가? ⑤ 내리는 동작 시 몸통이 견고하게 지지하고 있는가?
			벤트 오버 레터럴 레이즈	① 상체를 구부린 자세에서 팔꿈치와 상완이 덤벨보다 높은 상태를 유지하고 있는가? ② 어깨보다 약간 높은 위치까지 팔을 들어 올렸는가? ③ 몸통을 곧게 펴고 무릎은 약간 구부린 자세를 유지했는가? ④ 모든 동작의 단계에서 몸의 반동을 이용하지 않았는가?
			바벨 프론트 레이즈	① 위로 올리는 동작 시 상체를 곧게 펴고 시선은 정면을 유지했는가? ② 어깨보다 약간 높은 위치까지 팔을 들어 올렸는가? ③ 몸통을 곧게 폈는가? ④ 올리는 단계에서 숨을 내쉬었는가? ⑤ 내리는 동작 시 몸통이 견고하게 지지하고 있는가?
			바벨 업라이트 로우	① 바벨을 들어 올렸을 때 팔꿈치가 어깨와 평행이 되었는가? ② 허리를 곧게 펴고 있는가? ③ 시선은 정면을 주시하고 있는가? ④ 오버 그립으로 바벨을 잡고 있는가?
			덤벨 쉬러그	① 어깨너비로 서서 양손에 덤벨을 들고 있는가? ② 등을 곧게 펴고 있는가? ③ 천천히 어깨를 끌어올리고 내리는가?
			바벨 쉬러그	① 어깨너비로 서서 바벨을 어깨너비 스탠다드 그립으로 잡았는가? ② 등을 곧게 펴고 있는가? ③ 천천히 어깨를 끌어올리고 내리는가?
	하체	복근·전신	백 스쿼트	① 몸통과 바닥이 이루는 각도를 일정하게 유지하면서 서서히 앉았는가? ② 무게 중심을 양발과 중앙 부분에 놓이게 했는가? ③ 대퇴가 바닥과 수평이 될 때까지 앉았는가? ④ 일어설 때 반동을 이용하거나 상체를 구부리지 않았는가? ⑤ 바벨이 승모근에 위치하고 있는가?
			프론트 스쿼트	① 바벨은 쇄골과 어깨로 지탱하고 있는가? ② 가슴과 팔꿈치를 들고 허리는 꼿꼿이 세우고 있는가? ③ 무릎이 발끝을 넘지 않고 있는가? ④ 시선은 정면을 주시하고 있는가?
			바벨 런지	① 앞으로 내딛는 다리의 발바닥이 바닥에 닿도록 했는가? ② 허리와 등을 곧게 편 상태로 유지하고 몸의 균형을 잡았는가? ③ 무릎이 발끝보다 나오지 않게 하였는가? ④ 올라오는 단계에서 숨을 내쉬었는가? ⑤ 동작 중 앞발과 무릎이 일직선을 유지하는가? ⑥ 바벨이 승모근에 위치하고 있는가?
			덤벨 런지	① 앞으로 내딛는 다리의 발바닥이 바닥에 닿도록 했는가? ② 허리와 등을 곧게 편 상태로 유지하고 몸의 균형을 잡았는가? ③ 무릎이 발끝보다 나오지 않게 하였는가? ④ 올라오는 단계에서 숨을 내쉬었는가? ⑤ 동작 중 앞발과 무릎이 일직선을 유지하는가? ⑥ 덤벨을 양손에 들고 덤벨이 흔들리지 않게 유지하는가?
			시티드 카프 레이즈	① 앉은 상태로 발뒤꿈치를 최대한 들어 올리고 있는가? ② 발뒤꿈치가 지면에 닿기 전에 다시 올리는가?
			힙 브릿지	① 천장을 바라보고 누워 양팔은 펴서 손바닥을 대고 무릎은 세웠는가? ② 숨을 내쉬면서 엉덩이를 위로 올렸는가? ③ 동작 시 허리를 곧게 펴고 엉덩이에 긴장을 주고 있는가?
			덩키 킥	① 엎드린 자세로 한쪽 다리의 허벅지가 수평이 되도록 들어 올리는가? ② 골반이 바닥과 수평이 되도록 유지하였는가? ③ 골반이 틀어지지 않도록 중심을 잡고 있는가?
			바벨 힙 트러스트 (주동근: 둔근)	① 벤치에 등을 대고 무릎을 세워 누웠는가? ② 바벨이나 원판을 하복부 위에 올렸는가? ③ 바닥과 수평이 될때까지 몸통을 올렸는가? ④ 몸통을 올리면서 호흡을 내쉬었는가?

기초 기술 (80)	하체	복근·전신	힙 트러스트 (주동근: 하복부)	① 바닥에 등을 대고 누워서 두 팔을 몸통 옆 바닥에 밀착시켰는가? ② 두 다리를 펴고 수직으로 올렸는가? ③ 무릎을 편 상태로 천정을 향해 힙과 발바닥을 똑바로 들어 올렸는가? ④ 하복부를 위로 올리면서 호흡을 내쉬었는가?
			루마니안 데드리프트	① 바를 어깨너비 혹은 약간 넓게 잡고 있는가? ② 운동하는 동안 등이 굽지 않도록 곧게 편 자세를 유지하는가? ③ 올리는 동작 시 바벨이 대퇴부에 가까이 위치하여 올려지는가? ④ 내리는 동작에 시선은 정면을 향하고 있는가? ⑤ 내리는 동작에서 무릎이 고정되어 있는가?
			스티프 레그 데드리프트	① 척추 기립근은 펴져 있는가? ② 고개는 들고 정면을 주시하며 동작을 실시하고 있는가? ③ 올리는 동작 시 바벨이 대퇴부에 가까이 위치하여 올려지는가? ④ 동작 수행 간 무릎의 관절은 구부러지지 않는가?
			컨벤셔널 데드리프트	① 바를 어깨너비 혹은 약간 넓게 잡고 있는가? ② 바벨을 바닥에 완전히 내렸다가 올렸는가? ③ 운동하는 동안 등이 굽지 않도록 곧게 편 자세를 유지하는가? ④ 올리는 동작 시 바벨이 대퇴부에 가까이 위치하여 올려지는가?
			덤벨 사이드 밴드	① 덤벨을 옆구리에 밀착시키는가? ② 엉덩이가 앞뒤로 흔들리지 않게 통제하는가? ③ 덤벨이 몸에서 멀어지지 않도록 운동하고 있는가? ④ 엉덩이가 좌우로 과도하게 움직이지 않는가?
			크런치	① 목이 고정된 상태에서 상체를 숙였는가? ② 양어깨가 바닥에 닿지 않을 정도까지 내렸는가? ③ 들어 올리는 단계에서 몸통의 반동을 이용하지 않았는가? ④ 양손을 머리에서 떨어뜨리지 않고 운동을 실시하였는가? ⑤ 허리를 바닥에서 떨어뜨리지 않았는가?
			레그 레이즈	① 숨을 내쉬며 양발이 바닥과 90°를 이룰 때까지 올렸는가? ② 양어깨와 등 상부를 바닥과 밀착시켰는가? ③ 발끝이 바닥에 닿지 않을 정도까지 천천히 내렸는가? ④ 올리는 단계에 숨을 내쉬었는가?
			오블리크 크런치	① 목이 고정된 상태에서 상체를 숙였는가? ② 양어깨가 바닥에 닿지 않을 정도까지 내렸는가? ③ 들어 올리는 단계에서 몸통의 반동을 이용하지 않았는가? ④ 양손을 머리에서 떨어뜨리지 않고 운동을 실시하였는가?
			시티드 니 업	① 앉아서 상체를 고정시키고 무릎을 구부리는가? ② 발이 땅에 닿지 않게 운동하는가? ③ 발끝이 바닥에 닿지 않을 정도까지 천천히 내렸는가? ④ 올리는 단계에 숨을 내쉬었는가?
			리버스 크런치	① 숨을 내쉬며 엉덩이가 바닥에서 떨어질 때까지 올렸는가? ② 양어깨와 등 상부를 바닥과 밀착시켰는가? ③ 발끝이 바닥에 닿지 않을 정도까지 천천히 내렸는가? ④ 올리는 단계에서 숨을 내쉬었는가? ⑤ 무릎 관절을 90° 구부리며 하는가?
			V-싯업	① 다리와 상체를 동시에 올렸는가? ② 양다리와 양팔을 천천히 내렸는가? ③ 팔과 다리가 구부러지지 않고 펴져 있는가? ④ 올리는 단계에서 숨을 내쉬었는가?
			스쿼팅 바벨컬	① 발의 위치와 바벨을 잡은 양손 간격은 어깨너비 정도인가? ② 팔꿈치 뒷부분 위치가 양무릎 위에 적당히 위치하는가? ③ 동작 시 앉은 스쿼트 자세와 상체 부분이 반동 없이 고정 유지하는가? ④ 바벨을 얼굴쪽으로 당길 시 숨을 내쉬고 천천히 원위치로 내리는가?
실전 기술 (20)	남자 (20)	보디빌딩 규정 포즈	Front Double Biceps (전면 이두근 포즈)	① 이두박근과 전완근을 표현하고 있는가? ② 팔의 높이는 어깨보다 같거나 높게 하고 있는가? ③ 가슴이 들리고 가슴 근육의 선을 표현하고 있는가? ④ 광배근을 표현하고 있는가? ⑤ 하체에 힘을 지속적으로 유지하여 대퇴근을 표현하고 있는가?
			Front Lat Spread (전면 광배근 포즈)	① 가슴 근육의 수축을 표현하고 있는가? ② 하체에 힘을 지속적으로 유지하여 대퇴근을 표현하고 있는가? ③ 심판을 향해 정면으로 서서 발의 간격을 최대 15cm로 유지하고 있는가?

실전 기술 (20)	남자 (20)	보디빌딩 규정 포즈	Side Chest (측면 가슴 포즈)	① 가슴을 들고 가슴 라인을 표현하고 있는가? ② 어깨와 이두근을 수축하여 표현하고 있는가? ③ 앞다리를 약간 구부려 대퇴 이두근을 표현하고 있는가? ④ 하체를 수축하여 대퇴근을 표현하고 있는가? ⑤ 종아리를 수축하여 비복근을 표현하고 있는가?
			Back Double Biceps (후면 이두근 포즈)	① 팔의 높이는 어깨보다 같거나 높게 하고 있는가? ② 등 근육을 수축하고 몸이 앞으로 구부러지지 않게 하고 있는가? ③ 한 다리를 뒤로 뻗어 슬와근을 표현하고 있는가? ④ 종아리를 수축하여 비복근을 표현하고 있는가? ⑤ 이두근과 삼각근을 수축하여 표현하고 있는가?
			Back Lat Spread (후면 광배근 포즈)	① 등 근육을 잘 펴고 있는가? ② 등 모양이 V자가 되고 있는가? ③ 발의 간격을 최대 15㎝로 유지한 채 두 다리를 곧게 편 상태로 근육을 수축하고 있는가? ④ 종아리를 수축하여 비복근을 표현하고 있는가? ⑤ 팔꿈치는 어깨보다 전방을 향하고 있는가?
			Side Triceps (측면 삼두근 포즈)	① 삼두근을 수축하여 표현하고 있는가? ② 가슴의 모양을 보여 주고 있는가? ③ 심판과 가까운 쪽 다리의 무릎을 구부린 상태로 발을 지면 위에 두고, 다른 다리는 뒤로 뺀 채 무릎을 구부려 발가락으로 지탱하며 대퇴부와 비복근을 표현하고 있는가? ④ 전면 · 측면 · 후면 삼각근을 동시에 표현하고 있는가?
			Abdominal & Thighs (복직근과 다리 포즈)	① 손은 머리 뒤에 위치하고 있는가? ② 복부를 수축하여 복근을 표현하고 있는가? ③ 이두근을 수축하여 표현하고 있는가? ④ 대퇴근을 수축하여 표현하고 있는가? ⑤ 광배근을 수축하여 표현하고 있는가?
		클래식 보디빌딩 쿼터 턴	Front Position	① 머리와 눈이 몸과 같은 방향으로 향하고 있는가? ② 발뒤꿈치가 같은 선상에서 간격을 유지하며 양팔은 신체 중심선을 따라 측면에 위치하고 팔꿈치는 약간 구부린 상태로 손바닥이 신체를 바라보게 한 상태로 주먹을 쥐고 있는가?
			Quarter Turn Right – 왼쪽 측면이 심판을 향함	① 머리와 눈이 몸과 같은 방향으로 향하고 있는가? ② 발뒤꿈치를 모으고 있으며 발을 바깥쪽으로 벌리고 있는가? ③ 좌측 팔은 등 뒤의 신체 중심선에, 우측 팔은 신체 중심선 전방에 위치하여 팔꿈치는 약간 구부리고 손바닥이 신체를 바라본 상태에서 주먹을 쥐고 있는가?
			Quarter Turn Back	① 머리와 눈이 몸과 같은 방향으로 향하고 있는가? ② 발뒤꿈치가 같은 선상에서 간격을 유지하며 양팔은 신체 중심선을 따라 측면에 위치하고 필꿈치는 약간 구부린 상태로 손바닥이 신체를 바라보게 한 상태로 주먹을 쥐고 있는가? ③ 무릎은 곧게 펴고, 복부는 안으로, 가슴은 바깥으로 어깨는 뒤로, 고개는 들고 있는가?
			Quarter Turn Right – 오른쪽 측면이 심판을 향함	① 머리와 눈이 몸과 같은 방향으로 향하고 있는가? ② 발뒤꿈치를 모으고 있으며 발을 바깥쪽으로 벌리고 있는가? ③ 우측 팔은 등 뒤의 신체 중심선에, 좌측 팔은 신체 중심선 전방에 위치하여 팔꿈치는 약간 구부리고 손바닥이 신체를 바라본 상태에서 주먹을 쥐고 있는가?
	여자 (20)	여자 피지크 규정 포즈	Front Pose	① 두 다리(오른쪽 또는 왼쪽 다리를 바깥쪽으로)와 발의 위치(일직선상)는 정확한가? ② 두 팔의 높이(어깨높이)와 팔꿈치는 구부리고 있는 동작이 정확한가? ③ 손과 손가락이 하늘을 향하고 있는가? ④ 최대한 많은 근육들을 수축하고 있는가?
			Side Chest	① 심판을 향해 오른쪽 또는 왼쪽으로 비틀게 서 있는가? ② 오른쪽 또는 왼쪽 무릎은 구부리지 않은 채로 다리를 곧게 펴고 있으며 왼쪽 또는 오른쪽 무릎은 살짝 구부리고 있는가? ③ 팔, 팔꿈치 손가락 및 손바닥의 자세 및 위치는 정확한가? ④ 가슴 근육, 상완 삼두근, 대퇴 사두근, 대퇴 이두근 및 비복근을 수축하고 있는가?
			Back Pose	① 두 다리(한 발을 뒤에 위치하여 발가락으로 지탱)와 발의 위치는 정확한가? ② 두 팔의 높이(어깨높이)와 팔꿈치는 구부리고 있는 동작이 정확한가? ③ 손과 손가락이 하늘을 향하고 있는가? ④ 삼각근, 등 상하부, 대퇴 이두근 및 비복근을 수축하고 있는가?
			Side Triceps	① 오른쪽 또는 왼쪽 측면이 심판을 향해 서 있는가? ② 팔을 등 뒤에 위치시켜 오른쪽 또는 왼쪽 손목을 왼쪽 또는 오른쪽 손으로 잡고 있으며 손과 손가락을 편 상태로 손바닥이 아래 지면과 평행하게 되어 있는가? ③ 오른쪽 또는 왼쪽 무릎을 구부리지 않고 다리를 곧게 펴서 바닥에 내려놓았으며 왼쪽 또는 오른쪽 무릎은 살짝 구부렸는가? ④ 상완 삼두근, 가슴, 복부, 대퇴근부 및 비복근을 수축하고 있는가?

실전 기술 (20)	여자 (20)	여자 피지크 쿼터턴, 여자 보디 피트니스 쿼터 턴	Front Position	① 머리와 눈이 몸과 같은 방향으로 향하고 있는가? ② 발뒤꿈치를 모으고 있으며 발은 바깥쪽으로 향하고 있는가? ③ 무릎을 곧게 펴고, 복부는 안으로, 가슴은 바깥으로 어깨는 뒤로 뺐는가?
			Quarter Turn Right –왼쪽 측면이 심판을 향함	① 머리와 눈이 몸과 같은 방향으로 향하고 있는가? ② 발뒤꿈치를 모으고 있으며 발은 바깥쪽으로 향하고 있는가? ③ 좌측 팔은 등 뒤에 신체 중심선에, 우측 팔은 신체 중심선 전방에 위치하여 팔꿈치는 약간 구부리고 손바닥은 신체를 바라보게 한 상태로 손은 오므리고 있는가?
			Quarter Turn Back	① 머리와 눈이 몸과 같은 방향으로 향하고 있는가? ② 발뒤꿈치를 모으고 있으며 발은 바깥쪽으로 향하고 있는가?
			Quarter Turn Right – 오른쪽 측면이 심판을 향함	① 머리와 눈이 몸과 같은 방향으로 향하고 있는가? ② 발뒤꿈치를 모으고 있으며 발은 바깥쪽으로 향하고 있는가? ③ 우측 팔은 등 뒤 신체 중심선에, 좌측 팔은 신체 중심선 전방에 위치하여 팔꿈치는 약간 구부리고 손바닥은 신체를 바라보게 한 상태로 손은 오므리고 있는가?
		비키니 피트니스 쿼터 턴	Front Position	① 바르게 서서 머리와 눈이 몸과 같은 방향을 바라보고 있는가? ② 한 손은 엉덩이 위에 두고, 다른 한 손은 몸 옆에 자연스레 늘어뜨리고 손을 편 상태로 미적으로 보이게 하는가? ③ 무릎을 구부리지 않고, 복부를 끌어당기고 가슴을 세우고 어깨는 폈는가?
			Quarter Turn Right – 왼쪽 측면이 심판을 향함	① 측면이 심판을 향한 상태에서 상체를 돌려 심판을 바라보고 있는가? ② 심판으로부터 가까운 엉덩이를 약간 올리고 있는가? ③ 심판으로부터 가까운 팔은 약간 뒤쪽 신체 중심선에 위치하여 손을 편 상태로 미적으로 보이게 하는가? ④ 심판으로부터 먼 팔을 엉덩이 위에 올리고 있는가?
			Quarter Turn Back	① 상체를 숙이지 않고 바르게 서 있는가? ② 한 손을 엉덩이 위에 올려놓고 있는가? ③ 다른 손은 신체를 따라 약간 측면에 늘어뜨리고 손을 편 상태로 미적으로 보이게 하는가? ④ 무릎은 구부리지 않고 복부는 안쪽으로 상체는 앞으로 어깨는 뒤로 뺀 상태로 위치하고 있는가? ⑤ 등 하부를 자연스럽게 만곡 시키거나 약간 척추전만의 자세를 취하고 있는가? ⑥ 등 상부는 곧게 펴고 고개는 심판을 바라보지 않고 정면(무대뒤쪽)을 향하고 있는가?
			Quarter Turn Right – 오른쪽 측면이 심판을 향함	① 측면이 심판을 향한 상태에서 상체를 돌려 심판을 바라보고 있는가? ② 심판으로부터 가까운 엉덩이를 약간 올리고 있는가? ③ 심판으로부터 가까운 팔은 약간 뒤쪽 신체 중심선에 위치하여 손을 편 상태로 미적으로 보이게 하는가? ④ 심판으로부터 먼 팔을 엉덩이 위에 올리고 있는가?

■ 각 자격별 세부 평가기준은 체육지도자 홈페이지(www.insports.or.kr)에서 확인할 수 있습니다.

1 시험장 운영 도식안

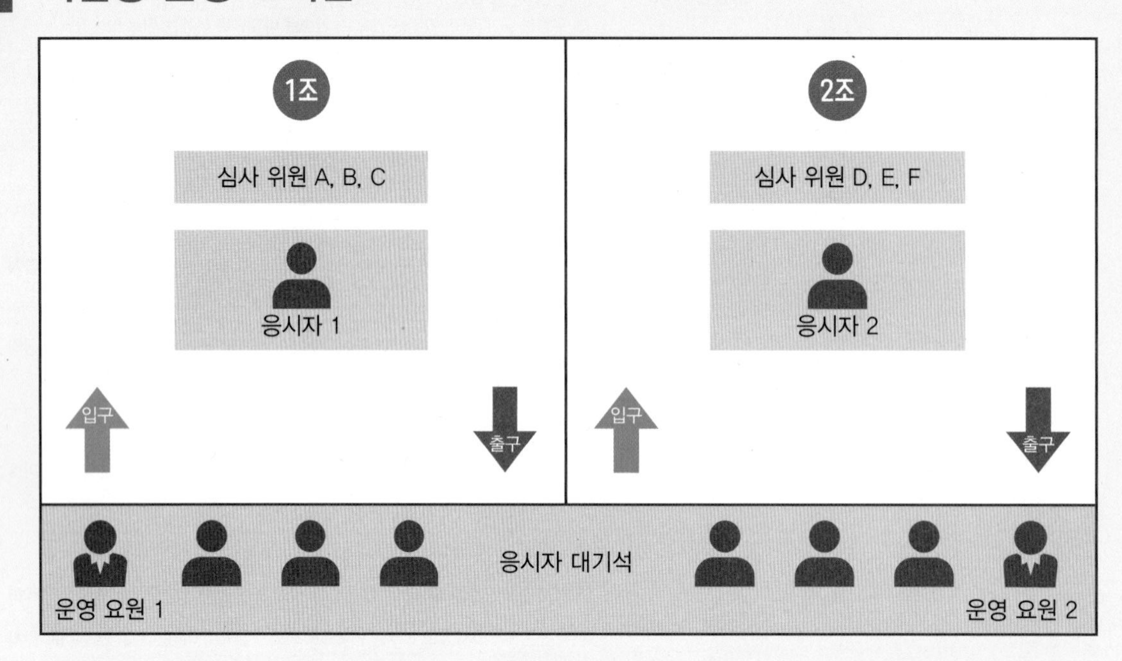

2 실기 · 구술 프로세스

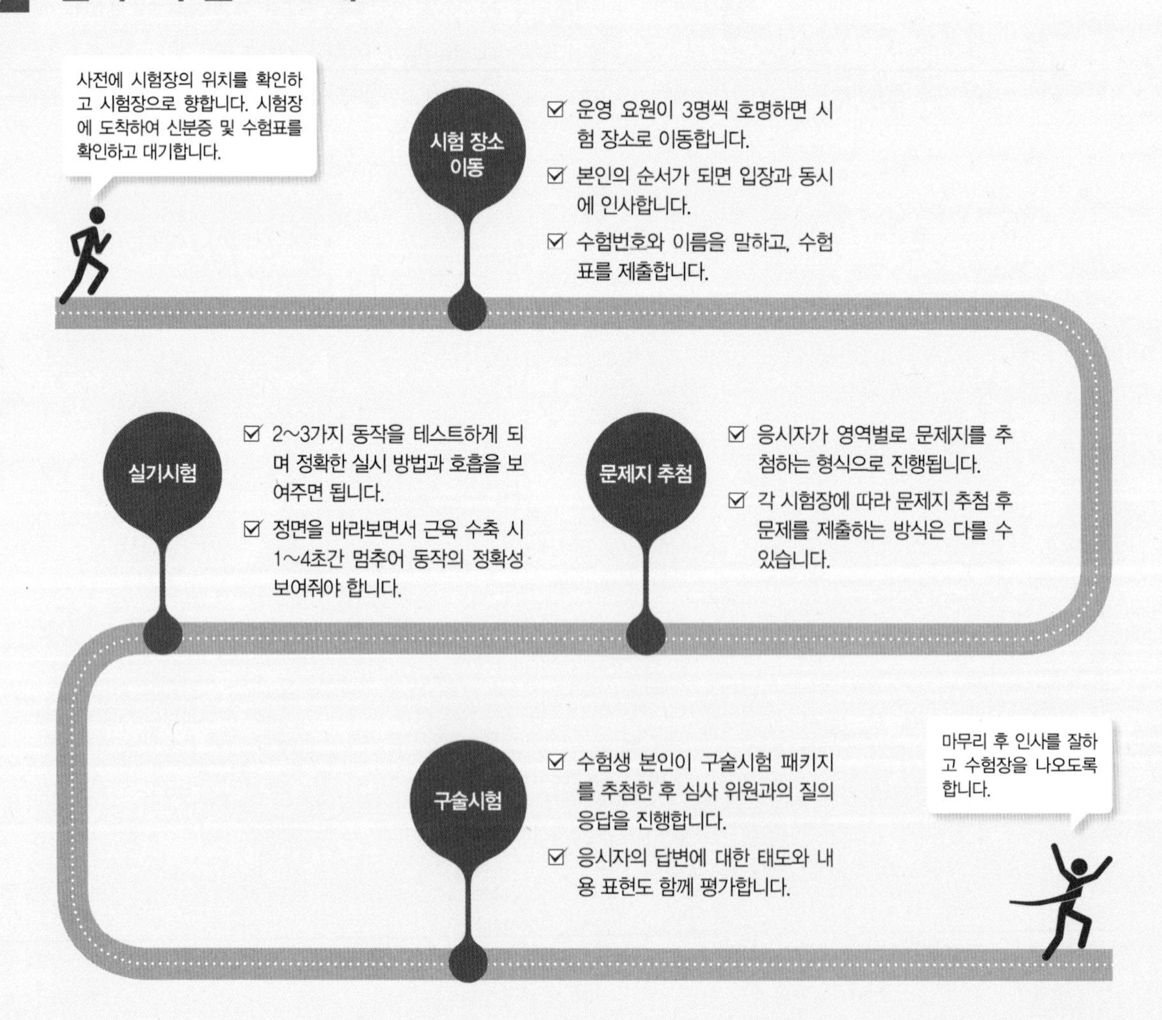

3 실기 · 구술 Q&A

Q 응시생의 수험번호는 어떻게 부여되는 것인가요?

A 시험에 접수할 때 접수번호를 받고 이 번호에 따라 수험번호가 정해지거나 응시생의 성(이름)에 따라 순서가 정해지기도 합니다. 순서와 상관없이 임의로 수험번호가 부여되기도 합니다.

Q 실기시험의 경우 잘 만들어진 몸이어야 합격하나요?

A 스포츠지도사 시험은 다른 사람을 얼마나 잘 지도할 수 있느냐를 평가하는 시험입니다. 잘 만들어진 몸이 아니더라도 시험 합격에 필요한 수행 능력과 지식 수준을 갖추었다면 충분히 합격할 수 있습니다.

Q 어떤 고사장에서 시험을 봐도 모두 환경이 동일한가요?

A 각 고사장에 따라 상황이 모두 조금씩 다릅니다. 벤치나 의자, 매트가 준비된 상태도 다르고, 바벨이나 덤벨의 준비 상황도 다르기 때문에 당일 고사장의 분위기에 적응하는 것이 중요합니다.

Q 어떤 태도로 시험에 응시하여야 하나요?

A 응시생은 항상 당당한 자세로 시험에 임해야 합니다. 구술의 경우 태도 영역에 내용 표현(목소리) 항목이 있기 때문에 본인이 아는 한도 내에서 크고 당당한 목소리로 구술시험 질문에 답변하는 것이 합격에 유리합니다.

Q 문제지 추첨 후 문제를 제출하는 방식은 어떻게 다른가요?

A 각 시험장 상황에 따라 달라집니다. 응시생이 문제를 뽑고 문제번호를 이야기한 뒤 직접 문제를 읽고 답하기도 하고, 감독관에게 뽑은 문제지를 전달하면 감독관이 문제를 읽고 응시생이 답하는 경우도 있습니다.

Q 구술시험 중 질문에 답을 하지 못하면 어떻게 되나요?

A 질문에 답을 하지 못하고 계속 시간이 흐를 경우 심사 위원은 답을 할 수 없는 것으로 간주합니다. 다음 문제로 넘어가거나 구술 검정을 거기서 종료할 수 있으므로 유의해야 합니다.

1 정확한 동작 구현이 가능한 동작별 영상으로 실기 완벽대비

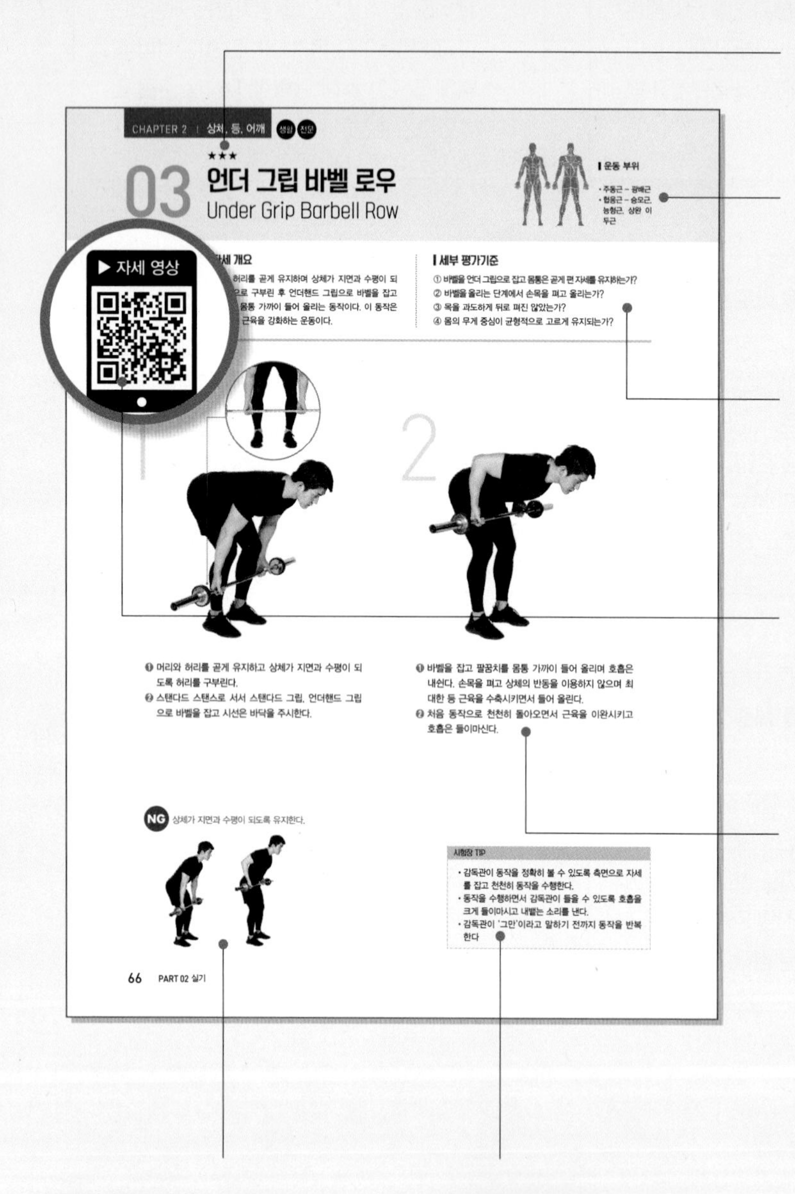

CHAPTER 2 | 상체, 등, 어깨 생활 전문

★★★

03 언더 그립 바벨 로우
Under Grip Barbell Row

| 운동 부위

- 주동근 – 광배근
- 협응근 – 승모근, 능형근, 상완 이두근

▶ 자세 영상

자세 개요

허리를 곧게 유지하며 상체가 지면과 수평이 되 으로 구부린 후 언더핸드 그립으로 바벨을 잡고 몸통 가까이 들어 올리는 동작이다. 이 동작은 근육을 강화하는 운동이다.

| 세부 평가기준

① 바벨을 언더 그립으로 잡고 몸통은 곧게 편 자세를 유지하는가?
② 바벨을 올리는 단계에서 손목을 펴고 올리는가?
③ 목을 과도하게 뒤로 펴진 않았는가?
④ 몸의 무게 중심이 균형적으로 고르게 유지되는가?

1

❶ 머리와 허리를 곧게 유지하고 상체가 지면과 수평이 되도록 허리를 구부린다.
❷ 스탠다드 스탠스로 서서 스탠다드 그립, 언더핸드 그립으로 바벨을 잡고 시선은 바닥을 주시한다.

2

❶ 바벨을 잡고 팔꿈치를 몸통 가까이 들어 올리며 호흡은 내쉰다. 손목을 펴고 상체의 반동을 이용하지 않으며 최대한 등 근육을 수축시키면서 들어 올린다.
❷ 처음 동작으로 천천히 돌아오면서 근육을 이완시키고 호흡은 들이마신다.

NG 상체가 지면과 수평이 되도록 유지한다.

시험장 TIP

- 감독관이 동작을 정확히 볼 수 있도록 측면으로 자세를 잡고 천천히 동작을 수행한다.
- 동작을 수행하면서 감독관이 들을 수 있도록 호흡을 크게 들이마시고 내뱉는 소리를 낸다.
- 감독관이 '그만'이라고 말하기 전까지 동작을 반복한다

66 PART 02 실기

중요도 표시

출제 빈도를 기준으로 한 중요도를 표시하였습니다.

운동 부위

각 동작마다 사용하는 근육을 주동근과 협응근으로 나누어 상세하게 표시하였습니다.

세부 평가기준

자세한 평가기준을 수록하여 합격 기준에 맞는 동작을 연습할 수 있도록 하였습니다.

동작별 자세 영상

현직 교수인 저자가 직접 설명하는 동작별 영상을 무료로 제공하였습니다. QR코드를 통해 바로 영상을 볼 수 있습니다.

자세한 동작 해설

동작의 각 단계를 자세하게 설명한 해설과 다각도의 사진을 수록하여 확실하게 동작을 학습할 수 있도록 하였습니다.

NG 자세

수험생이 자주 틀리는 동작의 사진과 방지하기 위한 주의사항을 수록하였습니다.

시험장 TIP

실전에서 꼭 필요한 생생한 TIP을 수록하였습니다.

2 핵심 키워드로 쉽게 암기하는

구술시험 빈출문제 수록

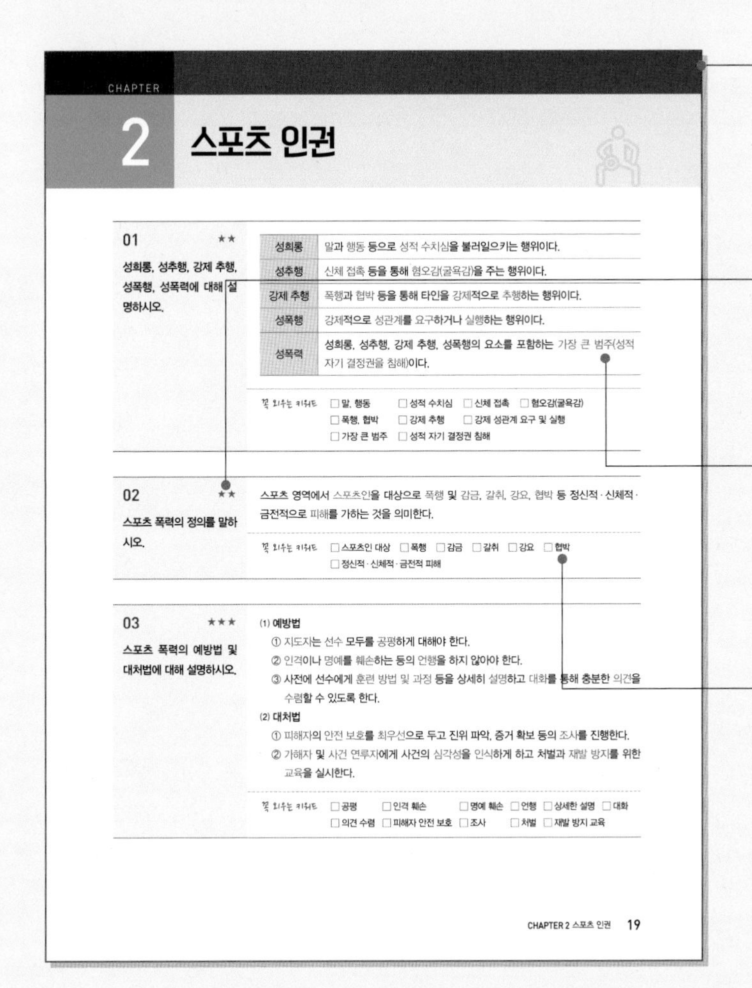

CHAPTER

2 스포츠 인권

01 ★★

성희롱, 성추행, 강제 추행, 성폭행, 성폭력에 대해 설명하시오.

성희롱	말과 행동 등으로 성적 수치심을 불러일으키는 행위이다.
성추행	신체 접촉 등을 통해 혐오감(굴욕감)을 주는 행위이다.
강제 추행	폭행과 협박 등을 통해 타인을 강제적으로 추행하는 행위이다.
성폭행	강제적으로 성관계를 요구하거나 실행하는 행위이다.
성폭력	성희롱, 성추행, 강제 추행, 성폭행의 요소를 포함하는 가장 큰 범주(성적 자기 결정권을 침해)이다.

꼭 외우는 키워드 □말, 행동 □성적 수치심 □신체 접촉 □혐오감(굴욕감) □폭행, 협박 □강제 추행 □강제 성관계 요구 및 실행 □가장 큰 범주 □성적 자기 결정권 침해

02 ★★

스포츠 폭력의 정의를 말하시오.

스포츠 영역에서 스포츠인을 대상으로 폭행 및 감금, 갈취, 강요, 협박 등 정신적 · 신체적 · 금전적으로 피해를 가하는 것을 의미한다.

꼭 외우는 키워드 □스포츠인 대상 □폭행 □감금 □갈취 □강요 □협박 □정신적 · 신체적 · 금전적 피해

03 ★★★

스포츠 폭력의 예방법 및 대처법에 대해 설명하시오.

(1) 예방법
① 지도자는 선수 모두를 공평하게 대해야 한다.
② 인격이나 명예를 훼손하는 등의 언행을 하지 않아야 한다.
③ 사전에 선수에게 훈련 방법 및 과정 등을 상세히 설명하고 대화를 통해 충분한 의견을 수렴할 수 있도록 한다.

(2) 대처법
① 피해자의 안전 보호를 최우선으로 두고 진위 파악, 증거 확보 등의 조사를 진행한다.
② 가해자 및 사건 연루자에게 사건의 심각성을 인식하게 하고 처벌과 재발 방지를 위한 교육을 실시한다.

꼭 외우는 키워드 □공평 □인격 훼손 □명예 훼손 □언행 □상세한 설명 □대화 □의견 수렴 □피해자 안전 보호 □조사 □처벌 □재발 방지 교육

CHAPTER 2 스포츠 인권 19

들고 다니기 좋은 구성

어디서든 쉽게 암기할 수 있도록 분권하여 따로 들고 다닐 수 있게 만들었습니다.

중요도 표시

자주 나오는 문제를 중심으로 학습할 수 있도록 중요도를 표시하였습니다.

강조 표시

모범 답안 중 더 중요한 내용은 강조 표시를 하여 표시된 부분만 외워도 답변이 가능하도록 하였습니다.

핵심 키워드

엄선한 핵심 키워드로 암기 정도를 체크할 수 있게 하였습니다.

특별 브로마이드

붙여 놓고 외우면 시험도 붙는

빈출 핵심동작 38

01 덤벨 벤치 프레스

02 덤벨 플라이

03 덤벨 풀 오버

04 벤트 오버 바벨 로우

붙여 놓고 외우면 시험도 붙는다!

꼭 나오는 핵심동작 38

빈출 핵심 동작 브로마이드를 붙여놓으면
어디서나 쉽게 실기 동작연습이 가능합니다.
시험장에서도 마지막까지 활용하세요!

차례

1·2급 생활, 유소년, 노인 스포츠지도사 시험에 출제되는 기술 표시입니다.

2급 전문 스포츠지도사 시험에 출제되는 기술 표시입니다.

PART 01

웨이트 트레이닝 기본 이론

운동도 공부도 기초가 시작이다. ▼

1 기초 이론

01 골격계

골격계는 뼈(Bone), 관절(Joint), 연골(Cartilage) 등으로 구성되어 있으며 주로 인대(Ligament)에 의해서 관절에 연결되어 인간의 체형을 형성한다. 인체의 뼈에는 근육이나 인대가 부착되어 있어 뇌, 척수, 안구, 내장 등의 장기를 보호하는 역할을 하며, 인체를 지지하고 유지하는 역할도 한다. 인체는 골격과 근육의 형태적 특성으로 인해 일정한 자유도를 가지는 연결체로써 운동을 일으키는 기계적인 기능을 한다.

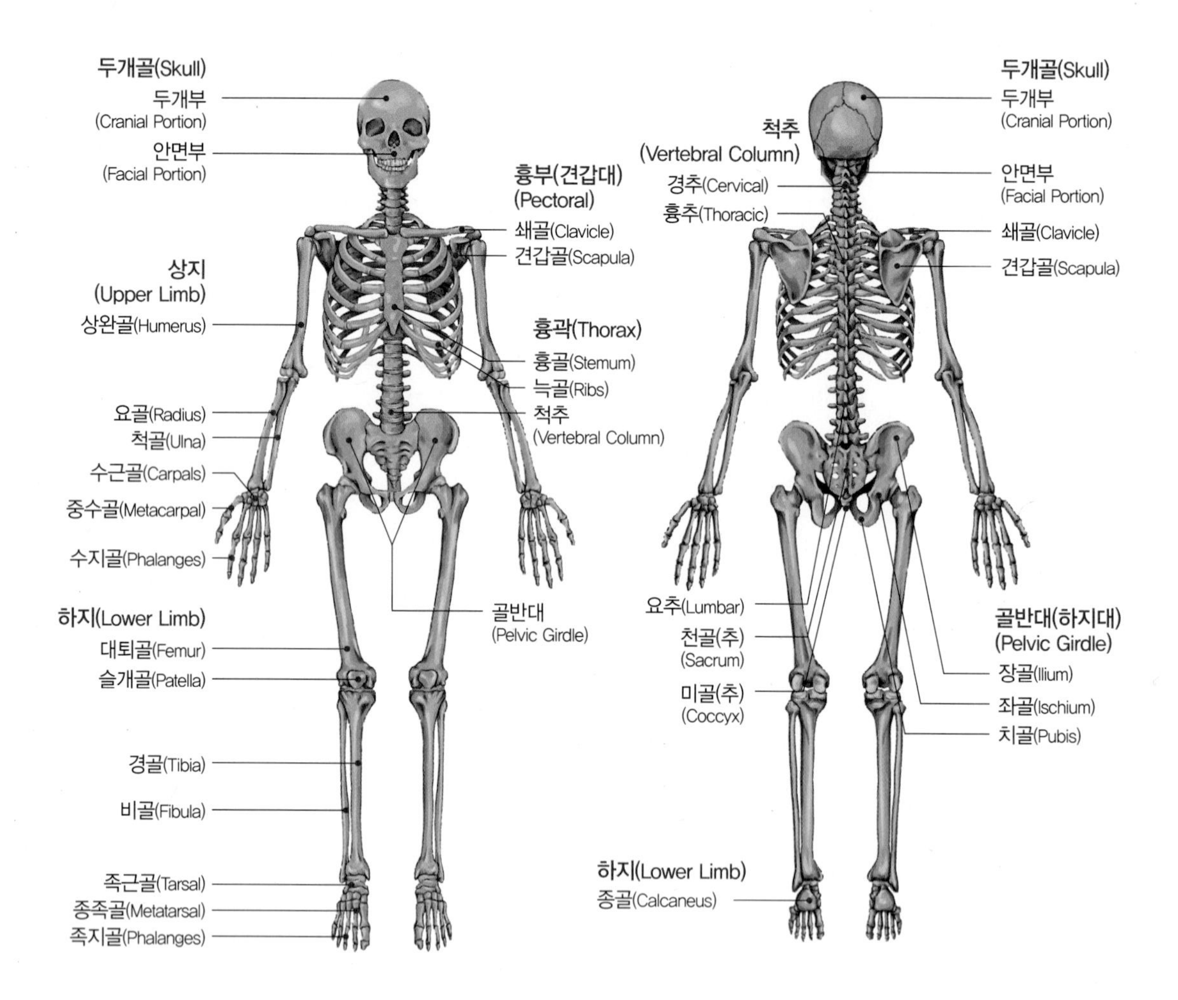

02 근육계

인체는 수의적으로 움직일 수 있는 골격근을 400개 이상 가지고 있으며, 이는 체중의 40~50% 정도를 차지한다. 인간은 근육의 수축을 통해 몸을 움직이고 운동을 하며 자세를 조정하기도 한다.

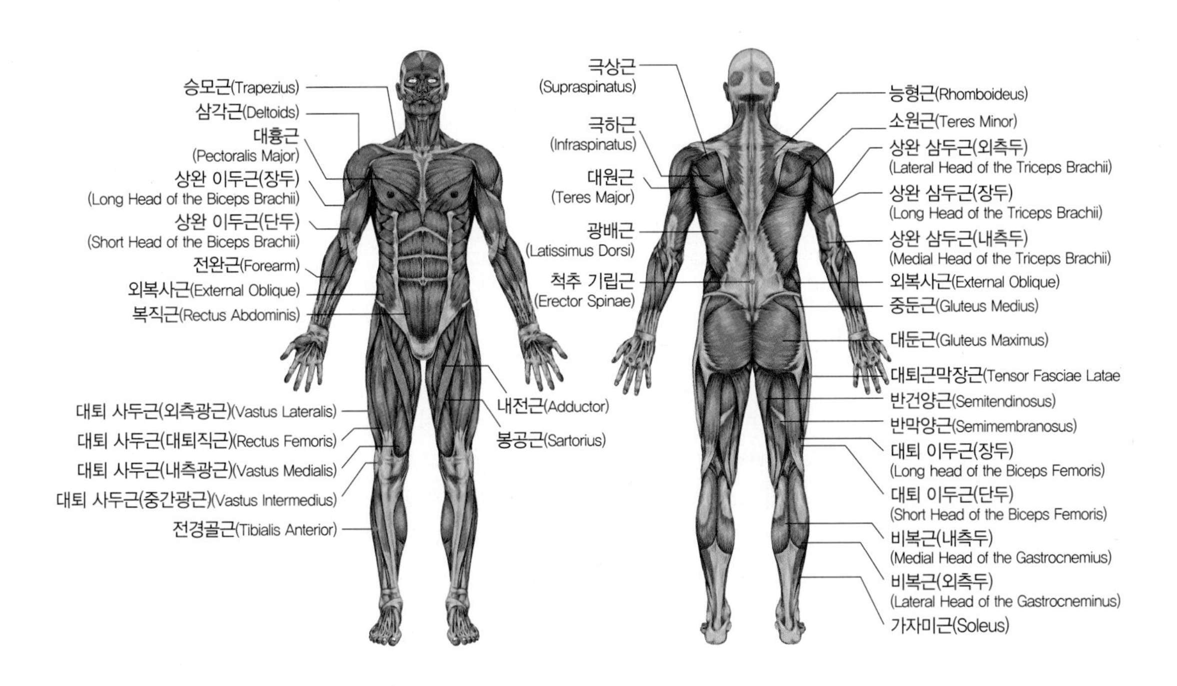

03 웨이트 트레이닝 도구

근육 발달을 통해 강한 체력을 기르기 위한 저항 훈련을 하기 위해서 개발된 도구를 의미한다. 중량과 관련된 운동을 위한 도구에 익스팬더(Expander), 덤벨(Dumbbell), 바벨(Barbell) 등이 있다. 이러한 중량을 들기 위해 사용되는 보조 도구에는 바(Bar), 벤치(Bench), 매트(Mat) 등이 있다.

(1) 웨이트 머신(Weight Machine)

웨이트 머신이란 피트니스 클럽의 대표적인 운동 기구로 일정한 궤적으로 움직일 수 있도록 만든 기구이다. 관절의 가동 범위를 제한하여 초보자에게는 자세 습득 및 중량 조절의 번거로움이 없으며 사고의 위험이 적다. 대표적인 웨이트 머신에는 체스트 프레스(Chest Press), 랫 풀 다운(Lat Pull Down), 레그 프레스(Leg Press) 머신 등이 있다.

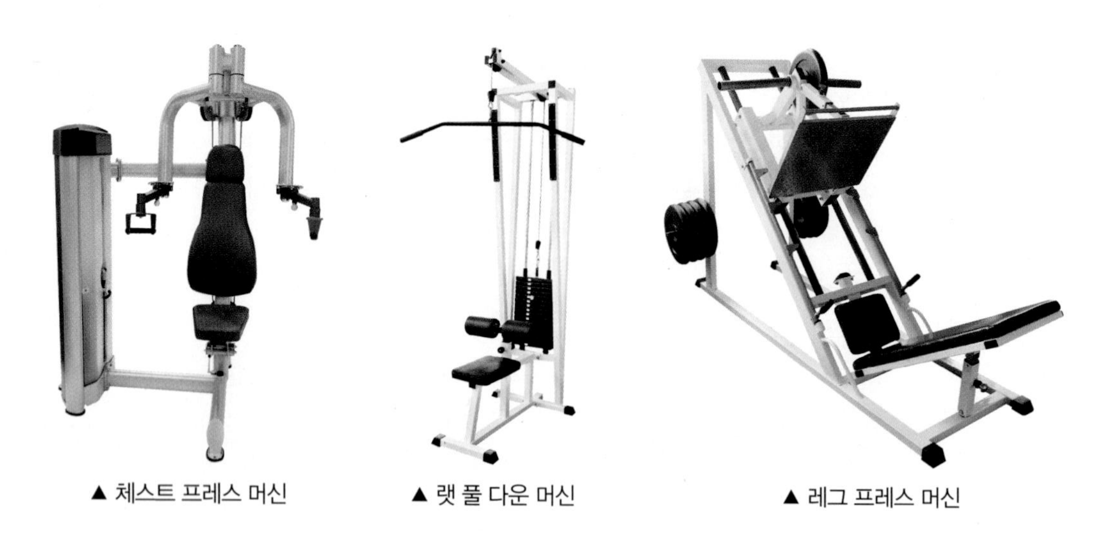

▲ 체스트 프레스 머신　　▲ 랫 풀 다운 머신　　▲ 레그 프레스 머신

(2) 프리 웨이트(Free Weight)

프리 웨이트는 궤적의 제한이 없어 관절의 가동 범위가 넓고 자유로운 신체 움직임을 제공하는 도구로, 웨이트 머신을 제외한 바벨과 덤벨을 사용한다. 프리 웨이트의 대표적인 도구에는 덤벨(Dumbbell), 바벨(Barbell), 바(Bar), 벤치(Bench) 등이 있다.

① 덤벨(Dumbbell): 손잡이가 짧고 양쪽에 중량이 고정되어 있는 형태로 보통 아령이라고 부른다.
② 바벨(Barbell): 쇠로 만들어진 긴 바의 양쪽 끝에 원판을 끼워 넣은 도구이다.
③ 바(Bar): 쇠로 만들어진 봉을 의미하며 운동 동작 및 중량에 따라 다양한 바를 사용한다.
④ 벤치(Bench): 동작을 수행하기 위해 사용하는 의자이다.

▲ 덤벨　　▲ 바벨

(3) 웨이트 머신(Weight Machine)과 프리 웨이트(Free Weight) 비교

구분	웨이트 머신(Weight Machine)	프리 웨이트(Free Weight)
장점	• 안전성 • 편리함 • 특정 부위에 부하 제공	• 역동적인 동작 가능 • 협응력 발달에 도움 • 다양한 운동 제공
단점	• 제한된 운동만 제공 • 역동적인 동작 수행 불가	• 부상 위험 높음 • 숙련된 기술이 필요함 • 장비 사용에 있어 전문성이 필요함

(4) 바(Bar)

① 의미: 쇠로 만들어진 봉을 말하며 운동 형태 및 중량에 따라 다양한 바를 사용한다.
② 바의 규격
㉠ 중량바
- 길이: 1,200㎜~2,200㎜
- 지름: 약 50㎜
- 색상: 검정색, 회색

• 무게: 11~20㎏

㉡ 경량바

• 길이: 1,000㎜~2,000㎜
• 지름: 약 28㎜
• 색상: 검정색, 회색
• 무게: 9~15㎏

③ 바의 종류

㉠ 스트레이트 바(Straight Bar): 직선으로 되어 있는 바를 의미하며 신체의 큰 부위 근육을 운동할 때 많이 사용한다. 바를 사용하는 동작에는 벤치 프레스(Bench Press), 바벨 로우(Barbell Row), 스쿼트(Squat), 데드리프트(Deadlift) 등이 있다.

㉡ 이지 바(EZ Bar): 손잡이 부분이 구부러져 있는 바를 의미하며 캠버드 바(Cambered Bar)라고도 한다. 신체의 작은 부위 근육을 운동할 때 많이 사용하며, 특히 손목에 가해지는 부하 및 상해를 예방하기 위해 사용한다. 이지 바를 사용하는 동작에는 바벨 컬(Barbell Curl), 트라이셉스 익스텐션(Triceps Extension), 업라이트 로우(Upright Row) 등이 있다.

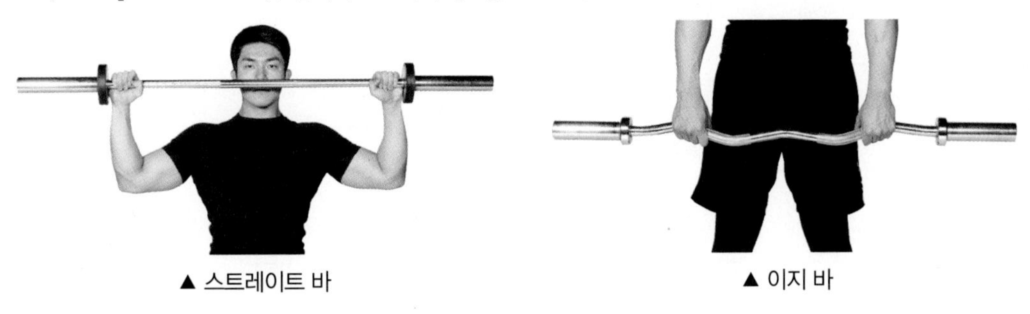

▲ 스트레이트 바　　▲ 이지 바

(5) 벤치(Bench)

① 의미: 운동 동작을 수행하기 위해 사용하는 의자이다. 서서 하는 동작을 제외한 거의 모든 동작을 벤치에서 수행한다.

② 벤치의 종류

㉠ 플랫 벤치(Flat Bench): 지면과 수평이 되는 평평한 벤치로, 앉거나 눕는 동작에서 보편적으로 가장 많이 활용하는 도구이다.

㉡ 인클라인 벤치(Incline Bench): 머리를 중심으로 위로 기울기를 조절할 수 있는 벤치로, 각도 조절을 통해 상체의 다양한 부위를 운동할 때 활용하는 도구이다.

㉢ 디클라인 벤치(Decline Bench): 머리를 중심으로 아래로 기울기를 조절할 수 있는 벤치로, 각도 조절을 통해 상체의 다양한 부위를 운동할 때 활용하는 도구이다.

▲ 플랫 벤치　　▲ 인클라인 벤치　　▲ 디클라인 벤치

04 웨이트 트레이닝 용어

웨이트 트레이닝과 관련된 모든 동작은 영어로 표시한다. 따라서 영어 단어의 뜻을 바르게 이해한다면 웨이트 트레이닝과 관련된 많은 동작을 쉽게 숙지할 수 있을 뿐만 아니라 응용해서 새로운 운동 방법을 개발할 수도 있다.

(1) 자세 동작 용어

스탠딩(Standing)	서 있는 자세이다.
시티드(Seated)	앉아 있는 자세이다.
쉬러그(Shrug)	어깨를 움츠리는 자세이다.
스쿼트(Squat)	쪼그려 앉는 자세이다.
업라이트(Upright)	바르게 서 있는 자세이다.
플랫(Flat)	평평한 자세이다.
스플리트(Split)	분할하는 자세이다.
라잉(Lying)	누워있는 자세이다.
런지(Lunge)	나가며 무릎을 구부리는 자세이다.
얼터네이트(Alternate)	한쪽씩 번갈아 가며 하는 자세이다.
행잉(Hanging)	매달려 있는 자세이다.
인클라인(Incline)	위로 기울이는 자세이다.
디클라인(Decline)	아래로 기울이는 자세이다.
트위스트(Twist)	비트는 자세이다.
딥(Dip)	조금 내려가는 자세이다.
플라이(Fly)	날갯짓하는 자세이다.
풀 다운(Pull Down)	아래로 당기는 자세이다.
풀 업(Pull Up)	위로 당기는 자세이다.
풀 오버(Pull Over)	머리 위로 넘어가는 자세이다.
사이드 밴드(Side Band)	측면으로 구부리는 자세이다.
레터럴 레이즈(Lateral Raise)	옆으로 들어 올리는 자세이다.
크로스 오버(Cross Over)	교차하는 자세이다.
벤트 오버(Bent Over)	상체를 앞으로 구부리는 자세이다.

(2) 움직임 동작 용어

푸쉬(Push)	미는 동작이다.
풀(Pull)	당기는 동작이다.
프레스(Press)	누르거나 미는 동작이다.
컬(Curl)	감기는 동작이다.
레이즈(Raise)	들어 올리는 동작이다.
로우(Row)	당기는 동작이다.
업(Up)	올리는 동작이다.
다운(Down)	내리는 동작이다.

(3) **관절 동작 용어**

굴곡(Flexion)	관절을 형성하는 두 분절 사이의 각이 감소하는 굽힘 동작이다.
신전(Extension)	굴곡의 반대 운동으로 두 분절 사이의 각이 증가하는 폄 동작이다.
과신전(Hyperextension)	과도하게 신전되는 동작이다.
외전(Abduction)	인체의 중심선으로부터 인체 분절이 멀어지는 동작이다.
내전(Adduction)	인체 분절이 중심선에 가까워지는 동작이다.
내번(Inversion)	발의 장축을 축으로 하여 발바닥을 내측으로 올리는 동작이다.
외번(Eversion)	발의 장축을 축으로 하여 발바닥을 외측으로 올리는 동작이다.
거상(Elevation)	견갑대를 좌우면 상에서 위로 들어 올리는 동작이다.
강하(Depression)	거상의 반대로 견갑대를 아래로 내리는 동작이다.
회전(Rotation)	인체 분절의 장축을 중심으로 돌리는 동작이다.
내회전(Medial Rotation)	몸의 중심선으로의 회전 동작이다.
외회전(Lateral Rotation)	몸의 중심선으로부터 바깥쪽으로 하는 회전 동작이다.
회내(Pronation)	전완이 내측 회전하는 동작이다.
회외(Supination)	전완이 외측 회전하는 동작이다.

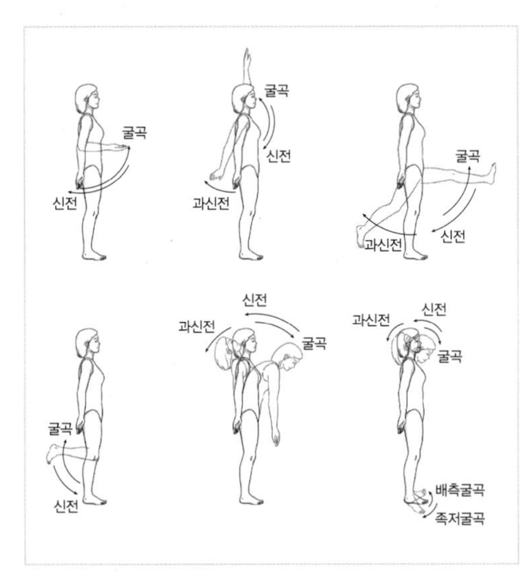

▲ 좌우축(전후면)에서 일어나는 운동

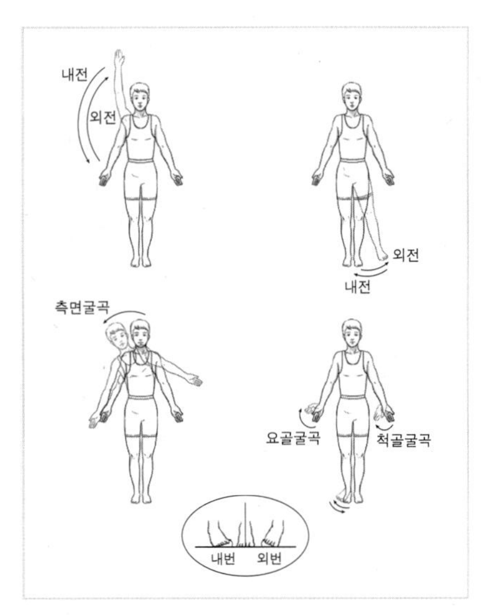

▲ 전후축(좌우면)에서 일어나는 운동

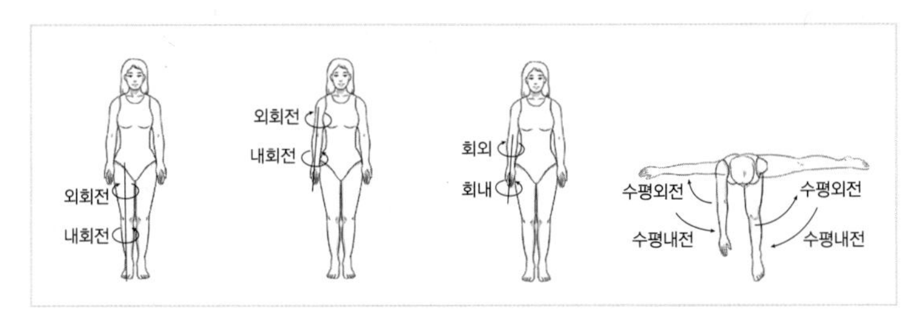

▲ 장축(횡단면)에서 일어나는 운동

2 기본 자세

01 스탠스(Stance)

(1) 의미

스탠스(Stance)는 웨이트 트레이닝의 모든 동작에 적용되는 가장 기본적인 자세로 양발의 폭을 의미한다. 운동 동작에 따라 각기 다른 스탠스를 적용하며, 특히 실기시험의 모든 동작에서 중요한 평가 기준이 되므로 반드시 숙지하고 동작해야 한다.

(2) 종류

① 와이드 스탠스(Wide Stance): 양발을 어깨너비보다 넓은 보폭으로 벌리고 서 있는 자세이다.
② 스탠다드 스탠스(Standard Stance): 양발을 어깨너비 정도의 보폭으로 벌리고 서 있는 자세이다.
③ 내로우 스탠스(Narrow Stance): 양발을 어깨너비보다 좁은 보폭으로 벌리고 서 있는 자세이다.
④ 인라인 스탠스(Inline Stance): 양발을 앞뒤로 벌리고 서 있는 자세로 한쪽 다리는 앞으로 뻗고 반대 다리는 뒤로 뺀다.

▲ 와이드 스탠스

▲ 스탠다드 스탠스

▲ 내로우 스탠스

▲ 인라인 스탠스

02 그립(Grip)

(1) 의미

그립(Grip)은 웨이트 트레이닝의 모든 동작에 적용되는 파지법을 의미한다. 운동 동작에 따라 상이한 그립이 적용되며, 특히 그립 역시 실기시험의 모든 동작에서 중요한 평가 기준이 되므로 반드시 숙지하고 파지해야 한다.

(2) 그립의 너비에 따른 분류

① 와이드 그립(Wide Grip): 어깨너비보다 더 넓게 바를 잡는 그립을 의미한다.
② 스탠다드 그립(Standard Grip) : 어깨너비만큼 바를 잡는 그립을 의미한다.
③ 내로우 그립(Narrow Grip) : 어깨너비보다 바를 좁게 잡는 그립을 의미한다.

▲ 와이드 그립　　▲ 스탠다드 그립　　▲ 내로우 그립

(3) 그립 방법에 따른 분류

① 오버핸드 그립(Overhand Grip): 손등이 천장을 향하는 가장 기본적인 그립 방법이다.
② 언더핸드 그립(Underhand Grip): 손등이 지면을 향하는 그립 방법이다.
③ 뉴트럴 그립(Neutral Grip): 손바닥이 서로 마주 보게 잡는 그립으로 패러럴 그립(Parallel Grip)이라고도 한다.
④ 리버스 그립(Reverse Grip): 한 손은 오버핸드 그립으로, 다른 한 손은 언더핸드 그립으로 잡는 방법으로 얼터네이트 그립(Alternate Grip)이라고도 한다.
⑤ 섬레스 그립(Thumbless Grip): 엄지손가락을 제외한 나머지 네 개의 손가락으로 잡는 그립 방법이다.
⑥ 훅 그립(Hook Grip): 엄지손가락을 네 손가락 안으로 넣어서 바를 감싸 잡는 그립 방법이다.

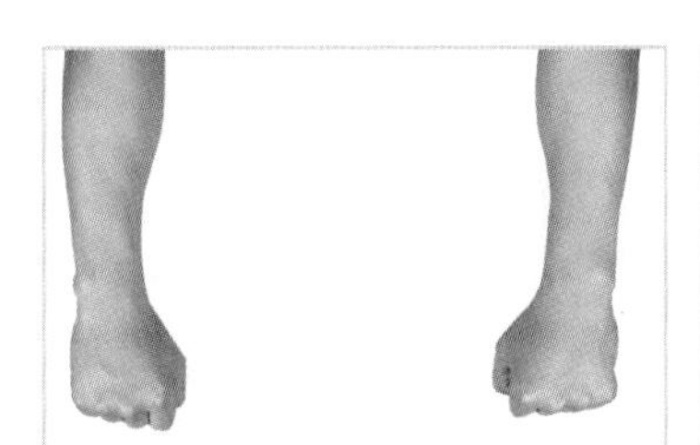

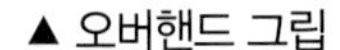

▲ 오버핸드 그립

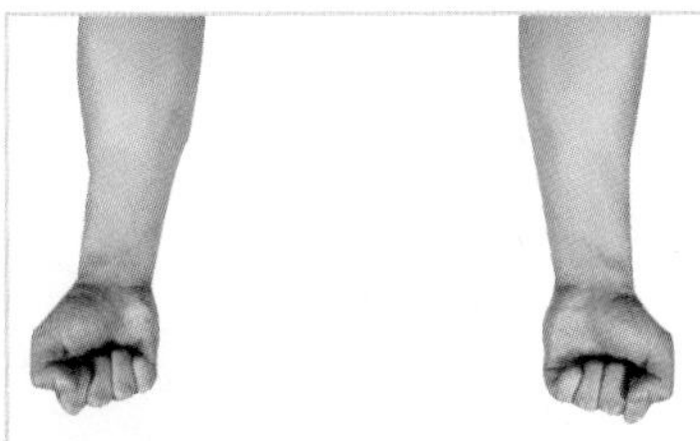

▲ 언더핸드 그립

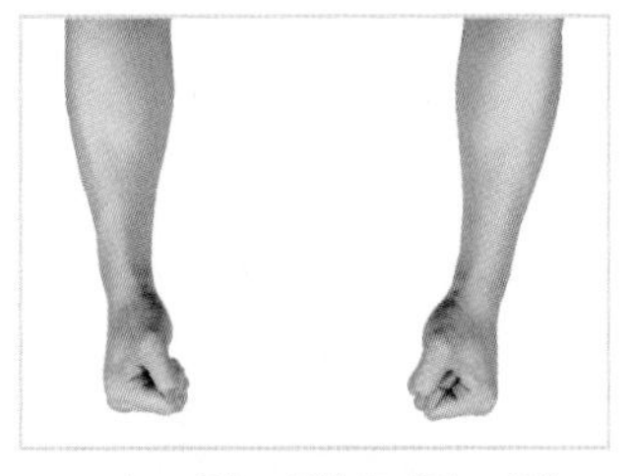

▲ 뉴트럴 그립(패러럴 그립)

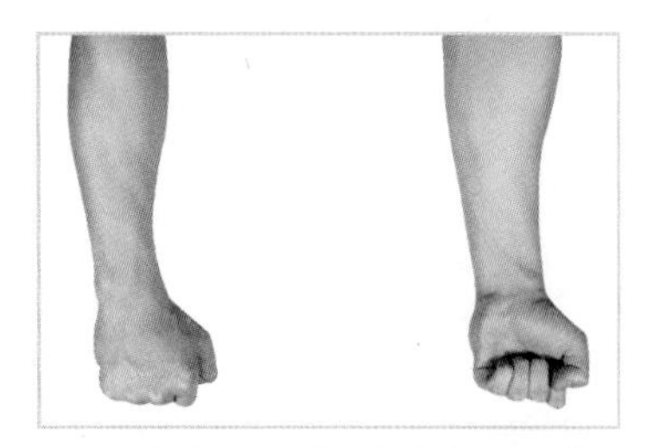

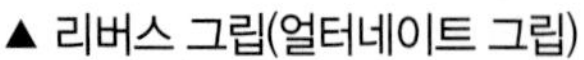

▲ 리버스 그립(얼터네이트 그립)

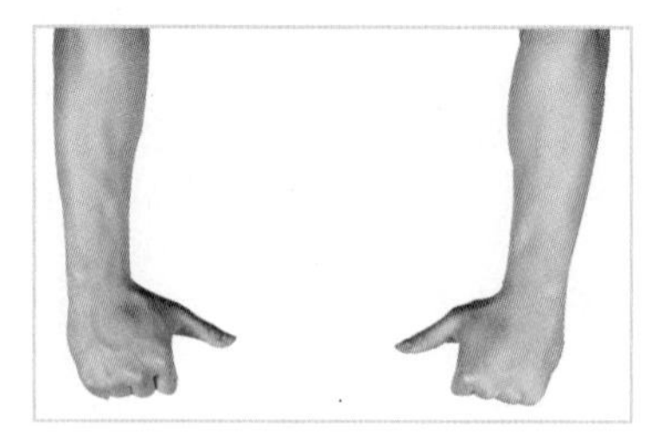

▲ 섬레스 그립

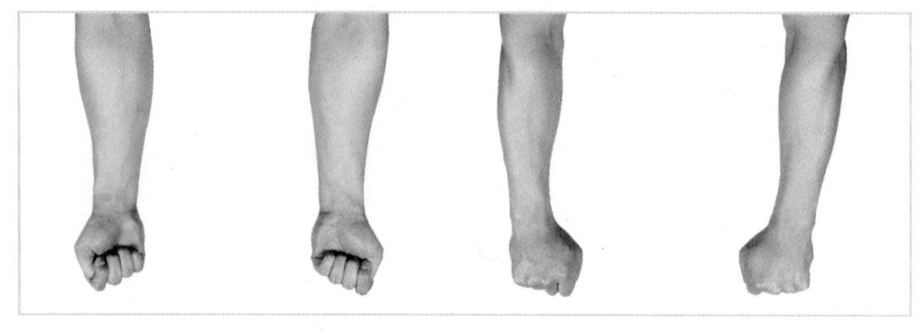

▲ 훅 그립

03 기본 자세

지면에서 덤벨이나 바벨을 들어 올리거나 동작을 할 때, 기계를 이용하여 잡아당기거나(Pull) 미는(Push) 동작을 할 때 중요한 것은 안정된 자세이다. 안정된 자세는 근육이나 관절에 적절한 부하를 전달하여 부상을 방지한다.

(1) 지면에서 덤벨 들어 올리기

① 머리와 허리를 곧게 세우고 시선은 정면을 주시한다. 골반을 뒤로 빼고 앉은 자세로 스탠다드 스탠스와 뉴트럴 그립으로 덤벨을 잡는다.

② 어깨와 팔꿈치, 손목을 고정하고, 팔은 구부리지 않은 상태로 곧게 편다. 하체를 사용하여 덤벨을 최대한 대퇴부 측면에 스치면서 들어 올린다.

③ 상체를 곧게 유지하고 상체의 견관절과 주관절, 수관절, 하체의 고관절과 슬관절, 족관절을 곧게 편다.

(2) 지면에서 바 들어 올리기

① 머리와 허리를 곧게 세우고 시선은 정면을 주시한다. 골반을 뒤로 빼고 앉은 자세로 스탠다드 스탠스와 오버핸드 그립으로 바벨을 잡는다.

② 어깨와 팔꿈치, 손목을 고정하고, 팔은 구부리지 않은 상태로 곧게 편다. 하체를 사용하여 바벨을 최대한 대퇴부 전면에 스치면서 들어 올린다.

③ 상체를 곧게 유지하고 상체의 견관절과 주관절, 수관절, 하체의 고관절과 슬관절, 족관절을 곧게 편다.

(3) 서서 하는 운동 자세

전형적인 선 자세에서의 운동 시 발의 넓이는 둔부보다 조금 더 넓어야 하며(스탠다드 스탠스) 지면에 접촉한 발은 약간 벌려야 한다.

(4) 벤치에서 하는 운동 자세

벤치에 앉거나 누워서 하는 운동은 상체의 머리, 등, 둔부와 하체의 양발 접촉 자세에 주의해서 몸의 자세를 만들어야 한다.

(5) 기계에서 하는 운동 자세

기계 운동의 경우 시작하기 전 의자와 받침대(Pad)의 기계 회전축을 정렬하여 운동 시 관련되는 신체의 주요 관절을 조절하여야 한다.

(6) 시선

웨이트 트레이닝 동작 시 시선의 처리에 따라 자세도 달라지기 때문에 동작에 따라 어디에 시선을 두어야 하는지 숙지해야 한다. 기본적으로 시선은 머리, 등, 허리, 엉덩이가 곧게 유지되도록 하는 것이 제일 좋은 처리 방법이다. 그러나 상체를 구부리는 동작(Bent Over)에서 과도하게 정면을 주시하면 목의 과신전(Hyper Extension)이 초래되므로 이때는 앞쪽의 바닥을 주시하는 것이 좋다.

(7) 호흡

① 들숨과 날숨

㉠ 들숨(흡기): 근육의 길이가 길어지는 신장성 구간에서 호흡을 들이마신다.

㉡ 날숨(호기): 근육의 길이가 짧아지는 단축성 구간에서 호흡을 내쉰다.

㉢ 스티킹 포인트(Sticking Point): 웨이트 트레이닝은 골격근이 반복 동작을 수행하는 운동이므로 근육의 수축과 이완이 지속적으로 발생한다. 이때 원심성 단계에서 구심성 단계로 전환하는 직후가 반복 운동 시 가장 힘든 부분인데, 이를 스티킹 포인트라고 한다. 근력 및 컨디셔닝 전문가는 바로 이 스티킹 포인트에서 날숨(호기)을 하는 것을 권장하고 반복 시 부하가 없는 상태에서 들숨(흡기)을 하도록 권장한다.

② 발살바 호흡(Valsalva Maneuver)

㉠ 필요성: 웨이트 트레이닝은 무거운 중량을 들어 올리는 운동이므로 호흡을 멈춰야 할 몇 가지 경우가 있다. 이를 발살바 호흡법이라고 하며 숙달된 운동자가 큰 부하로 구조적인 운동을 할 때 적절히 척추를 유지하고 지지하는 데 도움을 준다.

㉡ 방법: 무거운 중량을 들어 올릴 때 호흡을 멈추고 힘을 주는 방법이다. 성문이 닫힌 상태에서 호흡하는 것으로, 복근과 횡격막이 강하게 수축하여 복강 내압을 만들어 폐 속에 공기를 멈추게 한다.

㉢ 장단점

장점	• 몸을 견고하게 함 • 척추를 지지해 줌 • 상체를 곧게 만들어 줌
단점	• 현기증 발생 • 혈압 상승 • 방향 감각 및 일시적 의식 상실

3 실기 검정장 시뮬레이션

01 장소 운영 도식(안)

2급 전문 스포츠지도사, 1 · 2급 생활 스포츠지도사, 유소년 스포츠지도사, 노인 스포츠지도사 등의 시험에서는 응시 인원에 따라 탄력적으로 2~6개 조를 운영한다.

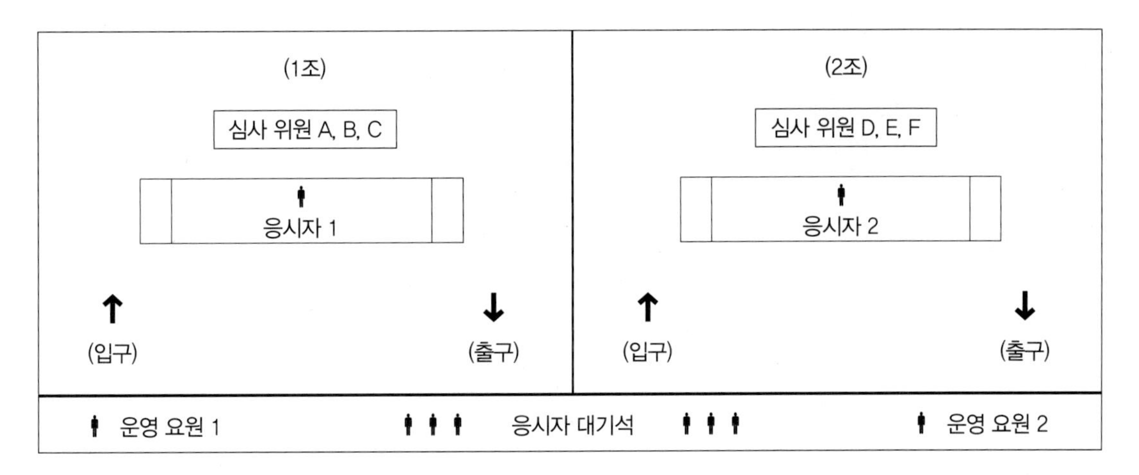

02 실기 검정 소요 장비

실기 검정 소요 장비의 경우 해당 연도의 종목별 세부 시행 계획에 공지되어 있지만, 주관 단체의 상황에 따라 도구나 장비에 조금의 차이가 발생할 수 있으며 매년 시험 규정이 바뀌고 있어 별도의 도구가 추가될 수도 있다.

(1) 주관 단체 준비 사항

① 덤벨: 2.5~3kg, 5kg
② 바벨: 중량봉(긴 봉 15kg, 짧은 봉 8kg)
③ 요가 매트
④ 벤치

(2) **지원자 준비 사항(특별 과정 응시자 복장 동일)**

① 상의: 민소매 런닝, 탑

② 하의: 허벅지가 보이는 반바지

③ 운동화

④ 신분증, 수험표 및 준비 서류

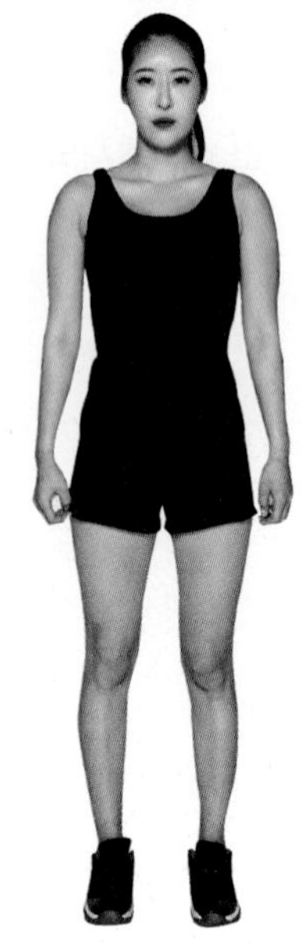

▲ 여성의 기본 복장

▲ 남성의 기본 복장

자신의 능력을 믿어야 한다.
그리고 끝까지 굳세게 밀고 나가라.

– 엘리너 로절린 스미스 카터(Eleanor Rosalynn Smith carter)

PART 02

실기

연습이 완벽을 만든다. ▼

CHAPTER 1

상체, 가슴/팔

01 바벨 벤치 프레스
(Barbell Bench Press)

02 덤벨 벤치 프레스
(Dumbbell Bench Press)

03 덤벨 플라이
(Dumbbell Fly)

04 덤벨 풀 오버
(Dumbbell Pull Over)

05 클로즈 그립 푸쉬업
(Close Grip Push up)

06 덤벨 컬
(Dumbbell Curl)

07 해머 컬
(Hammer Curl)

08 바벨 컬
(Barbell Curl)

09 컨센트레이션 컬
(Concentration Curl)

10 리버스 바벨 컬
(Reverse Barbell Curl)

11 얼터네이트 덤벨 컬
(Alternate Dumbbell Curl)

12 얼터네이트 해머 컬
(Alternate Hammer Curl)

13 덤벨 리스트 컬
(Dumbbell Wrist Curl)

14 바벨 리스트 컬
(Barbell Wrist Curl)

15 스탠딩 바벨 트라이셉스 익스텐션
(Standing Barbell Triceps Extension)

16 라잉 바벨 트라이셉스 익스텐션
(Lying Barbell Triceps Extension)

17 원암 덤벨 오버헤드 트라이셉스 익스텐션
(One arm Dumbbell Overhead Triceps Extension)

18 시티드 트라이셉스 익스텐션
(Seated Triceps Extension)

19 덤벨 킥 백
(Dumbbell Kick Back)

20 벤치 딥
(Bench Dip)

★★★

01 바벨 벤치 프레스 Barbell Bench Press

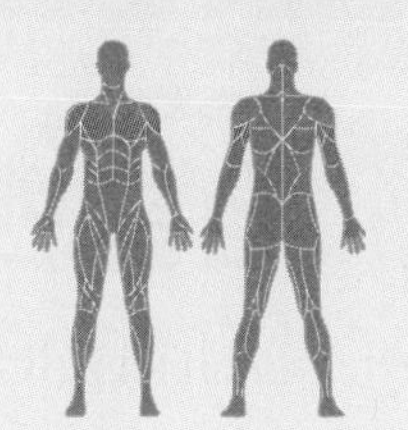

운동 부위

- 주동근 – 대흉근
- 협응근 – 전면 삼각근, 상완 삼두근

자세 개요

벤치에 누워 어깨보다 조금 넓게 바벨을 잡은 후 가슴의 힘을 이용하여 바벨이 흔들리지 않게 균형을 잡으면서 위로 밀어 올리는 동작이다. 이 동작은 가슴 부위의 근육을 강화하는 운동이다.

세부 평가기준

① 바벨은 어깨너비보다 넓게 잡았는가?
② 벤치에 머리, 어깨, 엉덩이가 밀착되어 있는가?
③ 그립은 오버핸드 그립으로 정확히 잡고 있는가?
④ 바가 수직으로 보이게 눕고 턱을 가슴으로 당겨 고정되었는가?
⑤ 팔꿈치와 어깨가 일직선이 되게 옆으로 펴고 손목이 뒤로 꺾이지 않았는가?

1

❶ 머리와 허리를 곧게 유지하며 벤치에 머리, 어깨, 엉덩이가 밀착되게 눕고 바벨을 오버핸드 그립으로 잡는다.
❷ 바벨을 천천히 내리면서 호흡을 들이마신다. 이때 팔꿈치가 몸통보다 아래로 내려가지 않도록 한다.

2

❶ 바벨이 흔들리지 않게 손목을 고정하며 균형을 잡고 가슴 위로 힘차게 밀어 올리면서 호흡을 내쉰다.
❷ 처음 동작으로 돌아오면서 호흡은 들이마시고 다시 가슴 위로 힘차게 밀어 올리며 동작을 반복한다.

팔꿈치를 과도하게 내리지 않는다.

시험장 TIP

- 감독관이 동작을 정확히 볼 수 있도록 측면으로 자세를 잡고 천천히 동작을 수행한다.
- 동작을 수행하면서 감독관이 들을 수 있도록 호흡을 크게 들이마시고 내뱉는 소리를 낸다.
- 감독관이 '그만'이라고 말하기 전까지 동작을 반복한다.

★★★

02 덤벨 벤치 프레스 Dumbbell Bench Press

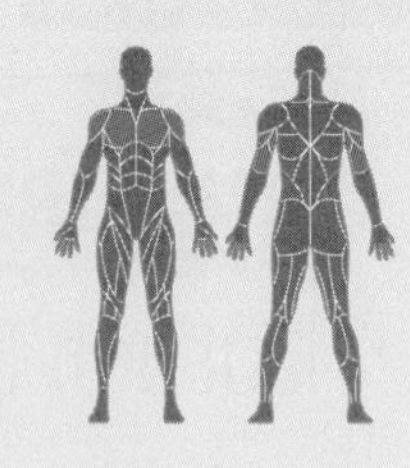

운동 부위

- 주동근 – 대흉근
- 협응근 – 전면 삼각근, 상완 삼두근

▶ 자세 영상

자세 개요

벤치에 누워 어깨보다 조금 넓게 덤벨을 위치시킨 후 가슴의 힘을 이용하여 덤벨이 흔들리지 않게 균형을 잡으면서 위로 밀어 올리는 동작이다. 이 동작은 가슴 부위의 근육을 강화하는 운동이다.

세부 평가기준

① 어깨는 고정되어 있는가?
② 덤벨을 올릴 때 가슴을 수축하고 있는가?
③ 팔은 정확히 밀고 있는가?
④ 호흡은 덤벨을 내릴 때 들이마시고 올릴 때 내뱉고 있는가?

1

❶ 벤치에 머리, 어깨, 엉덩이가 밀착되도록 눕고 덤벨을 양손에 오버핸드 그립으로 잡는다.
❷ 덤벨을 천천히 내리면서 호흡을 들이마신다. 이때 팔꿈치가 몸통보다 아래로 내려가지 않도록 한다.

2

❶ 덤벨이 흔들리지 않게 손목을 고정하며 균형을 잡고 가슴 위로 밀어 올리면서 호흡을 내쉰다.
❷ 처음 동작으로 돌아오면서 호흡은 들이마시고, 다시 가슴 위로 힘차게 밀어 올리며 동작을 반복한다.

시험장 TIP

- 감독관이 동작을 정확히 볼 수 있도록 측면으로 자세를 잡고 천천히 동작을 수행한다.
- 동작을 수행하면서 감독관이 들을 수 있도록 호흡을 크게 들이마시고 내뱉는 소리를 낸다.
- 감독관이 '그만'이라고 말하기 전까지 천천히 정확하게 동작을 반복한다.

★★★

03 덤벨 플라이 Dumbbell Fly

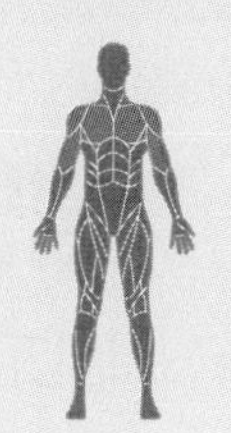

| 운동 부위

- 주동근 – 대흉근
- 협응근 – 전면 삼각근, 상완 이두근

▶ 자세 영상

| 자세 개요

벤치 혹은 매트에 누워 양팔을 넓게 벌린 후 가슴의 힘을 이용하여 덤벨이 흔들리지 않게 균형을 잡으면서 가슴 앞으로 모아주는 동작이다. 이 동작은 가슴 부위의 근육을 강화하는 운동이다.

| 세부 평가기준

① 어깨는 고정되어 있는가?
② 덤벨을 올릴 때 가슴을 수축하고 있는가?
③ 주관절의 굽힘 정도가 적당한가?

1

❶ 머리와 허리를 곧게 유지하면서 벤치나 매트에 눕고 덤벨을 양손에 뉴트럴 그립으로 잡는다.
❷ 덤벨이 흔들리지 않게 손목을 고정하고 양팔을 넓게 벌린다.

2

❶ 팔로 원을 그린다는 느낌으로 덤벨을 가슴 앞으로 모아 근육을 수축시키고 호흡은 내쉰다.
❷ 처음 동작으로 돌아오면서 근육을 이완시키고 상완이 바닥과 수평이 될 때까지 천천히 양팔을 벌린다. 이때 호흡은 들이마신다.

NG 팔꿈치와 손목이 움직이지 않게 고정시킨다.

시험장 TIP

- 시험장에 따라 다르지만 벤치가 없다면 매트에서 덤벨을 이용하여 해당 동작을 실시한다.
- 동작을 수행하면서 감독관이 들을 수 있도록 호흡을 크게 들이마시고 내뱉는 소리를 낸다.
- 감독관이 '그만'이라고 말하기 전까지 천천히 정확하게 동작을 반복한다.

★★

04 덤벨 풀 오버 Dumbbell Pull Over

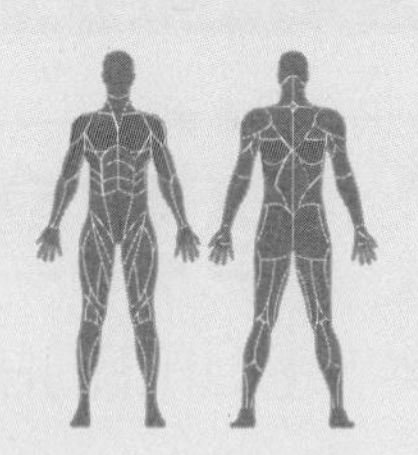

| 운동 부위

- 주동근 – 대흉근
- 협응근 – 광배근, 전면 삼각근, 상완 이두근, 전거근

▶ 자세 영상

| 자세 개요

벤치 혹은 매트에 누워 양손으로 덤벨 하나를 들고 가슴의 힘을 이용하여 덤벨이 흔들리지 않게 균형을 잡으면서 얼굴 앞으로 들어 올리고 돌아오는 동작이다. 이 동작은 가슴 부위의 근육을 강화하는 운동이다.

| 세부 평가기준

① 양발은 어깨너비로 고정이 되어 있는가?
② 팔꿈치 관절을 충분히 열고 수직이 되도록 팔을 올리는가?
③ 팔이 바닥과 평행이 될 때까지 내리는가?
④ 덤벨이 가슴 앞쪽으로 오면서 호흡을 내쉬는가?

1

❶ 벤치나 매트에 눕고 머리와 허리를 곧게 유지하며 양손으로 덤벨 하나를 잡는다.
❷ 덤벨을 천천히 머리 위 정수리 방향으로 내리면서 호흡을 들이마신다. 덤벨의 무게를 이용해 가슴 부위를 최대한 이완시킨다.

2

❶ 양팔은 곧게 펴고 덤벨을 얼굴 정면 위로 들어 올리며 가슴을 수축시키고 호흡은 내쉰다.
❷ 처음 동작으로 천천히 돌아오면서 호흡은 들이마시고 덤벨이 흔들리지 않게 균형을 잘 잡으며 동작을 반복한다.

시험장 TIP

- 시험장에 따라 다르지만 벤치가 없다면 매트에서 덤벨을 이용하여 해당 동작을 실시한다.
- 동작을 수행하면서 감독관이 들을 수 있도록 호흡을 크게 들이마시고 내뱉는 소리를 낸다.
- 감독관이 '그만'이라고 말하기 전까지 천천히 정확하게 동작을 반복한다.

★★

05 클로즈 그립 푸쉬업 Close Grip Push up

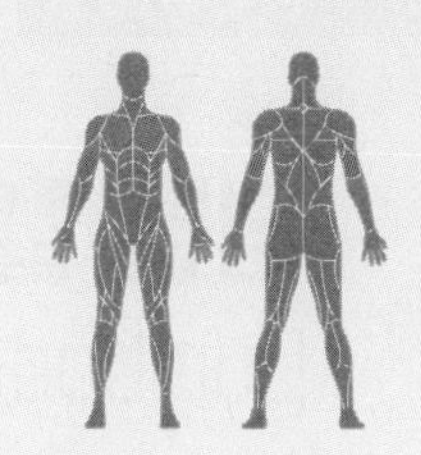

운동 부위

- 주동근 – 대흉근
- 협응근 – 전면 삼각근, 상완 삼두근

▶ 자세 영상

자세 개요

매트 혹은 바닥에서 양손을 어깨너비보다 좁게 가슴 앞에 위치시킨 후 가슴의 힘을 이용하여 전신이 흔들리지 않게 일직선을 유지하며 위아래로 올리고 내리는 동작이다. 이 동작은 가슴 부위의 근육을 강화하는 운동이다.

세부 평가기준

① 그립은 어깨너비보다 좁게 위치하였는가?
② 내리는 단계에 팔꿈치가 몸통에서 멀어지지 않고 있는가?
③ 올리는 단계에 삼두근의 수축이 일어나는가?
④ 운동하는 동안에 몸통이 고정되어 있는가?
⑤ 머리, 어깨, 골반, 무릎, 발목이 일직선을 유지하는가?

1

❶ 매트에 양손을 어깨너비보다 좁게 위치시키며 엎드린다. 머리, 허리, 엉덩이를 곧게 유지한다.
❷ 전신은 일직선을 유지하고 팔꿈치를 구부리며 상체를 내린다. 이때 호흡은 들이마신다.

2

❶ 전신은 일직선을 유지하고 팔꿈치를 곧게 펴서 상체를 들어 올린다. 이때 호흡은 내쉰다.
❷ 내리는 동작에서 호흡은 들이마시고 돌아오는 동작에서 호흡은 내쉬며 동작을 반복한다.

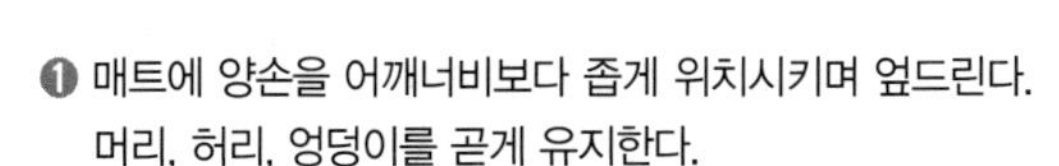
NG 내리는 동작에서 팔꿈치가 몸통에서 멀어지지 않도록 한다.

시험장 TIP

- 감독관이 동작을 정확히 볼 수 있도록 측면으로 자세를 잡고 천천히 동작을 수행한다.
- 동작을 수행하면서 감독관이 들을 수 있도록 호흡을 크게 들이마시고 내뱉는 소리를 낸다.
- 감독관이 '그만'이라고 말하기 전까지 동작을 반복한다.

06 ★★ 덤벨 컬 Dumbbell Curl

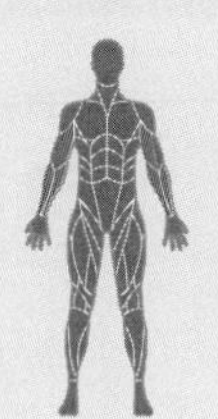

운동 부위

- 주동근 – 상완 이두근
- 협응근 – 전완근

▶ 자세 영상

자세 개요

스탠다드 스탠스로 서서 언더핸드 그립으로 덤벨을 잡고 대퇴부 앞에 위치시킨 후, 머리와 허리를 곧게 편 자세를 유지하며 상완 부위를 고정하고 팔꿈치를 구부려 덤벨을 위로 들어 올리는 동작이다. 이 동작은 팔 부위의 상완 이두근을 강화하는 운동이다.

세부 평가기준

① 팔꿈치가 어깨 뒤로 빠지지 않게 하고 있는가?
② 팔꿈치가 움직이지 않도록 고정시키고 있는가?
③ 덤벨을 올릴 때 호흡을 내쉬고 있는가?

1

❶ 스탠다드 스탠스로 서서 머리와 허리를 곧게 유지한다. 양손은 언더핸드 그립으로 덤벨을 잡고 대퇴부 앞에 위치시킨다.
❷ 상완 부위를 몸통에 고정시키고 팔꿈치와 손목을 고정시킨다.

2

❶ 덤벨을 천천히 위로 들어 올리면서 근육을 최대한 수축시킨다. 올리는 동작 시 반동을 이용하지 않고 호흡은 내쉰다.
❷ 처음 동작으로 천천히 돌아오면서 근육을 이완시키고 호흡은 들이마신다.

NG 들어 올릴 때 상체가 뒤로 기울어지지 않도록 고정한다.

시험장 TIP

- 감독관이 동작을 정확히 볼 수 있도록 정면으로 자세를 잡고 천천히 동작을 수행한다.
- 동작을 수행하면서 감독관이 들을 수 있도록 호흡을 크게 들이마시고 내뱉는 소리를 낸다.
- 감독관이 '그만'이라고 말하기 전까지 동작을 반복한다.

★★

07 해머 컬 Hammer Curl

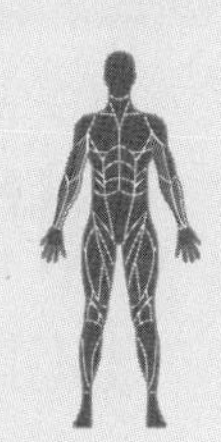

❙ 운동 부위

- 주동근 – 상완 이두근
- 협응근 – 전완근

▶ 자세 영상

❙ 자세 개요

뉴트럴 그립으로 덤벨을 잡고 대퇴부 옆에 위치시킨 후, 머리와 허리를 곧게 편 자세를 유지하며 상완 부위를 고정하고 덤벨을 위로 들어 올리는 동작이다. 이 동작은 팔 부위의 상완 이두근을 강화하는 운동이다.

❙ 세부 평가기준

① 덤벨을 뉴트럴 그립으로 잡았는가?
② 팔꿈치가 어깨 뒤로 빠지지 않게 하고 있는가?
③ 팔꿈치가 움직이지 않도록 고정시키고 있는가?
④ 덤벨을 올릴 때 호흡을 하고 있는가?

1

2

❶ 스탠다드 스탠스로 서서 머리와 허리를 곧게 유지한다. 양손은 뉴트럴 그립으로 덤벨을 잡고 대퇴부 옆에 위치시킨다.
❷ 상완 부위를 몸통에 고정시키고 팔꿈치와 손목도 고정시킨다.

❶ 덤벨을 천천히 위로 들어 올리면서 근육을 최대한 수축시킨다. 올리는 동작 시 반동을 이용하지 않고 호흡은 내쉰다.
❷ 처음 동작으로 천천히 돌아오면서 근육을 이완시키고 호흡은 들이마신다.

NG 들어 올릴 때 상체가 흔들리지 않도록 고정한다.

시험장 TIP

- 감독관이 동작을 정확히 볼 수 있도록 정면으로 자세를 잡고 천천히 동작을 수행한다.
- 동작을 수행하면서 감독관이 들을 수 있도록 호흡을 크게 들이마시고 내뱉는 소리를 낸다.
- 감독관이 '그만'이라고 말하기 전까지 동작을 반복한다.

★★★
08 바벨 컬 Barbell Curl

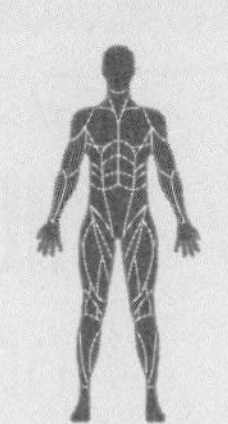

운동 부위
- 주동근 – 상완 이두근
- 협응근 – 전완근

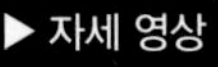

자세 개요

언더핸드 그립으로 바벨을 잡아 대퇴부 앞에 위치시킨 후 머리와 허리를 곧게 편 자세를 유지하며 바벨을 들어 올리는 동작이다. 이 동작은 팔 부위의 상완 이두근을 강화하는 운동이다.

세부 평가기준

① 바를 잡는 양손의 간격이 어깨너비 정도인가?
② 팔꿈치가 어깨 뒤로 빠지지 않게 하고 있는가?
③ 팔꿈치가 움직이지 않도록 고정시키고 있는가?
④ 바를 들어 올릴 때 호흡을 내쉬고 있는가?

1

❶ 스탠다드 스탠스로 서서 머리와 허리를 곧게 유지한다. 양손은 스탠다드 그립과 언더핸드 그립으로 바벨을 잡고 대퇴부 앞에 위치시킨다.
❷ 상완 부위를 몸통에 고정시키고 팔꿈치와 손목도 고정시킨다.

2

❶ 바벨을 천천히 위로 들어 올리면서 근육을 최대한 수축시킨다. 올리는 동작 시 반동을 이용하지 않고 호흡은 내쉰다.
❷ 처음 동작으로 천천히 돌아오면서 근육을 이완시키고 호흡은 들이마신다.

NG 들어 올릴 때 상체가 흔들리지 않도록 고정한다.

시험장 TIP
- 감독관이 동작을 정확히 볼 수 있도록 정면으로 자세를 잡고 천천히 동작을 수행한다.
- 동작을 수행하면서 감독관이 들을 수 있도록 호흡을 크게 들이마시고 내뱉는 소리를 낸다.
- 감독관이 '그만'이라고 말하기 전까지 동작을 반복한다.

★★★

09 컨센트레이션 컬 Concentration Curl

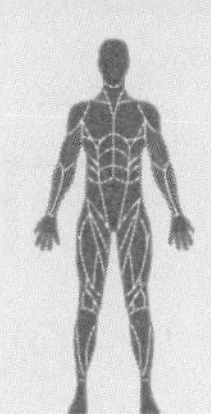

운동 부위

- 주동근 – 상완 이두근
- 협응근 – 전완근

▶ 자세 영상

자세 개요

벤치에 앉아서 대퇴부에 상완을 고정시키고 덤벨을 들어 올리는 동작이다. 이 동작은 팔 부위의 상완 이두근을 강화하는 운동이다.

세부 평가기준

① 덤벨을 잡고 벤치에 앉아 있는가?
② 팔꿈치를 대퇴부 안쪽에 고정하였는가?
③ 숨을 내쉬면서 팔꿈치를 구부려 전완을 들어 올리고 다시 시작 자세로 돌아오며 숨을 들이마시는가?

1

❶ 벤치에 앉은 후 상완 부위를 대퇴부 안쪽에 고정시킨다.
❷ 덤벨을 잡은 후 시선은 덤벨을 주시한다.

2

❶ 덤벨을 천천히 위로 들어 올리면서 근육을 최대한 수축시키고 호흡은 내쉰다.
❷ 처음 동작으로 천천히 돌아오면서 근육을 이완시키고 호흡은 들이마신다.

시험장 TIP

- 감독관이 동작을 정확히 볼 수 있도록 정면으로 자세를 잡고 천천히 동작을 수행한다.
- 동작을 수행하면서 감독관이 들을 수 있도록 호흡을 크게 들이마시고 내뱉는 소리를 낸다.
- 감독관이 '그만'이라고 말하기 전까지 동작을 반복한다.

★★

10 리버스 바벨 컬 Reverse Barbell Curl

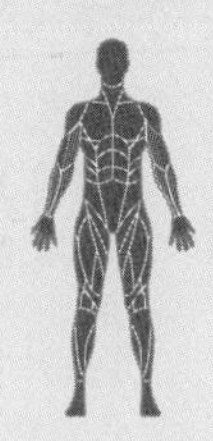

운동 부위

- 주동근 – 상완 이두근
- 협응근 – 전완근

▶ 자세 영상

자세 개요

오버핸드 그립으로 바벨을 잡아 대퇴부 앞에 위치시키고 머리와 허리를 곧게 편 자세를 유지하며 상완 부위를 고정하고 팔꿈치를 구부리며 바벨을 위로 들어 올리는 동작이다. 이 동작은 팔 부위의 상완 이두근을 강화하는 운동이다.

세부 평가기준

① 서서 오버 그립으로 바벨을 잡았는가?
② 숨을 내쉬면서 팔꿈치를 굽혀 바벨을 들어 올리고 다시 내리면서 숨을 들이마시는가?
③ 팔꿈치가 움직이지 않도록 고정시키고 있는가?

1

2

1

❶ 스탠다드 스탠스로 서서 머리와 허리를 곧게 유지한다. 양손은 스탠다드 그립과 오버핸드 그립으로 바벨을 잡고 대퇴부 앞에 위치시킨다.
❷ 상완 부위를 몸통에 고정시키고 팔꿈치와 손목을 고정시킨다.

2

❶ 바벨을 천천히 위로 들어 올리면서 근육을 최대한 수축시킨다. 올리는 동작 시 반동을 이용하지 않고 호흡은 내쉰다.
❷ 처음 동작으로 천천히 돌아오면서 근육을 이완시키고 호흡은 들이마신다.

NG 들어 올릴 때 상체가 흔들리지 않도록 고정한다.

시험장 TIP

- 감독관이 동작을 정확히 볼 수 있도록 정면으로 자세를 잡고 천천히 동작을 수행한다.
- 동작을 수행하면서 감독관이 들을 수 있도록 호흡을 크게 들이마시고 내뱉는 소리를 낸다.
- 감독관이 '그만'이라고 말하기 전까지 동작을 반복한다.

★★

11 얼터네이트 덤벨 컬 Alternate Dumbbell Curl

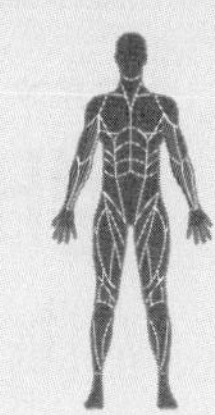

운동 부위

- 주동근 – 상완 이두근
- 협응근 – 전완근

자세 개요

언더핸드 그립으로 덤벨을 잡고 대퇴부 옆에 위치시킨 후, 머리와 허리를 곧게 편 자세를 유지하며 상완 부위를 고정하고 한쪽 팔씩 번갈아 가며 덤벨을 위로 들어 올리는 동작이다. 이 동작은 팔 부위의 상완 이두근을 강화하는 운동이다.

세부 평가기준

① 팔꿈치가 어깨 뒤로 빠지지 않게 하고 있는가?
② 팔꿈치가 움직이지 않도록 고정시키고 있는가?
③ 덤벨을 올릴 때 호흡을 하고 있는가?
④ 양팔을 교대로 들어 올리는가?

1

❶ 스탠다드 스탠스로 서서 머리와 허리를 곧게 유지한다. 양손은 언더핸드 그립으로 덤벨을 잡는다.
❷ 상완 부위를 몸통에 고정시키고 팔꿈치와 손목을 고정시킨다.

2

❶ 한쪽 팔씩 덤벨을 천천히 위로 들어 올리면서 근육을 최대한 수축시킨다. 팔을 번갈아 가며 올리는 동작 시 반동을 이용하지 않고 호흡은 내쉰다.
❷ 처음 동작으로 천천히 돌아오면서 근육을 이완시키고 호흡은 들이마신다.

NG 들어 올릴 때 상체가 흔들리지 않도록 고정한다.

시험장 TIP

- 감독관이 동작을 정확히 볼 수 있도록 정면으로 자세를 잡고 천천히 동작을 수행한다.
- 동작을 수행하면서 감독관이 들을 수 있도록 호흡을 크게 들이마시고 내뱉는 소리를 낸다.
- 감독관이 '그만'이라고 말하기 전까지 동작을 반복한다.

★★★

12 얼터네이트 해머 컬 Alternate Hammer Curl

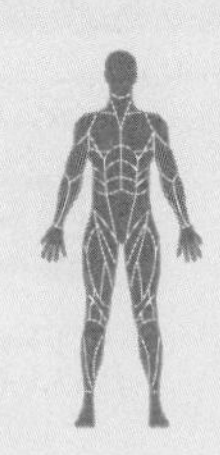

운동 부위

- 주동근 – 상완 이두근
- 협응근 – 전완근

자세 개요

뉴트럴 그립으로 덤벨을 잡고 상완 부위를 상체에 고정시킨 후 머리와 허리를 곧게 편 자세를 유지하면서 한 팔씩 번갈아 가며 덤벨을 위로 들어 올리는 동작이다. 이 동작은 팔 부위의 상완 이두근을 강화하는 운동이다.

세부 평가기준

① 덤벨을 뉴트럴 그립으로 잡았는가?
② 팔꿈치가 어깨 뒤로 빠지지 않게 하고 있는가?
③ 팔꿈치가 움직이지 않도록 고정시키고 있는가?
④ 덤벨을 올릴 때 호흡을 하고 있는가?
⑤ 양팔을 교대로 들어 올리는가?

1

❶ 스탠다드 스탠스로 서서 머리와 허리를 곧게 유지하고 덤벨을 뉴트럴 그립으로 잡는다.
❷ 상완 부위를 몸통에 고정시키고 팔꿈치와 손목을 고정시킨다.

2

❶ 덤벨을 한 손씩 교대로 들어 올리면서 근육을 최대한 수축시킨다. 덤벨을 들어 올릴 때 반동을 이용하지 않고 호흡은 내쉰다.
❷ 처음 동작으로 천천히 돌아오면서 근육을 이완시키고 호흡은 들이마신다.

반동을 이용하여 동작을 수행하지 않는다.

시험장 TIP

- 감독관이 동작을 정확히 볼 수 있도록 정면으로 자세를 잡고 천천히 동작을 수행한다.
- 동작을 수행하면서 감독관이 들을 수 있도록 호흡을 크게 들이마시고 내뱉는 소리를 낸다.
- 감독관이 '그만'이라고 말하기 전까지 동작을 반복한다.

★★★

13 덤벨 리스트 컬 Dumbbell Wrist Curl

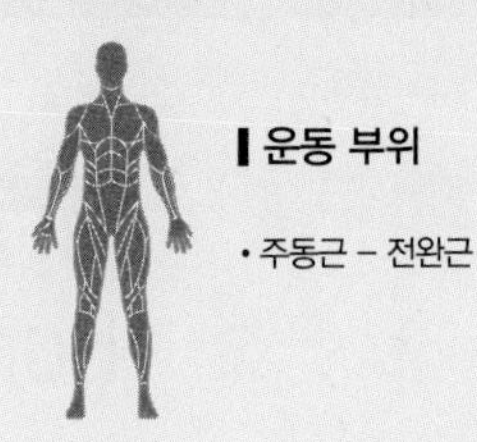

자세 개요

벤치 혹은 매트에 앉아서 대퇴부에 전완부를 고정시켜 언더핸드 그립으로 덤벨을 잡고 손목을 이용하여 들어 올리는 동작이다. 이 동작은 팔 부위의 전완근을 강화하는 운동이다.

세부 평가기준

① 벤치에 앉거나 대퇴부에 팔을 올려놓은 다음 언더핸드 그립으로 덤벨을 잡았는가?
② 숨을 내쉬며 손목을 올리고, 손목을 내리면서 숨을 들이쉬는가?
③ 팔꿈치가 움직이지 않도록 고정시키고 있는가?

1

❶ 한 손은 언더핸드 그립으로 덤벨을 잡고 머리와 허리를 곧게 유지하며 벤치 혹은 매트에 앉는다.
❷ 덤벨이 흔들리지 않게 균형을 잡고 대퇴부에 전완부를 올린다. 상완 부위와 전완 부위가 움직이지 않도록 고정한다.

2

❶ 덤벨을 천천히 위로 올리며 호흡을 내쉬고 최대한 근육을 수축시킨다.
❷ 처음 동작으로 천천히 돌아오면서 호흡을 들이마시고 근육을 이완시킨다.

시험장 TIP

- 감독관이 동작을 정확히 볼 수 있도록 측면으로 자세를 잡고 천천히 동작을 수행한다.
- 동작을 수행하면서 감독관이 들을 수 있도록 호흡을 크게 들이마시고 내뱉는 소리를 낸다.
- 감독관이 '그만'이라고 말하기 전까지 동작을 반복한다.

★★

14 바벨 리스트 컬 Barbell Wrist Curl

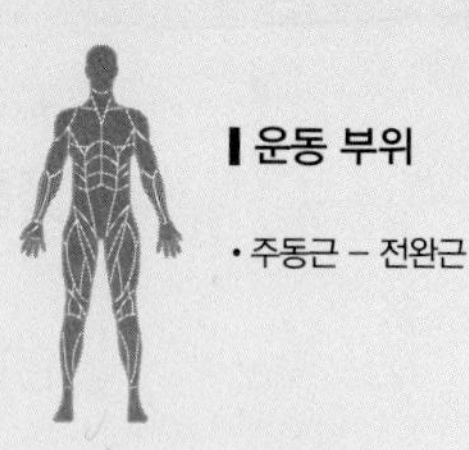

| 운동 부위

• 주동근 – 전완근

▶ 자세 영상

| 자세 개요

벤치에 앉거나 대퇴부에 양팔을 올려놓고 언더핸드 그립으로 바벨을 잡고 손목을 이용하여 들어 올리는 동작이다. 이 동작은 팔 부위의 전완근을 강화하는 운동이다.

| 세부 평가기준

① 벤치에 앉거나 대퇴부에 팔을 올려놓은 다음 언더 그립으로 바벨을 잡았는가?
② 숨을 내쉬며 손목을 올리고, 손목을 내리면서 숨을 들이쉬는가?
③ 팔꿈치가 움직이지 않도록 고정시키고 있는가?

1

❶ 벤치에 앉거나 대퇴부에 팔을 올려놓은 다음 언더핸드 그립으로 바벨을 잡는다.
❷ 전완 부위와 팔꿈치가 움직이지 않도록 고정시킨다.

2

❶ 손목을 올리면서 근육을 최대한 수축시키고 호흡은 내쉰다.
❷ 처음 동작으로 천천히 돌아오면서 근육을 이완시키고 호흡은 들이마신다.

시험장 TIP

• 감독관이 동작을 정확히 볼 수 있도록 측면으로 자세를 잡고 천천히 동작을 수행한다.
• 동작을 수행하면서 감독관이 들을 수 있도록 호흡을 크게 들이마시고 내뱉는 소리를 낸다.
• 감독관이 '그만'이라고 말하기 전까지 동작을 반복한다.

★★★

15 스탠딩 바벨 트라이셉스 익스텐션 Standing Barbell Triceps Extension

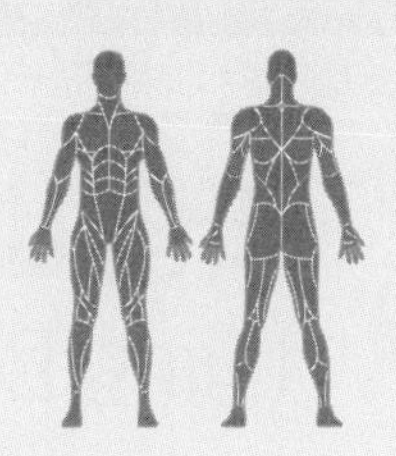

운동 부위

- 주동근 – 상완 삼두근
- 협응근 – 전완근

▶ 자세 영상

자세 개요

머리와 허리를 곧게 유지하고 내로우 그립과 섬레스 그립으로 바벨을 잡아 머리 뒤에서 위로 들어 올리는 동작이다. 이 동작은 팔 부위의 상완 삼두근을 강화하는 운동이다.

세부 평가기준

① 서서 허리는 곧게 세우며 펴고 있는가?
② 양손의 간격을 어깨너비보다 좁게 하고 있는가?
③ 바벨을 머리 뒤쪽으로 내리고 있는가?
④ 바벨을 잡은 상완이 지면과 수직이 되도록 하였는가?
⑤ 바벨을 내릴 때 숨을 들이마시고 올릴 때 내뱉고 있는가?

1

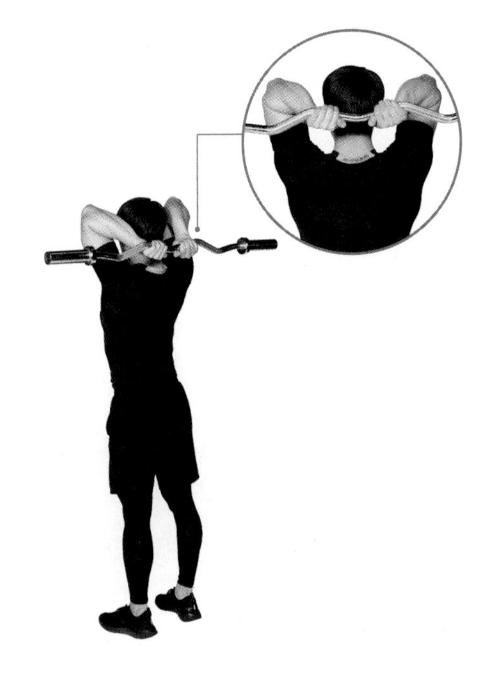

❶ 머리와 허리를 곧게 유지하고 내로우 그립과 섬레스 그립으로 바벨을 잡는다.
❷ 바벨을 천천히 머리 뒤로 내리면서 호흡을 들이마신다.

2

❶ 양팔의 팔꿈치를 펴면서 머리 위로 바벨을 들어 올린다. 호흡을 내쉬고 최대한 근육을 수축시킨다. 바벨이 흔들리지 않게 균형을 잡고 팔꿈치와 손목을 고정시킨다.
❷ 처음 동작으로 천천히 돌아오면서 근육을 이완시키고 호흡은 들이마신다.

NG 팔꿈치가 과도하게 벌어지지 않도록 한다.

시험장 TIP

- 감독관이 동작을 정확히 볼 수 있도록 측면으로 자세를 잡고 천천히 동작을 수행한다.
- 동작을 수행하면서 감독관이 들을 수 있도록 호흡을 크게 들이마시고 내뱉는 소리를 낸다.
- 감독관이 '그만'이라고 말하기 전까지 동작을 반복한다.

★★★

16 라잉 바벨 트라이셉스 익스텐션 Lying Barbell Triceps Extension

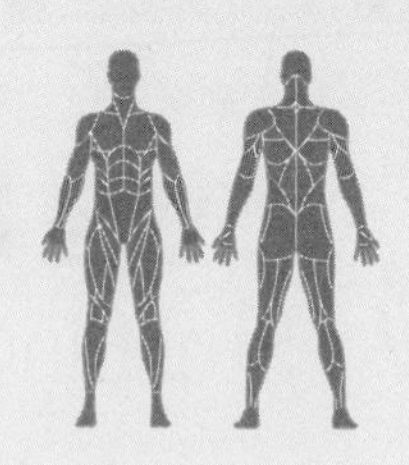

운동 부위

- 주동근 – 상완 삼두근
- 협응근 – 전완근

자세 개요

벤치나 매트에 누워 내로우 그립으로 바벨을 잡고 손목과 팔꿈치를 고정하며 바벨을 머리 쪽으로 내리는 동작이다. 이 동작은 팔 부위의 상완 삼두근을 강화하는 운동이다.

세부 평가기준

① 가슴은 들고 척추는 정상 만곡을 유지하고 있는가?
② 양손의 간격을 어깨너비보다 좁게 하고 있는가?
③ 바벨을 머리 쪽으로 내리고 있는가?
④ 바벨을 잡은 팔이 지면과 수직이 되도록 하였는가?
⑤ 바를 내릴 때 숨을 들이마시고 올릴 때 내뱉고 있는가?

1

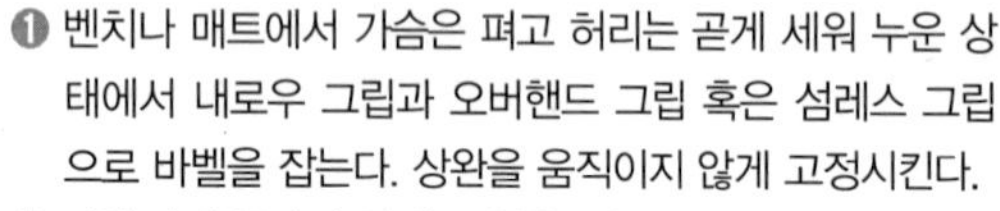

❶ 벤치나 매트에서 가슴은 펴고 허리는 곧게 세워 누운 상태에서 내로우 그립과 오버핸드 그립 혹은 섬레스 그립으로 바벨을 잡는다. 상완을 움직이지 않게 고정시킨다.
❷ 바벨이 흔들리지 않게 균형을 잡으며 머리의 이마 위에 위치시킨 후 팔꿈치와 손목을 고정한다.

2

❶ 바벨을 천천히 가슴 위로 들어 올리면서 근육을 최대한 수축시키고 호흡은 내쉰다.
❷ 처음 동작으로 돌아오면서 상완을 지면과 수직이 되도록 유지하고 근육을 천천히 이완시킨다. 호흡은 들이마신다.

NG 바벨을 머리 뒤로 내리지 않도록 한다.

시험장 TIP

- 감독관이 동작을 정확히 볼 수 있도록 측면으로 자세를 잡고 천천히 동작을 수행한다.
- 동작을 수행하면서 감독관이 들을 수 있도록 호흡을 크게 들이마시고 내뱉는 소리를 낸다.
- 감독관이 '그만'이라고 말하기 전까지 동작을 반복한다.

★★★

17 원암 덤벨 오버헤드 트라이셉스 익스텐션

One arm Dumbbell Overhead Triceps Extension

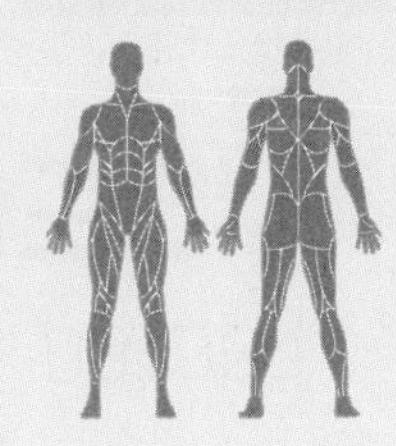

운동 부위

- 주동근 – 상완 삼두근
- 협응근 – 전완근

자세 개요

머리와 허리를 곧게 유지하고 덤벨을 머리 뒤에서 위로 들어 올리는 동작이다. 이 동작은 팔 부위의 상완 삼두근을 강화시키는 운동이다.

세부 평가기준

① 팔꿈치가 고정이 되어 있는가?
② 덤벨이 내려갈 때 팔꿈치의 각도를 90°까지 내리는가?
③ 팔꿈치를 펼 때 호흡을 내쉬는가?

1

❶ 머리와 허리를 곧게 유지하고 한 손으로 덤벨을 뉴트럴 그립으로 잡는다.
❷ 덤벨을 천천히 머리 뒤로 내리면서 호흡을 들이마신다. 이때 팔꿈치가 90°가 되도록 덤벨을 내린다.

2

❶ 덤벨이 흔들리지 않게 균형을 잡고 머리 위로 들어 올린다. 이때 근육을 최대한 수축시키고 호흡은 내쉰다.
❷ 상완을 지면과 수직이 되도록 유지하며 근육을 천천히 이완시키고 처음 동작으로 돌아간다. 호흡은 들이마신다.

 팔꿈치를 과도하게 구부리지 않는다.

시험장 TIP

- 감독관이 동작을 정확히 볼 수 있도록 측면으로 자세를 잡고 천천히 동작을 수행한다.
- 동작을 수행하면서 감독관이 들을 수 있도록 호흡을 크게 들이마시고 내뱉는 소리를 낸다.
- 감독관이 '그만'이라고 말하기 전까지 동작을 반복한다.

★★★

18 시티드 트라이셉스 익스텐션
Seated Triceps Extension

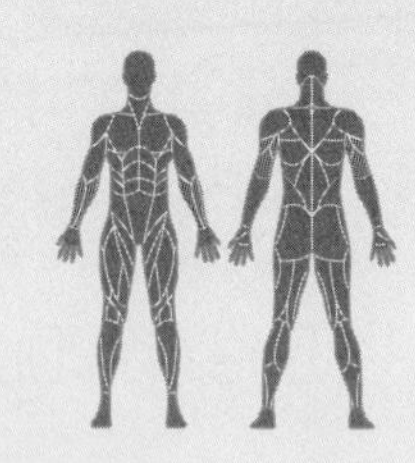

운동 부위

- 주동근 – 상완 삼두근
- 협응근 – 전완근

▶ 자세 영상

자세 개요

벤치에 앉아 머리와 허리를 곧게 유지하고 내로우 그립과 섬레스 그립으로 바벨을 잡아 머리 뒤에서 위로 들어 올리는 동작이다. 이 동작은 팔 부위의 상완 삼두근을 강화하는 운동이다.

세부 평가기준

① 앉아서 허리는 곧게 세우며 펴고 있는가?
② 양손의 간격을 어깨너비보다 좁게 하고 있는가?
③ 바벨을 머리 뒤쪽으로 내리고 있는가?
④ 바벨을 잡은 상완이 지면과 수직이 되도록 하였는가?
⑤ 바벨을 내릴 때 숨을 들이마시고 올릴 때 내뱉고 있는가?

1

2

❶ 벤치에 앉아 머리와 허리를 곧게 유지하고 내로우 그립과 섬레스 그립으로 바벨을 잡는다.
❷ 바벨을 천천히 머리 뒤로 내리면서 호흡을 들이마신다.

❶ 양팔의 팔꿈치를 펴면서 머리 위로 바벨을 들어 올린다. 호흡을 내쉬고 최대한 근육을 수축시킨다. 바벨이 흔들리지 않게 균형을 잡고 팔꿈치와 손목을 고정시킨다.
❷ 처음 동작으로 천천히 돌아오면서 근육을 이완시키고 호흡은 들이마신다.

NG 팔꿈치가 과도하게 벌어지지 않도록 한다.

시험장 TIP

- 감독관이 동작을 정확히 볼 수 있도록 측면으로 자세를 잡고 천천히 동작을 수행한다.
- 동작을 수행하면서 감독관이 들을 수 있도록 호흡을 크게 들이마시고 내뱉는 소리를 낸다.
- 감독관이 '그만'이라고 말하기 전까지 동작을 반복한다.

★★
19 덤벨 킥 백 Dumbbell Kick Back

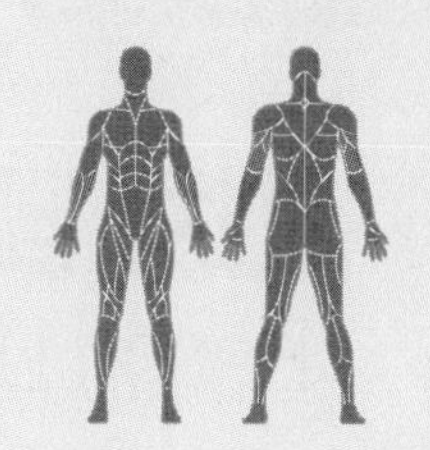

운동 부위

- 주동근 – 상완 삼두근
- 협응근 – 전완근

자세 개요

머리와 허리를 곧게 유지하고 상완 부위가 지면과 평행이 되도록 상체를 적절히 숙인 후, 상완 부위는 고정하고 전완 부위만의 움직임으로 실시하는 동작이다. 이 동작은 팔 부위의 상완 삼두근을 강화하는 운동이다.

세부 평가기준

① 운동 중 상완은 바닥과 수평인 상태를 유지하는가?
② 팔꿈치는 몸통에서 붙인 상태를 유지하는가?
③ 등은 곧게 편 상태를 유지하는가?
④ 발은 바닥에 밀착시켰는가?

1 ❶ 한 손은 뉴트럴 그립으로 덤벨을 잡고 머리와 허리를 곧게 유지한다.
❷ 상체가 지면과 수평이 되도록 허리를 구부린다. 상완 부위는 몸통에 밀착시켜 고정한다.

2 ❶ 덤벨을 천천히 뒤쪽으로 올리면서 근육을 수축시키고 호흡을 내쉰다.
❷ 덤벨을 내리면서 상완이 지면과 수평이 되도록 유지하고 근육을 천천히 이완시키며 호흡은 들이마신다.

NG 팔꿈치가 몸통에서 멀리 떨어지지 않도록 한다.

시험장 TIP

- 감독관이 동작을 정확히 볼 수 있도록 측면으로 자세를 잡고 천천히 동작을 수행한다.
- 동작을 수행하면서 감독관이 들을 수 있도록 호흡을 크게 들이마시고 내뱉는 소리를 낸다.
- 감독관이 '그만'이라고 말하기 전까지 동작을 반복한다.

★★

20 벤치 딥
Bench Dip

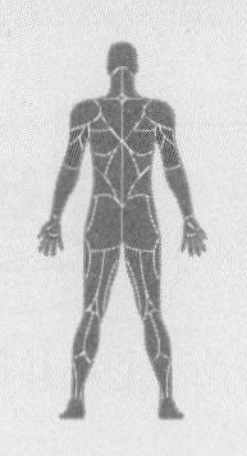

운동 부위

• 주동근 – 상완 삼두근

자세 개요

벤치에 팔을 지탱한 후 상체를 위로 올리고 내리는 동작이다. 이 동작은 팔 부위의 상완 삼두근을 강화하는 운동이다.

세부 평가기준

① 허리는 곧게 편 자세를 유지하는가?
② 내리는 단계에 팔꿈치가 직각으로 내려가는가?
③ 올리는 단계에 팔꿈치가 완전히 펴지는가?
④ 호흡을 똑바로 하고 있는가?

❶ 머리와 허리를 곧게 유지하고 벤치에 상체를 팔로 지탱한다.
❷ 팔꿈치를 천천히 구부리며 상체를 아래로 내린다. 내리는 동작 시 호흡은 들이마시고 팔꿈치가 직각이 되도록 유지한다.

❶ 상체를 천천히 위로 올리며 팔꿈치를 곧게 편다.
❷ 이때 근육을 최대한 수축시키고 호흡은 내쉰다.

NG 팔꿈치가 바깥으로 벌어지지 않도록 한다.

시험장 TIP

• 감독관이 동작을 정확히 볼 수 있도록 정면으로 자세를 잡고 천천히 동작을 수행한다.
• 동작을 수행하면서 감독관이 들을 수 있도록 호흡을 크게 들이마시고 내뱉는 소리를 낸다.
• 감독관이 '그만'이라고 말하기 전까지 동작을 반복한다.

CHAPTER 2

상체, 등, 어깨

★★★

01 벤트 오버 원암 덤벨 로우
Bent Over One arm Dumbbell Row

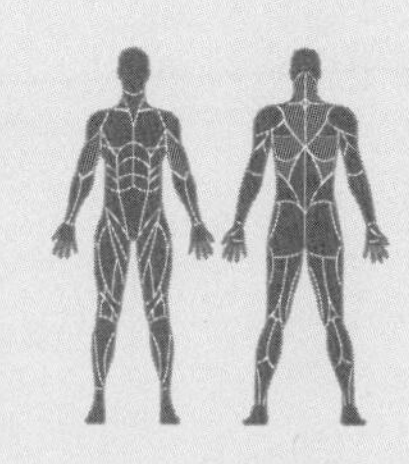

운동 부위

- 주동근 – 광배근
- 협응근 – 승모근, 능형근, 상완 이두근

▶ 자세 영상

자세 개요

머리와 허리를 곧게 유지하며 상체가 지면과 수평이 되도록 앞으로 구부린 후 뉴트럴 그립으로 덤벨을 잡고 팔꿈치를 몸통 가까이 들어 올리는 동작이다. 이 동작은 등 부위의 근육을 강화하는 운동이다.

세부 평가기준

① 팔꿈치를 몸통 가까이 들어 올렸는가?
② 손목은 구부리지 않고 편 상태를 유지했는가?
③ 덤벨을 위로 당기는 단계에서 반동을 이용하지 않았는가?
④ 머리, 몸통, 손, 발의 위치와 무릎 각도를 유지했는가?

1

❶ 머리와 허리를 곧게 유지하고 상체가 지면과 수평이 되도록 허리를 구부린다. 머리, 몸통, 손, 발의 위치와 무릎 각도를 일정하게 유지한다.
❷ 뉴트럴 그립으로 덤벨을 잡고 손목은 구부리지 않으며 시선은 바닥을 주시한다.

2

❶ 덤벨을 잡고 팔꿈치를 몸통 가까이 들어 올리며 호흡은 내쉰다. 손목을 펴고 상체의 반동을 이용하지 않으며 최대한 등 근육을 수축시키면서 들어 올린다.
❷ 처음 동작으로 천천히 돌아오면서 근육을 이완시키고 호흡은 들이마신다.

NG 팔꿈치를 과도하게 들어 올리지 않는다.

시험장 TIP

- 감독관이 동작을 정확히 볼 수 있도록 측면으로 자세를 잡고 천천히 동작을 수행한다.
- 동작을 수행하면서 감독관이 들을 수 있도록 호흡을 크게 들이마시고 내뱉는 소리를 낸다.
- 감독관이 '그만'이라고 말하기 전까지 동작을 반복한다

★★★

02 벤트 오버 바벨 로우 Bent Over Barbell Row

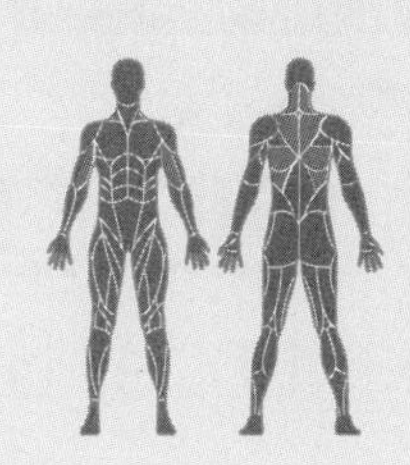

| 운동 부위

- 주동근 – 광배근
- 협응근 – 승모근, 능형근, 상완 이두근

▶ 자세 영상

| 자세 개요

머리와 허리를 곧게 유지하며 상체가 지면과 수평이 되도록 앞으로 구부린 후 오버핸드 그립으로 바벨을 잡고 팔꿈치를 몸통 가까이 들어 올리는 동작이다. 이 동작은 등 부위의 근육을 강화하는 운동이다.

| 세부 평가기준

① 허리는 곧게 펴져 있는가?
② 엉덩이를 심하게 뒤로 빼지 않고 있는가?
③ 무릎은 바를 내리면서 약간 구부리고 있는가?
④ 바를 올리는 동작 시 배 방향으로 올리고 있는가?
⑤ 등은 곧게 펴져 있는가?

1

❶ 머리와 허리를 곧게 유지하고 엉덩이를 뒤로 빼지 않으며 상체가 지면과 수평이 되도록 허리를 구부린다.
❷ 스탠다드 스탠스로 서서 스탠다드 그립, 오버핸드 그립으로 바벨을 잡고 시선은 바닥을 주시한다.

2

❶ 바벨을 잡고 팔꿈치를 몸통 가까이 들어 올리며 호흡은 내쉰다. 손목을 펴고 상체의 반동을 이용하지 않으며 최대한 등 근육을 수축시키면서 들어 올린다.
❷ 처음 동작으로 천천히 돌아오면서 근육을 이완시키고 호흡은 들이마신다.

NG 상체가 지면과 수평이 되도록 유지한다.

시험장 TIP

- 감독관이 동작을 정확히 볼 수 있도록 측면으로 자세를 잡고 천천히 동작을 수행한다.
- 동작을 수행하면서 감독관이 들을 수 있도록 호흡을 크게 들이마시고 내뱉는 소리를 낸다.
- 감독관이 '그만'이라고 말하기 전까지 동작을 반복한다.

★★★

03 언더 그립 바벨 로우 Under Grip Barbell Row

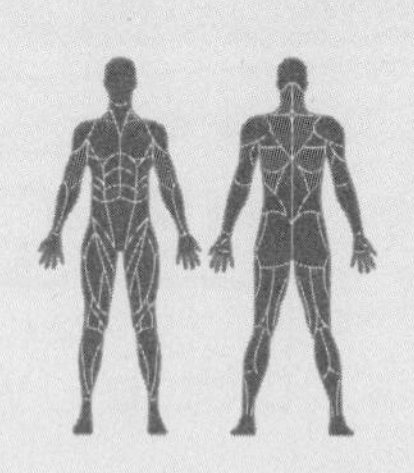

운동 부위

- 주동근 – 광배근
- 협응근 – 승모근, 능형근, 상완 이두근

▶ 자세 영상

자세 개요

머리와 허리를 곧게 유지하며 상체가 지면과 수평이 되도록 앞으로 구부린 후 언더핸드 그립으로 바벨을 잡고 팔꿈치를 몸통 가까이 들어 올리는 동작이다. 이 동작은 등 부위의 근육을 강화하는 운동이다.

세부 평가기준

① 바벨을 언더 그립으로 잡고 몸통은 곧게 편 자세를 유지하는가?
② 바벨을 올리는 단계에서 손목을 펴고 올리는가?
③ 목을 과도하게 뒤로 펴진 않았는가?
④ 몸의 무게 중심이 균형적으로 고르게 유지되는가?

1

❶ 머리와 허리를 곧게 유지하고 상체가 지면과 수평이 되도록 허리를 구부린다.
❷ 스탠다드 스탠스로 서서 스탠다드 그립, 언더핸드 그립으로 바벨을 잡고 시선은 바닥을 주시한다.

2

❶ 바벨을 잡고 팔꿈치를 몸통 가까이 들어 올리며 호흡은 내쉰다. 손목을 펴고 상체의 반동을 이용하지 않으며 최대한 등 근육을 수축시키면서 들어 올린다.
❷ 처음 동작으로 천천히 돌아오면서 근육을 이완시키고 호흡은 들이마신다.

NG 상체가 지면과 수평이 되도록 유지한다.

시험장 TIP

- 감독관이 동작을 정확히 볼 수 있도록 측면으로 자세를 잡고 천천히 동작을 수행한다.
- 동작을 수행하면서 감독관이 들을 수 있도록 호흡을 크게 들이마시고 내뱉는 소리를 낸다.
- 감독관이 '그만'이라고 말하기 전까지 동작을 반복한다

★★★

04 뉴트럴 그립 투암 덤벨 로우
Neutral Grip Two arms Dumbbell Row

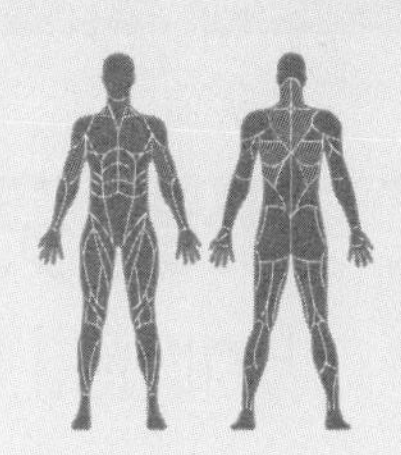

운동 부위

- 주동근 – 광배근
- 협응근 – 승모근, 능형근, 상완 이두근

자세 개요

머리와 허리를 곧게 유지하며 상체가 지면과 수평이 되도록 앞으로 구부린 후 뉴트럴 그립으로 덤벨을 잡고 팔꿈치를 몸통 가까이 들어 올리는 동작이다. 이 동작은 등 부위의 근육을 강화하는 운동이다.

세부 평가기준

① 덤벨을 뉴트럴 그립으로 잡고 팔꿈치를 몸통 가까이 들어 올렸는가?
② 손목은 구부리지 않고 편 상태를 유지했는가?
③ 덤벨을 위로 당기는 단계에서 반동을 이용하지 않았는가?
④ 머리, 몸통, 손, 발의 위치와 무릎 각도를 유지했는가?

❶ 스탠다드 스탠스로 서서 머리와 허리를 곧게 유지하고 상체가 지면과 수평이 되도록 허리를 구부린다.
❷ 양손에 덤벨을 뉴트럴 그립으로 잡고 어깨를 고정시키며 시선은 바닥을 주시한다.

❶ 덤벨을 잡고 팔꿈치를 몸통 가까이 들어 올리며 호흡은 내쉰다. 상체의 반동을 이용하지 않고 최대한 등 근육을 수축시키며 들어 올린다.
❷ 처음 동작으로 천천히 돌아오면서 근육을 이완시키고 호흡은 들이마신다.

시험장 TIP

- 감독관이 동작을 정확히 볼 수 있도록 측면으로 자세를 잡고 천천히 동작을 수행한다.
- 동작을 수행하면서 감독관이 들을 수 있도록 호흡을 크게 들이마시고 내뱉는 소리를 낸다.
- 감독관이 '그만'이라고 말하기 전까지 동작을 반복한다.

★★★

05 바벨 굿모닝 엑서사이즈 Barbell Good Morning Exercise

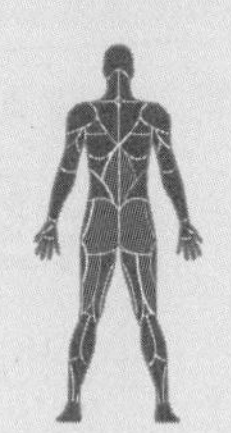

운동 부위

- 주동근 – 척추 기립근
- 협응근 – 대둔근, 대퇴 이두근

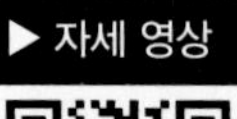

자세 개요

바벨을 승모근에 위치시키고 머리와 허리를 곧게 유지하며 상체를 지면과 수평이 되도록 앞으로 구부리는 동작이다. 이 동작은 등 부위의 척추 기립근을 강화하는 운동이다.

세부 평가기준

① 바벨을 승모근에 올리고 있는가?
② 무릎과 허리를 펴고 내려가는가?
③ 시선은 전방을 주시하는가?
④ 올라올 때 호흡을 내쉬고 있는가?

1

2

1단계

❶ 스탠다드 스탠스로 서서 바벨을 승모근 위에 위치시키고 무릎과 허리를 곧게 편다.
❷ 시선은 전방을 주시하며 인사하듯이 상체를 앞으로 숙인다. 이때 호흡은 들이마신다.

2단계

❶ 상체를 곧게 유지하며 들어 올리고 근육을 최대한 수축시킨다. 이때 호흡은 크게 내쉰다.
❷ 처음 동작으로 천천히 돌아오면서 근육을 이완시키고 호흡은 들이마신다.

NG 내릴 때 무릎과 허리를 구부리지 않는다.

시험장 TIP

- 감독관이 동작을 정확히 볼 수 있도록 측면으로 자세를 잡고 천천히 동작을 수행한다.
- 동작을 수행하면서 감독관이 들을 수 있도록 호흡을 크게 들이마시고 내뱉는 소리를 낸다.
- 감독관이 '그만'이라고 말하기 전까지 동작을 반복한다.

★★

06 백 익스텐션 Back Extension

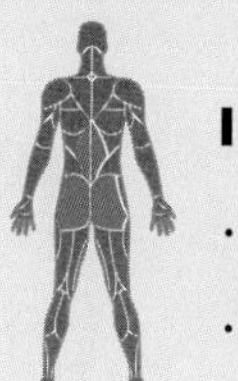

운동 부위

- 주동근 – 척추 기립근
- 협응근 – 대둔근

▶ 자세 영상

자세 개요

매트에 엎드린 후 상체를 뒤로 신전시키며 올리는 동작이다. 이 동작은 등 부위의 척추 기립근을 강화하는 운동이다.

세부 평가기준

① 매트에 배를 깔고 엎드려 있는가?
② 상체와 하체를 함께 올리고 있는가?
③ 호흡은 올리는 단계에서 내쉬고 있는가?

1

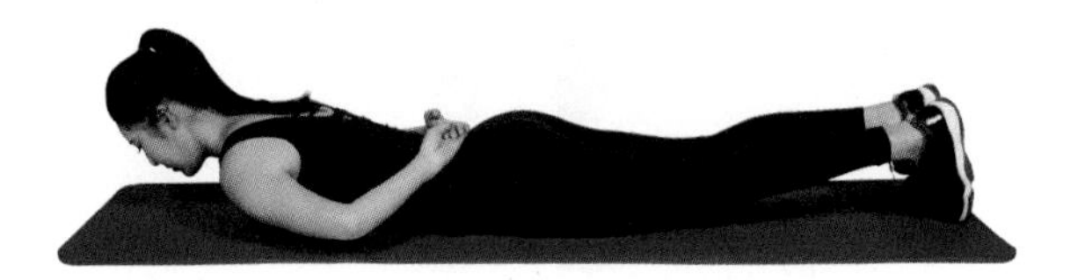

❶ 매트에 배를 깔고 엎드린 후 양손은 허리에 올리거나 머리 뒤편으로 깍지를 낀다.
❷ 양발은 가볍게 어깨너비로 벌린다.

2

❶ 허리와 엉덩이 힘을 이용하여 상체와 하체를 뒤로 천천히 일으켜 세운다. 호흡은 내쉬고 최대한 근육을 수축시킨다.
❷ 처음 동작으로 천천히 돌아오면서 근육을 이완시키고 호흡은 들이마신다.

시험장 TIP

- 감독관이 동작을 정확히 볼 수 있도록 측면으로 자세를 잡고 천천히 동작을 수행한다.
- 동작을 수행하면서 감독관이 들을 수 있도록 호흡을 크게 들이마시고 내뱉는 소리를 낸다.
- 감독관이 '그만'이라고 말하기 전까지 동작을 반복한다.

★★★

07 바벨 밀리터리 프레스
Barbell Military Press

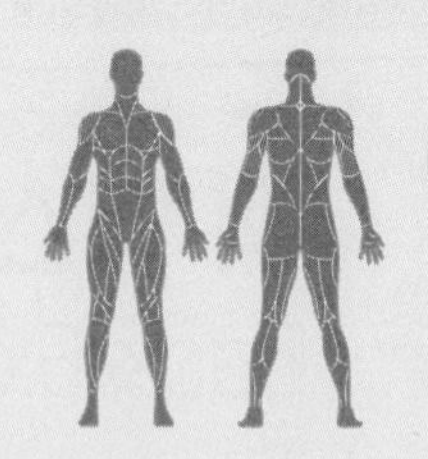

운동 부위

- 주동근 – 전 · 측면 삼각근
- 협응근 – 상완 삼두근

▶ 자세 영상

자세 개요

바벨을 턱 높이에 위치시키고 머리와 허리를 곧게 편 자세를 유지하며 바벨을 위로 밀어 올리는 동작이다. 이 동작은 어깨 부위의 근육을 강화하는 운동이다.

세부 평가기준

① 반동 없이 얼굴 가까이 바닥과 수직으로 들어 올렸는가?
② 올리는 단계에서 팔꿈치를 이용하지 않고 운동하였는가?
③ 운동 시 주동근의 긴장을 유지했는가?
④ 내릴 때 갑자기 힘을 빼지 않고 팔꿈치를 천천히 굽혔는가?

1

❶ 스탠다드 스탠스로 서서 와이드 그립과 오버핸드 그립으로 바벨을 잡는다.
❷ 바벨을 턱 높이에 위치시키고 머리와 허리를 곧게 유지한다. 손목을 고정시키고 팔꿈치는 어깨높이를 유지하며 바벨이 흔들리지 않게 균형을 잘 잡는다.

2

❶ 바벨을 머리 위로 들어 올리며 근육을 최대한 수축시키고 호흡을 내쉰다. 올리는 동작 시 상체가 뒤로 기울지 않도록 주의한다.
❷ 처음 동작으로 천천히 돌아오면서 근육을 이완시키고 호흡은 들이마신다.

NG 팔꿈치가 아래로 과도하게 처지지 않고 어깨높이를 유지해야 한다.

시험장 TIP

- 감독관이 동작을 정확히 볼 수 있도록 정면으로 자세를 잡고 천천히 동작을 수행한다.
- 동작을 수행하면서 감독관이 들을 수 있도록 호흡을 크게 들이마시고 내뱉는 소리를 낸다.
- 감독관이 '그만'이라고 말하기 전까지 동작을 반복한다.

★★★

08 비하인드 넥 프레스 Behind Neck Press

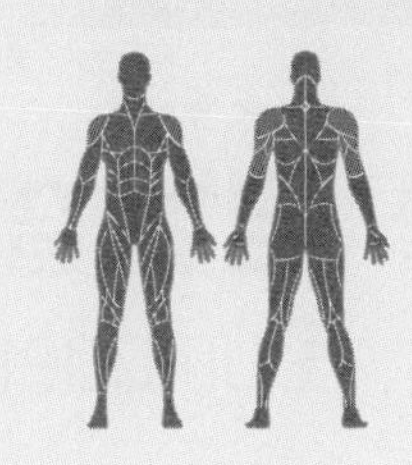

운동 부위

- 주동근 – 전 · 측면 삼각근
- 협응근 – 상완 삼두근, 후면 삼각근

▶ 자세 영상

자세 개요

스탠다드 스탠스로 서서 바벨을 머리 뒤에 위치시키고 머리와 허리를 곧게 편 자세를 유지하며 바벨을 머리 위로 들어 올리는 동작이다. 이 동작은 어깨 부위의 근육을 강화하는 운동이다.

세부 평가기준

① 반동 없이 머리 뒤쪽 가까이 바닥과 수직으로 들어 올렸는가?
② 올리는 단계에서 팔꿈치를 이용하지 않고 운동하였는가?
③ 운동 시 주동근의 긴장을 유지했는가?
④ 내리는 단계에서 팔꿈치의 각도를 90°로 유지했는가?

1

❶ 스탠다드 스탠스로 서서 와이드 그립과 오버핸드 그립으로 바벨을 잡는다.
❷ 바벨을 머리 뒤에 위치시키고 머리와 허리를 곧게 유지한다. 손목을 고정하고 팔꿈치는 어깨높이를 유지하며 바벨이 흔들리지 않게 균형을 잘 잡는다.

2

❶ 바벨을 머리 위로 들어 올리며 근육을 최대한 수축시키고 호흡을 내쉰다.
❷ 처음 동작으로 천천히 돌아오면서 팔꿈치의 각도를 90°로 유지하고 근육을 이완시키며 호흡은 들이마신다.

NG 팔꿈치를 과도하게 아래로 내리지 않는다.

시험장 TIP

- 감독관이 동작을 정확히 볼 수 있도록 측면으로 자세를 잡고 천천히 동작을 수행한다.
- 동작을 수행하면서 감독관이 들을 수 있도록 호흡을 크게 들이마시고 내뱉는 소리를 낸다.
- 감독관이 '그만'이라고 말하기 전까지 동작을 반복한다.

★★★

09 덤벨 숄더 프레스 Dumbbell Shoulder Press

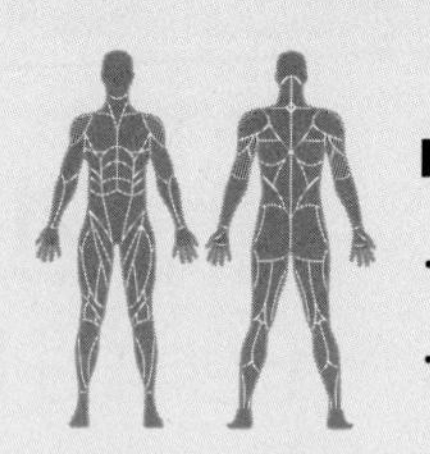

운동 부위

- 주동근 – 전·측면 삼각근
- 협응근 – 상완 삼두근

자세 개요

양손의 덤벨을 머리 옆에 위치시키고 머리와 허리를 곧게 편 자세를 유지하며 위로 밀어 올리는 동작이다. 이 동작은 어깨 부위의 근육을 강화시키는 운동이다.

세부 평가기준

① 운동 중 덤벨이 움직이지 않도록 통제하였는가?
② 올리는 단계에서 팔꿈치를 이용하지 않고 운동하였는가?
③ 운동 시 주동근의 긴장을 유지했는가?
④ 내리는 단계 시 팔꿈치의 각도를 90°로 유지했는가?

1

2

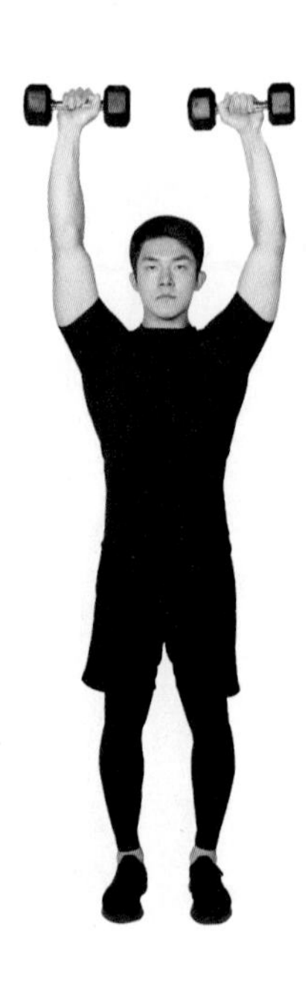

❶ 스탠다드 스탠스로 서서 오버핸드 그립으로 덤벨을 잡는다. 덤벨을 머리 옆에 위치시키고 머리와 허리를 곧게 유지한다.
❷ 손목을 고정하고 팔꿈치는 어깨높이를 유지한다. 덤벨이 흔들리지 않게 균형을 잘 잡는다.

❶ 덤벨을 머리 위로 들어 올리며 근육을 최대한 수축시키고 호흡을 내쉰다. 올리는 동작 시 상체가 뒤로 기울지 않도록 신경 쓴다.
❷ 처음 동작으로 천천히 돌아오면서 팔꿈치의 각도는 90°를 유지하고 근육을 이완시키며 호흡은 들이마신다.

NG 팔꿈치가 내려가지 않고 어깨높이를 유지할 수 있도록 한다.

시험장 TIP

- 감독관이 동작을 정확히 볼 수 있도록 정면으로 자세를 잡고 천천히 동작을 수행한다.
- 동작을 수행하면서 감독관이 들을 수 있도록 호흡을 크게 들이마시고 내뱉는 소리를 낸다.
- 감독관이 '그만'이라고 말하기 전까지 동작을 반복한다.

★★★

10 덤벨 레터럴 레이즈 Dumbbell Lateral Raise

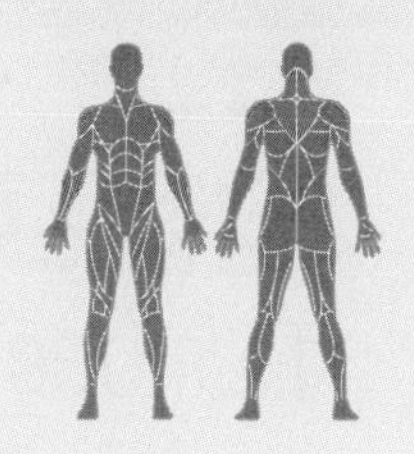

운동 부위

- 주동근 – 측면 삼각근
- 협응근 – 승모근, 전완근

자세 개요

양손에 덤벨을 들고 대퇴부 측면에 위치시킨 후 머리와 허리를 곧게 편 자세를 유지하며 덤벨을 양옆으로 들어 올리는 동작이다. 이 동작은 어깨 부위의 측면 삼각근을 강화하는 운동이다.

세부 평가기준

① 옆으로 올릴 때 상체를 곧게 펴고 시선은 정면을 유지했는가?
② 덤벨을 잡은 손이 팔꿈치보다 아래 있는가?
③ 몸통을 곧게 폈는가?
④ 올리는 단계에서 숨을 내쉬었는가?
⑤ 내리는 동작 시 몸통이 견고하게 지지하고 있는가?

1

❶ 스탠다드 스탠스로 서서 양손에 덤벨을 잡고 덤벨은 대퇴부 옆에 위치시킨다.
❷ 머리와 허리를 곧게 유지하고 무릎은 약간 구부린다.

❶ 반동을 이용하지 않고 어깨의 힘으로만 덤벨을 천천히 양옆으로 들어 올리며 근육을 최대한 수축시킨다. 올리는 동작에서 호흡은 내쉰다.
❷ 처음 동작으로 천천히 돌아오면서 근육을 이완시키고 호흡은 들이마신다.

NG 덤벨을 잡은 손이 팔꿈치보다 높게 올라가지 않도록 한다.

시험장 TIP

- 감독관이 동작을 정확히 볼 수 있도록 정면으로 자세를 잡고 천천히 동작을 수행한다.
- 동작을 수행하면서 감독관이 들을 수 있도록 호흡을 크게 들이마시고 내뱉는 소리를 낸다.
- 감독관이 '그만'이라고 말하기 전까지 동작을 반복한다.

★★★

11 덤벨 프론트 레이즈 Dumbbell Front Raise

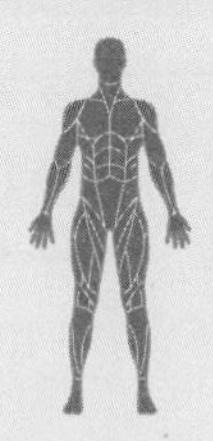

운동 부위

- 주동근 – 전면 삼각근
- 협응근 – 전완근

▶ 자세 영상

자세 개요

덤벨을 들고 대퇴부 전면에 위치시킨 후, 머리와 허리를 곧게 편 자세를 유지하며 덤벨을 앞으로 들어 올리는 동작이다. 이 동작은 어깨 부위의 전면 삼각근을 강화하는 운동이다.

세부 평가기준

① 위로 올릴 때 상체를 곧게 펴고 시선은 정면을 유지했는가?
② 어깨보다 약간 높은 위치까지 팔을 들어 올렸는가?
③ 몸통을 곧게 폈는가?
④ 올리는 단계에서 숨을 내쉬었는가?
⑤ 내리는 동작 시 몸통이 견고하게 지지하고 있는가?

1

❶ 스탠다드 스탠스로 서서 상체를 곧게 펴고 정면을 바라본다.
❷ 양손으로 덤벨을 잡고 대퇴부의 앞에 위치시킨다.

2

❶ 양팔을 어깨보다 약간 높은 위치까지 들어 올리고, 올리는 단계에서 근육을 최대한 수축시키며 호흡은 내쉰다.
❷ 처음 동작으로 천천히 돌아오면서 근육을 이완시키고 호흡은 들이마신다.

NG 몸통이 앞뒤로 흔들리지 않도록 견고하게 지지한다.

시험장 TIP

- 감독관이 동작을 정확히 볼 수 있도록 정면으로 자세를 잡고 천천히 동작을 수행한다.
- 동작을 수행하면서 감독관이 들을 수 있도록 호흡을 크게 들이마시고 내뱉는 소리를 낸다.
- 감독관이 '그만'이라고 말하기 전까지 동작을 반복한다.

★★★

12 벤트 오버 레터럴 레이즈
Bent Over Lateral Raies

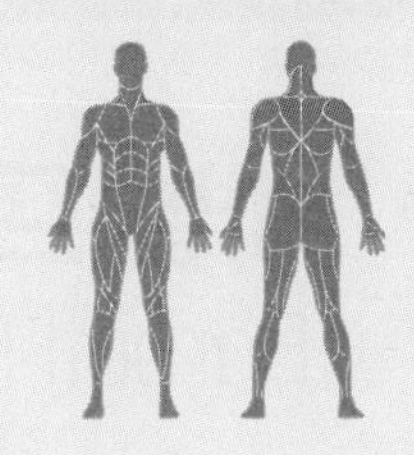

운동 부위

- 주동근 – 후면 삼각근
- 협응근 – 승모근

자세 개요

머리와 허리를 곧게 유지하며 상체가 지면과 수평이 되도록 앞으로 구부린 후 덤벨을 양옆으로 들어 올리는 동작이다. 이 동작은 어깨 부위의 후면 삼각근을 강화하는 운동이다.

세부 평가기준

① 상체를 구부린 자세에서 팔꿈치와 상완이 덤벨보다 높은 상태를 유지하고 있는가?
② 어깨보다 약간 높은 위치까지 팔을 들어 올렸는가?
③ 몸통을 곧게 펴고 무릎은 약간 구부린 자세를 유지했는가?
④ 모든 동작의 단계에서 몸의 반동을 이용하지 않았는가?

1

❶ 스탠다드 스탠스로 서서 머리와 허리를 곧게 편다.
❷ 상체가 지면과 수평이 되도록 앞으로 구부린다. 몸통을 곧게 펴고 무릎을 적절하게 구부려 상체를 지면과 수평으로 만든다.

2

❶ 양옆으로 덤벨을 들어 올리며 근육을 최대한 수축시킨다. 어깨보다 약간 높은 위치까지 팔을 들어 올리는데, 이때 올리는 동작에서 호흡은 내쉰다.
❷ 처음 동작으로 천천히 돌아오면서 근육은 이완시키고 호흡은 들이마신다.

시험장 TIP

- 감독관이 동작을 정확히 볼 수 있도록 정면으로 자세를 잡고 천천히 동작을 수행한다.
- 동작을 수행하면서 감독관이 들을 수 있도록 호흡을 크게 들이마시고 내뱉는 소리를 낸다.
- 감독관이 '그만'이라고 말하기 전까지 동작을 반복한다.

★★

13 바벨 프론트 레이즈 Barbell Front Raise

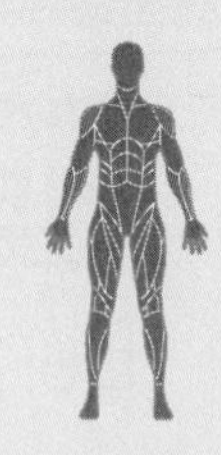

운동 부위

- 주동근 – 전면 삼각근
- 협응근 – 전완근

자세 개요

바벨을 들고 대퇴부 전면에 위치시킨 후 머리와 허리를 곧게 편 자세를 유지하며 바벨을 앞으로 들어 올리는 동작이다. 이 동작은 어깨 부위의 전면 삼각근을 강화하는 운동이다.

세부 평가기준

① 위로 올릴 때 상체를 곧게 펴고 시선은 정면을 유지했는가?
② 어깨보다 약간 높은 위치까지 팔을 들어 올렸는가?
③ 몸통을 곧게 폈는가?
④ 올리는 단계에서 숨을 내쉬었는가?
⑤ 내리는 동작 시 몸통이 견고하게 지지하고 있는가?

1

❶ 스탠다드 스탠스로 서서 양손에 바벨을 잡고 대퇴부 앞에 위치시킨다.
❷ 머리와 허리는 곧게 유지한다.

2

❶ 시선은 정면을 유지하고 바벨을 천천히 앞으로 들어 올리며 근육을 최대한 수축시킨다. 이때 바벨을 어깨보다 조금 높게 들어 올리고 호흡은 내쉰다.
❷ 처음 동작으로 천천히 돌아오면서 근육은 이완시키고 호흡은 들이마신다.

NG 팔을 과도하게 높이 들지 않는다.

시험장 TIP

- 감독관이 동작을 정확히 볼 수 있도록 정면으로 자세를 잡고 천천히 동작을 수행한다.
- 동작을 수행하면서 감독관이 들을 수 있도록 호흡을 크게 들이마시고 내뱉는 소리를 낸다.
- 감독관이 '그만'이라고 말하기 전까지 동작을 반복한다.

★
14 바벨 업라이트 로우 Barbell Upright Row

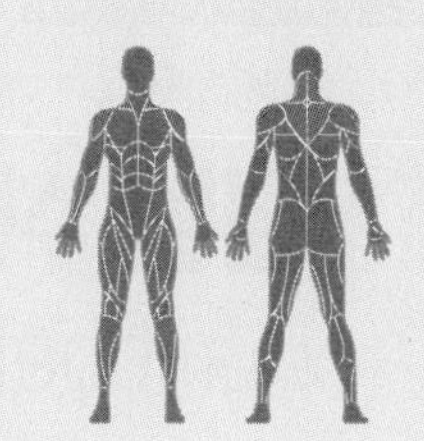

운동 부위
- 주동근 – 전 · 측면 삼각근
- 협응근 – 승모근, 전완근

▶ 자세 영상

자세 개요

양손으로 바벨을 들고 대퇴부 전면에 위치시킨 후, 머리와 허리를 곧게 편 자세를 유지하며 양쪽 팔꿈치를 바깥으로 향하게 하여 위로 당기는 동작이다. 이 동작은 어깨 부위의 전면과 측면 삼각근을 강화하는 운동이다.

세부 평가기준

① 바벨을 들어 올렸을 때 팔꿈치가 어깨와 평행이 되었는가?
② 허리를 곧게 펴고 있는가?
③ 시선은 정면을 주시하고 있는가?
④ 오버 그립으로 바벨을 잡고 있는가?

1

❶ 스탠다드 스탠스로 서서 오버핸드 그립으로 바벨을 잡고 바벨은 대퇴부 앞에 위치시킨다.
❷ 머리와 허리는 곧게 유지한다.

2

❶ 양쪽 팔꿈치를 바깥으로 향하게 하고 위로 들어 올리며 근육을 최대한 수축시킨다. 팔꿈치와 상완을 어깨높이로 유지한다. 올리는 동작에서 호흡은 내쉰다.
❷ 처음 동작으로 천천히 돌아오면서 근육은 이완시키고 호흡은 들이마신다.

NG 팔꿈치와 상완이 어깨보다 높게 올라가지 않는다.

시험장 TIP
- 감독관이 동작을 정확히 볼 수 있도록 정면으로 자세를 잡고 천천히 동작을 수행한다.
- 동작을 수행하면서 감독관이 들을 수 있도록 호흡을 크게 들이마시고 내뱉는 소리를 낸다.
- 감독관이 '그만'이라고 말하기 전까지 동작을 반복한다.

★

15 덤벨 쉬러그
Dumbbell Shrug

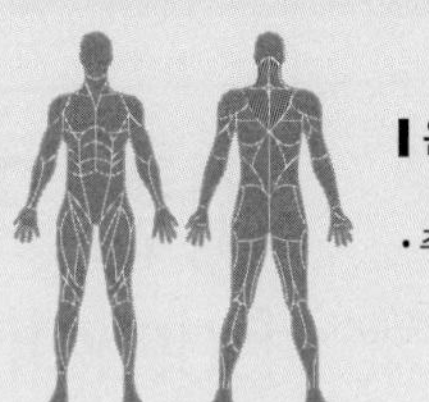

| 운동 부위
- 주동근 – 승모근

▶ 자세 영상

| 자세 개요

양손에 덤벨을 잡고 대퇴부 옆에 위치시키고 머리와 허리를 곧게 편 자세를 유지하며 어깨를 위로 들어 올리는 동작이다. 이 동작은 승모근을 강화하는 운동이다.

| 세부 평가기준

① 어깨너비로 서서 양손에 덤벨을 들고 있는가?
② 등을 곧게 펴고 있는가?
③ 천천히 어깨를 끌어올리고 내리는가?

1

❶ 스탠다드 스탠스로 서서 머리와 허리를 곧게 유지한다.
❷ 덤벨을 잡고 덤벨을 대퇴부 옆에 위치시킨다.

2

❶ 어깨를 천천히 들어 올리며 근육을 최대한 수축시킨다. 올리는 동작 시 반동을 이용하지 않고 호흡은 내쉰다.
❷ 처음 동작으로 천천히 돌아오면서 근육을 이완시키고 호흡은 들이마신다.

 어깨를 들어 올릴 때 상완은 고정시킨다.

시험장 TIP

- 감독관이 동작을 정확히 볼 수 있도록 정면으로 자세를 잡고 천천히 동작을 수행한다.
- 동작을 수행하면서 감독관이 들을 수 있도록 호흡을 크게 들이마시고 내뱉는 소리를 낸다.
- 감독관이 '그만'이라고 말하기 전까지 동작을 반복한다.

★

16 바벨 쉬러그 Barbell Shrug

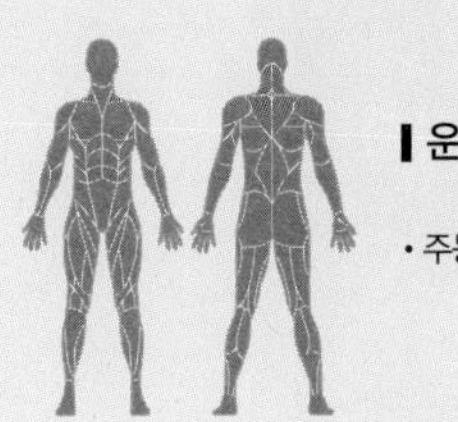

운동 부위

- 주동근 – 승모근

▶ 자세 영상

자세 개요

바벨을 잡고 대퇴부 앞에 위치시킨 후 머리와 허리를 곧게 편 자세를 유지하며 어깨를 위로 들어 올리는 동작이다. 이 동작은 승모근을 강화하는 운동이다.

세부 평가기준

① 어깨너비로 서서 바벨을 어깨너비의 스탠다드 그립으로 잡았는가?
② 등을 곧게 펴고 있는가?
③ 천천히 어깨를 끌어올리고 내리는가?

1

❶ 스탠다드 스탠스로 서서 머리와 허리를 곧게 유지한다.
❷ 스탠다드 그립과 오버핸드 그립으로 바벨을 잡고 바벨을 대퇴부 앞에 위치시킨다.

2

❶ 어깨를 천천히 들어 올리며 근육을 최대한 수축시킨다. 올리는 동작 시 반동을 이용하지 않고 호흡은 내쉰다.
❷ 처음 동작으로 천천히 돌아오면서 근육을 이완시키고 호흡은 들이마신다.

NG 어깨를 들어 올릴 때 상완은 고정시킨다.

시험장 TIP

- 감독관이 동작을 정확히 볼 수 있도록 정면으로 자세를 잡고 천천히 동작을 수행한다.
- 동작을 수행하면서 감독관이 들을 수 있도록 호흡을 크게 들이마시고 내뱉는 소리를 낸다.
- 감독관이 '그만'이라고 말하기 전까지 동작을 반복한다.

쉬워 보이는 일도 해보면 어렵다.
못할 것 같은 일도 시작해 놓으면 이루어진다.

– 채근담(菜根譚)

CHAPTER 3

하체, 복근, 전신

★★★

01 백 스쿼트 Back Squat

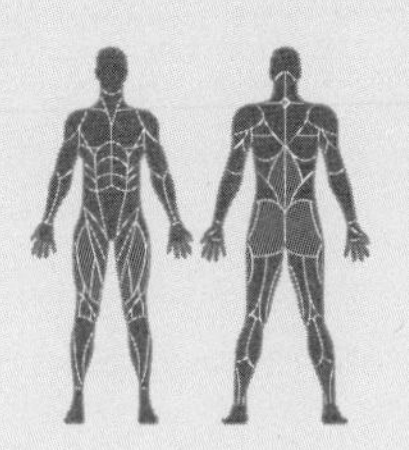

운동 부위

- 주동근 – 대퇴 사두근
- 협응근 – 척추 기립근, 대둔근

▶ 자세 영상

자세 개요

바벨을 승모근 위에 위치시키고 머리와 허리를 곧게 유지하고 앉았다 일어서는 동작이다. 이 동작은 허벅지 부위의 대퇴 사두근을 강화하는 운동이다.

세부 평가기준

① 몸통과 바닥이 이루는 각도를 일정하게 유지하면서 서서히 앉았는가?
② 무게 중심을 양발과 중앙 부분에 놓이게 했는가?
③ 대퇴가 바닥과 수평이 될 때까지 앉았는가?
④ 바벨이 승모근에 위치하고 있는가?

1

2

❶ 스탠다드 스탠스로 서서 머리와 허리를 곧게 유지한다. 바벨을 승모근 위치에 두고 시선은 정면을 주시한다.
❷ 엉덩이를 천천히 뒤로 움직이며 대퇴가 지면과 수평이 되도록 앉는다. 이때 호흡은 들이마신다.

❶ 상체를 곧게 유지하며 천천히 일어난다. 이때 근육을 최대한 수축시키고 호흡은 내쉰다.
❷ 처음 동작으로 천천히 돌아오면서 호흡은 들이마시고 근육은 이완시킨다.

NG 앉는 동작 시 상체를 앞으로 구부리지 않는다.

시험장 TIP

- 감독관이 동작을 정확히 볼 수 있도록 측면으로 자세를 잡고 천천히 동작을 수행한다.
- 동작을 수행하면서 감독관이 들을 수 있도록 호흡을 크게 들이마시고 내뱉는 소리를 낸다.
- 감독관이 '그만'이라고 말하기 전까지 동작을 반복한다.

★★★

02 프론트 스쿼트 Front Squat

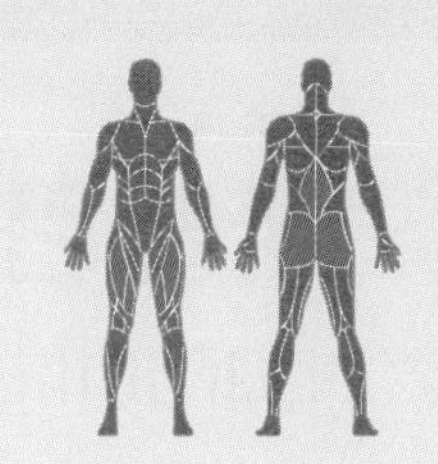

운동 부위

- 주동근 – 대퇴 사두근
- 협응근 – 척추 기립근, 대둔근

▶ 지세 영상

자세 개요

바벨을 가슴 상부에 위치시키고 머리와 허리를 곧게 유지하고 앉았다 일어서는 동작이다. 이 동작은 허벅지 부위의 대퇴 사두근을 강화하는 운동이다.

세부 평가기준

① 바벨은 쇄골과 어깨로 지탱하고 있는가?
② 가슴과 팔꿈치를 들고 허리는 꼿꼿이 세우고 있는가?
③ 무릎이 발끝을 넘지 않고 있는가?
④ 시선은 정면을 주시하고 있는가?

1

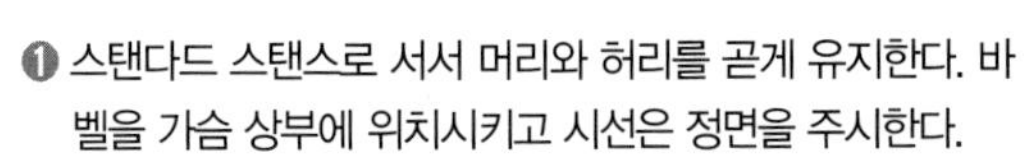

❶ 스탠다드 스탠스로 서서 머리와 허리를 곧게 유지한다. 바벨을 가슴 상부에 위치시키고 시선은 정면을 주시한다.
❷ 엉덩이를 천천히 뒤로 움직이며 대퇴가 지면과 수평이 되도록 앉는다. 이때 호흡은 들이마시고 무릎은 발끝을 넘어가지 않도록 한다.

2

❶ 상체를 곧게 유지하며 천천히 일어난다. 이때 근육을 최대한 수축시키고 호흡은 내쉰다.
❷ 처음 동작으로 천천히 돌아오면서 호흡은 들이마시고 근육은 이완시킨다.

NG 앉는 동작 시 상체를 앞으로 구부리지 않는다.

시험장 TIP

- 감독관이 동작을 정확히 볼 수 있도록 측면으로 자세를 잡고 천천히 동작을 수행한다.
- 동작을 수행하면서 감독관이 들을 수 있도록 호흡을 크게 들이마시고 내뱉는 소리를 낸다.
- 감독관이 '그만'이라고 말하기 전까지 동작을 반복한다.

★★★

03 바벨 런지
Barbell Lunge

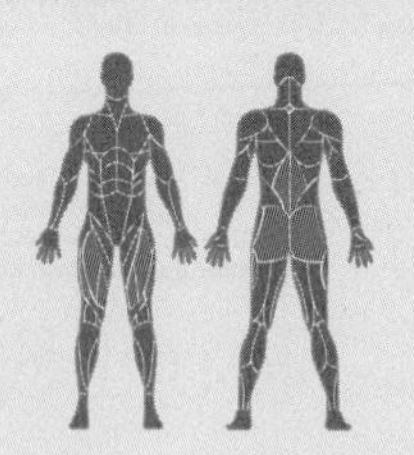

운동 부위

- 주동근 – 대퇴 사두근
- 협응근 – 대둔근, 척추 기립근

자세 개요

머리와 허리를 곧게 펴고 바벨을 들어 승모근에 위치시킨 후 한 발을 앞으로 내디디며 무릎을 구부리는 동작이다. 이 동작은 허벅지 부위의 대퇴 사두근을 강화하는 운동이다.

세부 평가기준

① 앞으로 내딛는 다리의 발바닥이 바닥에 닿도록 했는가?
② 허리와 등을 곧게 편 상태로 유지하고 몸의 균형을 잡았는가?
③ 무릎이 발끝보다 나오지 않게 하였는가?
④ 올라오는 단계에서 숨을 내쉬었는가?
⑤ 동작 중 앞발과 무릎이 일직선을 유지하는가?
⑥ 바벨이 승모근에 위치하고 있는가?

1

❶ 머리와 허리를 곧게 펴고 바벨을 승모근에 위치시킨다.
❷ 몸 전체의 균형을 유지하면서 한 발을 앞으로 내딛는다. 허리와 등을 곧게 편 상태를 유지하며 가볍게 무릎을 구부려 앉는다. 이때 호흡은 들이마신다.

2

❶ 상체를 곧게 유지하며 천천히 일어난다. 이때 근육을 수축시키고 호흡은 내쉰다.
❷ 처음 동작으로 돌아오면서 근육을 이완시키고 호흡은 들이마신다.

NG 무릎이 발끝보다 나오지 않도록 주의한다.

시험장 TIP

- 감독관이 동작을 정확히 볼 수 있도록 측면으로 자세를 잡고 천천히 동작을 수행한다.
- 동작을 수행하면서 감독관이 들을 수 있도록 호흡을 크게 들이마시고 내뱉는 소리를 낸다.
- 감독관이 '그만'이라고 말하기 전까지 동작을 반복한다.

★★★

04 덤벨 런지
Barbell Lunge

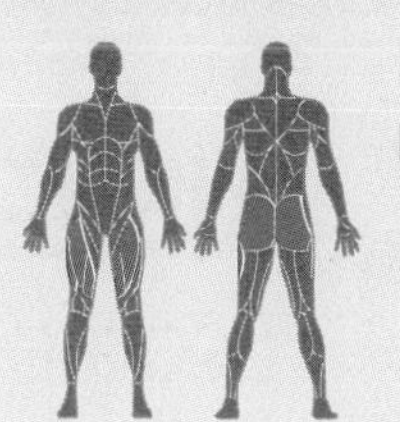

운동 부위

- 주동근 – 대퇴 사두근
- 협응근 – 대둔근

▶ 자세 영상

자세 개요

머리와 허리를 곧게 펴고 양손으로 덤벨을 잡은 후 양손이 흔들리지 않게 상완을 고정시키며 한 발을 앞으로 내딛고 무릎을 구부리는 동작이다. 이 동작은 허벅지 부위의 대퇴 사두근을 강화하는 운동이다.

세부 평가기준

① 앞으로 내딛는 다리의 발바닥이 바닥에 닿도록 했는가?
② 허리와 등을 곧게 편 상태로 유지하고 몸의 균형을 잡았는가?
③ 무릎이 발끝보다 나오지 않게 하였는가?
④ 올라오는 단계에서 숨을 내쉬었는가?
⑤ 동작 중 앞발과 무릎이 일직선을 유지하는가?
⑥ 덤벨을 양손에 들고 덤벨이 흔들리지 않게 유지하는가?

1

❶ 머리와 허리를 곧게 펴고 덤벨을 대퇴부 옆에 위치시킨다.
❷ 몸 전체의 균형을 유지하면서 한 발을 앞으로 내딛는다. 허리와 등을 곧게 편 상태를 유지하며 가볍게 무릎을 구부려 앉는다. 이때 호흡은 들이마신다.

2

❶ 상체를 곧게 유지하며 천천히 일어난다. 이때 근육을 수축시키고 호흡은 내쉰다.
❷ 처음 동작으로 돌아오면서 근육을 이완시키고 호흡은 들이마신다.

NG 무릎이 발끝보다 나오지 않도록 주의한다.

시험장 TIP

- 감독관이 동작을 정확히 볼 수 있도록 측면으로 자세를 잡고 천천히 동작을 수행한다.
- 동작을 수행하면서 감독관이 들을 수 있도록 호흡을 크게 들이마시고 내뱉는 소리를 낸다.
- 감독관이 '그만'이라고 말하기 전까지 동작을 반복한다.

★

05 시티드 카프 레이즈 Seated Calf Raise

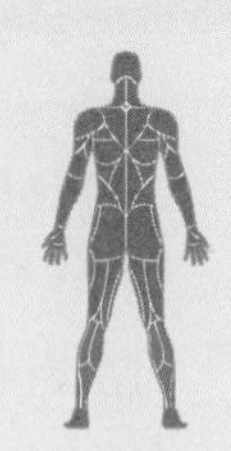

운동 부위

- 주동근 – 비복근
- 협응근 – 가자미근

▶ 자세 영상

자세 개요

벤치에 앉아 덤벨을 허벅지 위에 올리고 발뒤꿈치를 들어올리는 동작이다. 이 동작은 종아리 부위의 비복근을 강화하는 운동이다.

세부 평가기준

① 앉은 상태로 발뒤꿈치를 최대한 들어 올리고 있는가?
② 발뒤꿈치가 지면에 닿기 전에 다시 올리는가?

1

❶ 머리와 허리를 곧게 유지하고 벤치에 앉는다.
❷ 덤벨을 대퇴부 위에 올려놓는다.

2

❶ 발뒤꿈치를 들어 올리며 호흡은 내쉬고 근육은 최대한 수축시킨다. 덤벨이 흔들리지 않도록 균형을 잘 잡는다.
❷ 처음 동작으로 천천히 돌아오면서 호흡은 들이마시고 근육을 이완시킨다.

시험장 TIP

- 감독관이 동작을 정확히 볼 수 있도록 측면으로 자세를 잡고 천천히 동작을 수행한다.
- 동작을 수행하면서 감독관이 들을 수 있도록 호흡을 크게 들이마시고 내뱉는 소리를 낸다.
- 감독관이 '그만'이라고 말하기 전까지 동작을 반복한다.

★★

06 힙 브릿지 Hip Bridge

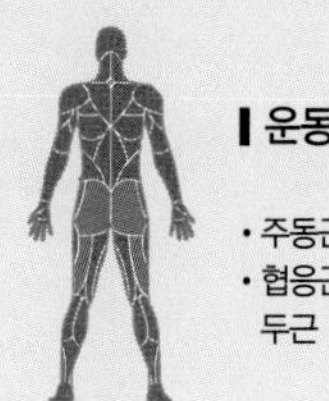

운동 부위

- 주동근 – 대둔근
- 협응근 – 대퇴 이두근

자세 개요

매트에 누워 양발을 엉덩이 방향으로 구부리고 무릎을 세운 상태로 골반을 위로 들어 올리는 동작이다. 이 동작은 엉덩이 부위의 대둔근을 강화하는 운동이다.

세부 평가기준

① 천장을 바라보고 누워 양팔은 펴서 손바닥을 대고 무릎은 세웠는가?
② 숨을 내쉬면서 엉덩이를 위로 올렸는가?
③ 동작 시 허리를 곧게 펴고 엉덩이에 긴장을 주고 있는가?

1

❶ 천장을 바라보며 매트에 눕고 머리와 허리를 곧게 유지한다.
❷ 양발을 엉덩이 방향으로 구부리고 무릎은 세우고 양손은 엉덩이 옆에 위치시킨다.

2

❶ 엉덩이를 천천히 들어 올리며 호흡은 내쉬고 근육은 최대한 수축시킨다. 허리를 곧게 펴고 엉덩이에 긴장을 유지한다.
❷ 처음 동작으로 돌아오면서 근육을 이완시키고 호흡을 들이마신다.

시험장 TIP

- 감독관이 동작을 정확히 볼 수 있도록 측면으로 자세를 잡고 천천히 동작을 수행한다.
- 동작을 수행하면서 감독관이 들을 수 있도록 호흡을 크게 들이마시고 내뱉는 소리를 낸다.
- 감독관이 '그만'이라고 말하기 전까지 동작을 반복한다.

★★

07 덩키 킥 Dunky Kick

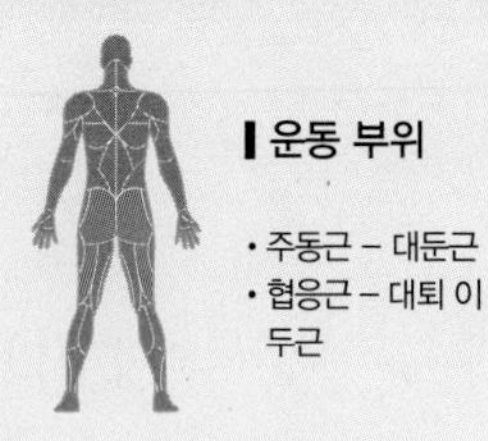

운동 부위

- 주동근 – 대둔근
- 협응근 – 대퇴 이두근

자세 개요

매트에 엎드린 자세로 한쪽 다리의 허벅지가 수평이 되도록 다리를 들어 올리는 동작이다. 이 동작은 엉덩이 부위의 대둔근을 강화하는 운동이다.

세부 평가기준

① 엎드린 자세로 한쪽 다리의 허벅지가 수평이 되도록 들어 올리는가?
② 골반이 바닥과 수평이 되도록 유지하였는가?
③ 골반이 틀어지지 않도록 중심을 잡고 있는가?

1

❶ 매트에서 엎드린 자세를 유지하고 머리와 허리를 곧게 편다.
❷ 몸통과 팔, 다리가 90°를 유지하며 상체와 지면이 수평을 이루게 한다.

2

❶ 한쪽 발을 뒤로 뻗으며 호흡은 내쉬고 근육을 최대한 수축시킨다. 골반과 허벅지가 지면과 수평이 되도록 유지한다.
❷ 처음 동작으로 천천히 돌아오면서 근육을 이완시키고 호흡은 들이마신다.

NG 골반을 과도하게 틀지 않는다.

시험장 TIP

- 감독관이 동작을 정확히 볼 수 있도록 측면으로 자세를 잡고 천천히 동작을 수행한다.
- 동작을 수행하면서 감독관이 들을 수 있도록 호흡을 크게 들이마시고 내뱉는 소리를 낸다.
- 감독관이 '그만'이라고 말하기 전까지 동작을 반복한다.

★★★

08 바벨 힙 트러스트 Barbell Hip Thrust

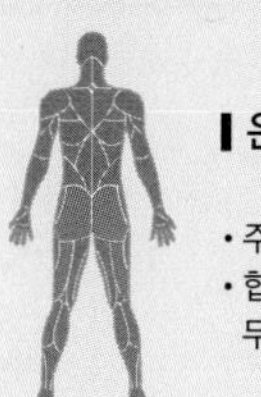

운동 부위

- 주동근 – 대둔근
- 협응근 – 대퇴 이두근

▶ 자세 영상

자세 개요

벤치에 등을 댄 상태에서 무릎을 세워 눕고 하복부 위에 바벨이나 원판을 올린 후 엉덩이를 위로 들어 올리는 동작이다. 이 동작은 둔부 부위의 대둔근을 강화하는 운동이다.

세부 평가기준

① 벤치에 등을 대고 무릎을 세워 누웠는가?
② 바벨이나 원판을 하복부 위에 올렸는가?
③ 바닥과 수평이 될 때까지 몸통을 올렸는가?
④ 몸통을 올리면서 호흡을 내쉬었는가?

1

❶ 상체를 곧게 펴고 벤치에 등을 댄 후 무릎을 세워서 기댄다.
❷ 바벨을 하복부 위에 올린 후 고정시킨다.

2

❶ 엉덩이를 위로 들어 올리며 몸통이 지면과 수평이 되도록 하고 근육을 최대한 수축시키며 호흡은 내쉰다.
❷ 처음 동작으로 돌아오면서 근육을 최대한 이완시키고 호흡은 들이마신다.

시험장 TIP

- 감독관이 동작을 정확히 볼 수 있도록 측면으로 자세를 잡고 천천히 동작을 수행한다.
- 동작을 수행하면서 감독관이 들을 수 있도록 호흡을 크게 들이마시고 내뱉는 소리를 낸다.
- 감독관이 '그만'이라고 말하기 전까지 동작을 반복한다.

★★★

09 힙 트러스트
Hip Thrust

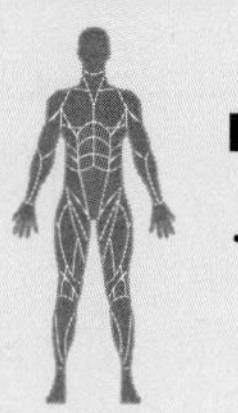

운동 부위

• 주동근 – 복직근

▶ 자세 영상

자세 개요

매트에 누워 양손을 몸통 옆에 밀착시키고 두 다리를 펴고 수직으로 올린 상태에서 두 다리를 위로 들어 올리는 동작이다. 이 동작은 복부 부위의 복직근을 강화하는 운동이다.

세부 평가기준

① 바닥에 등을 대고 누워서 두 팔을 몸통 옆 바닥에 밀착시켰는가?
② 두 다리를 펴고 수직으로 올렸는가?
③ 무릎을 편 상태로 천정을 향해 힙과 발바닥을 똑바로 들어 올렸는가?
④ 하복부를 위로 올리면서 호흡을 내쉬었는가?

1

❶ 매트에 누운 상태에서 머리와 허리를 곧게 유지하고 상체를 지면과 밀착시킨다.
❷ 양손을 몸통 옆 바닥에 잘 고정시키고 양다리를 곧게 펴서 90°로 들어 올린다.

2

❶ 곧게 펴진 양다리를 천정을 향해 들어 올리며 근육을 최대한 수축시키고 호흡은 내쉰다.
❷ 처음 동작으로 돌아오면서 근육을 최대한 이완시키고 호흡은 들이마신다.

시험장 TIP

• 감독관이 동작을 정확히 볼 수 있도록 측면으로 자세를 잡고 천천히 동작을 수행한다.
• 동작을 수행하면서 감독관이 들을 수 있도록 호흡을 크게 들이마시고 내뱉는 소리를 낸다.
• 감독관이 '그만'이라고 말하기 전까지 동작을 반복한다.

★★★

10 루마니아 데드리프트 Romanian Deadlift

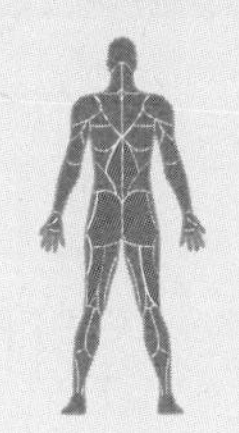

운동 부위

• 주동근 – 대퇴 이두근, 대둔근, 척추 기립근

자세 개요

머리와 허리를 곧게 유지하고 서서 상체가 지면과 수평이 되도록 앞으로 숙이고 바벨이 대퇴부를 스치듯 움직이는 운동이다. 이 동작은 척추 기립근 등을 강화하는 운동이다.

세부 평가기준

① 바를 어깨너비 혹은 약간 넓게 잡고 있는가?
② 운동하는 동안 등이 굽지 않도록 곧게 편 자세를 유지하는가?
③ 올리는 동작 시 바벨이 대퇴부에 가까이 위치하여 올려지는가?
④ 내리는 동작에 시선은 정면을 향하고 있는가?
⑤ 내리는 동작에서 무릎이 고정되어 있는가?

1

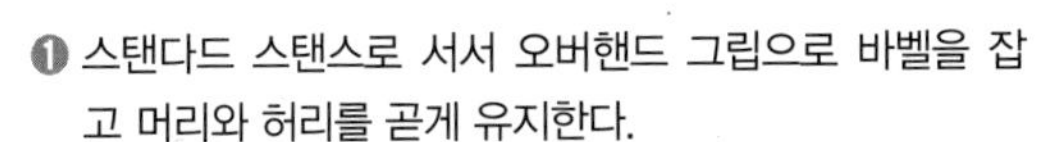

❶ 스탠다드 스탠스로 서서 오버핸드 그립으로 바벨을 잡고 머리와 허리를 곧게 유지한다.
❷ 엉덩이를 천천히 뒤로 밀며 대퇴부를 스치듯 바벨을 무릎 아래까지 내리고 시선은 정면을 주시한다. 이때 호흡은 들이마신다.

2

❶ 허리와 등을 곧게 유지하고 바벨을 대퇴부에 가깝게 천천히 들어 올린다. 이때 호흡은 내쉰다.
❷ 처음 동작으로 돌아오면서 호흡을 들이마시고 근육을 이완시킨다.

NG 내리는 동작 시 등을 구부리지 않는다.

시험장 TIP

• 감독관이 동작을 정확히 볼 수 있도록 측면으로 자세를 잡고 천천히 동작을 수행한다.
• 동작을 수행하면서 감독관이 들을 수 있도록 호흡을 크게 들이마시고 내뱉는 소리를 낸다.
• 감독관이 '그만'이라고 말하기 전까지 동작을 반복한다.

★★★

11 스티프 레그 데드리프트 Stiff Leg Deadlift

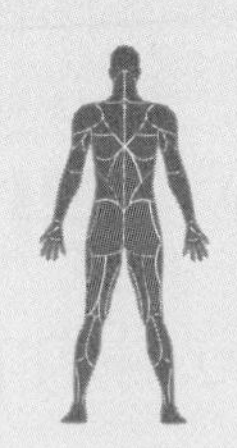

운동 부위

- 주동근 – 대퇴 이두근
- 협응근 – 대둔근, 척추 기립근

▶ 자세 영상

자세 개요

머리와 허리를 곧게 유지하며 바벨을 잡은 후 상체를 지면과 수평이 되도록 앞으로 구부리는 동작이다. 이 동작은 허벅지 부위의 대퇴 이두근을 강화하는 운동이다.

세부 평가기준

① 척추 기립근은 펴져 있는가?
② 고개는 들고 정면을 주시하며 동작을 실시하고 있는가?
③ 올리는 동작 시 바벨이 대퇴부에 가까이 위치하여 올려지는가?
④ 동작 수행 간 무릎의 관절은 구부러지지 않는가?

1

❶ 내로우 스탠스로 서서 스탠다드 그립과 오버핸드 그립으로 바벨을 잡는다.
❷ 엉덩이를 천천히 뒤로 밀며 바벨을 몸에 최대한 밀착시키고 내린다. 허리와 등은 곧게 펴고 무릎 관절은 구부러지지 않도록 한다. 이때 호흡은 크게 들이마신다.

2

❶ 허리와 등을 곧게 펴고 바벨을 대퇴부 가까이에 위치시키며 천천히 들어올린다. 이때 호흡은 내쉰다.
❷ 처음 동작으로 돌아오면서 호흡을 들이마시고 근육을 이완시킨다.

NG 바벨을 내리는 동작 시 등이 구부러지지 않도록 한다.

시험장 TIP

- 감독관이 동작을 정확히 볼 수 있도록 측면으로 자세를 잡고 천천히 동작을 수행한다.
- 동작을 수행하면서 감독관이 들을 수 있도록 호흡을 크게 들이마시고 내뱉는 소리를 낸다.
- 감독관이 '그만'이라고 말하기 전까지 동작을 반복한다.

★★★

12 컨벤셔널 데드리프트 Conventional Deadlift

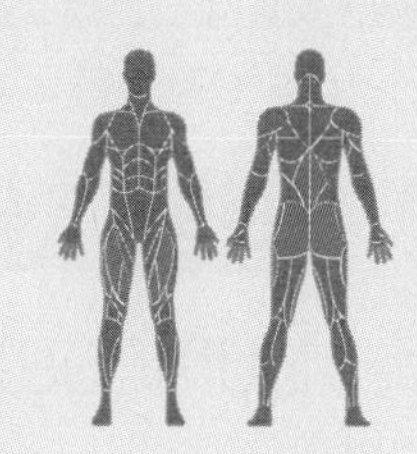

I 운동 부위

- 주동근 – 대퇴 사두근, 대둔근, 척추 기립근

▶ 자세 영상

I 자세 개요

머리와 허리를 곧게 유지하며 무릎을 구부리고 고관절을 낮춰 지면에 있는 바벨을 대퇴부에 스치듯 올리는 운동이다. 이 동작은 대퇴 사두근 등을 강화시키는 운동이다.

I 세부 평가기준

① 바를 어깨너비 혹은 약간 넓게 잡고 있는가?
② 바벨을 바닥에 완전히 내렸다가 올렸는가?
③ 운동하는 동안 등이 굽지 않도록 곧게 편 자세를 유지하는가?
④ 올리는 동작 시 바벨이 대퇴부에 가까이 위치하여 올려지는가?

1

❶ 무릎을 구부리고 고관절을 낮추어 스탠다드 스탠스로 서서 어깨너비 혹은 약간 넓게 오버핸드 그립으로 지면에 있는 바벨을 잡는다.
❷ 머리와 허리를 곧게 유지하고 바벨을 몸에 밀착시킨다. 시선은 전방을 주시하고 팔꿈치와 손목을 고정시킨다.

2

❶ 바벨을 대퇴부에 스치듯 천천히 들어 올리면서 호흡은 내쉬고 근육을 최대한 수축시킨다. 들어 올린 후 상체가 과신전 되지 않도록 한다.
❷ 바벨을 내리면서 호흡을 들이마시고 근육의 긴장을 유지한다.

NG 들어 올리기 전 상체의 굴곡을 만들지 않는다.

시험장 TIP

- 감독관이 동작을 정확히 볼 수 있도록 측면으로 자세를 잡고 천천히 동작을 수행한다.
- 동작을 수행하면서 감독관이 들을 수 있도록 호흡을 크게 들이마시고 내뱉는 소리를 낸다.
- 감독관이 '그만'이라고 말하기 전까지 동작을 반복한다.

★

13 덤벨 사이드 밴드 Dumbbell Side Band

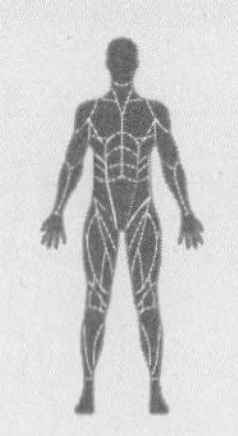

운동 부위

• 주동근 – 내 · 외 복사근

자세 개요

한 손은 덤벨을 잡고 대퇴부 옆에 위치시키며 중량이 있는 방향으로 상체를 기울이는 동작이다. 이 동작은 복부 부위의 내 · 외복사근을 강화하는 운동이다.

세부 평가기준

① 덤벨을 옆구리에 밀착시키는가?
② 엉덩이가 앞뒤로 흔들리지 않게 통제하는가?
③ 덤벨이 몸에서 멀어지지 않도록 운동하고 있는가?
④ 엉덩이가 좌우로 과도하게 움직이지 않는가?

1

❶ 스탠다드 스탠스로 서서 머리와 허리를 곧게 유지한다. 한 손에 덤벨을 잡고 대퇴부 옆에 위치시킨다. 다른 한 손은 머리 뒤쪽에 가볍게 올린다.
❷ 중량이 있는 방향으로 몸통을 천천히 기울이며 근육을 이완시키고 호흡은 들이마신다.

2

❶ 상체를 천천히 일으키며 엉덩이가 흔들리지 않도록 고정하고 덤벨이 몸에서 멀어지지 않도록 한다.
❷ 상체를 일으킬 때 호흡은 내쉬고 근육을 수축시킨다.

NG 덤벨이 몸에서 멀어지지 않도록 한다.

시험장 TIP

- 감독관이 동작을 정확히 볼 수 있도록 정면으로 자세를 잡고 천천히 동작을 수행한다.
- 동작을 수행하면서 감독관이 들을 수 있도록 호흡을 크게 들이마시고 내뱉는 소리를 낸다.
- 감독관이 '그만'이라고 말하기 전까지 동작을 반복한다.

★★★

14 크런치 Crunch

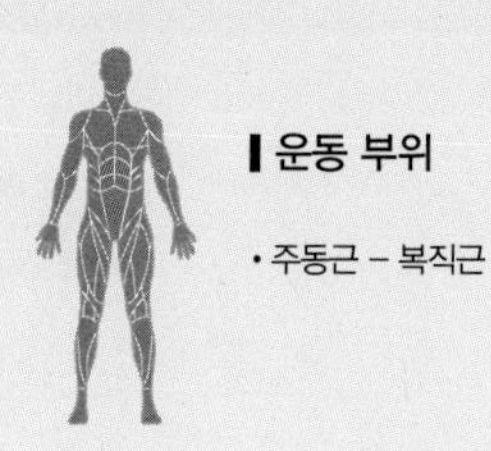

운동 부위

• 주동근 – 복직근

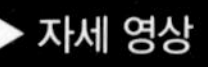

자세 개요

매트에 누워 양손을 머리 뒤에 위치시킨 후 깍지를 끼고 머리와 몸통을 곧게 유지하며 상체를 가볍게 일으켜 세우는 동작이다. 이 동작은 복부 부위의 복직근을 강화하는 운동이다.

세부 평가기준

① 목이 고정된 상태에서 상체를 숙였는가?
② 양어깨가 바닥에 닿지 않을 정도까지 내렸는가?
③ 들어 올리는 단계에서 몸통의 반동을 이용하지 않았는가?
④ 양손을 머리에서 떨어뜨리지 않고 운동을 실시하였는가?
⑤ 허리를 바닥에서 떨어뜨리지 않았는가?

1

❶ 매트에 누워 양손을 머리 뒤에 위치시킨 후 깍지를 낀다.
❷ 머리와 허리는 곧게 유지한다.

2

❶ 상체를 천천히 위로 들어 올리며 호흡을 내쉬고 최대한 근육을 수축시킨다. 양손은 머리에서 떨어뜨리지 않고 몸의 반동을 이용하지 않는다.
❷ 처음 동작으로 천천히 돌아오면서 호흡을 들이마시고 근육을 이완시킨다.

NG 목을 과도하게 구부리지 않는다.

시험장 TIP

• 감독관이 동작을 정확히 볼 수 있도록 측면으로 자세를 잡고 천천히 동작을 수행한다.
• 동작을 수행하면서 감독관이 들을 수 있도록 호흡을 크게 들이마시고 내뱉는 소리를 낸다.
• 감독관이 '그만'이라고 말하기 전까지 동작을 반복한다.

★★★

15 레그 레이즈 Leg Raise

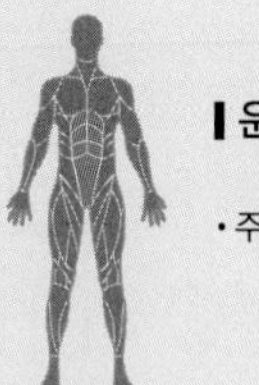

운동 부위

• 주동근 – 복직근

자세 개요

매트에 누워 양손을 허벅지 옆에 위치시키고 양발을 곧게 펴서 다리가 90°가 될 때까지 올리는 동작이다. 이 동작은 복부 부위의 복직근을 강화하는 운동이다.

세부 평가기준

① 숨을 내쉬며 양발이 바닥과 90°를 이룰 때까지 올렸는가?
② 양어깨와 등 상부를 바닥과 밀착시켰는가?
③ 발끝이 바닥에 닿지 않을 정도까지 천천히 내렸는가?
④ 올리는 단계에 숨을 내쉬었는가?

1

❶ 매트에 누워 양손을 허벅지 옆에 위치시킨다. 머리와 허리를 곧게 유지하고 상체를 지면과 밀착시킨다.
❷ 양발은 곧게 펴고 가볍게 들어준다.

2

❶ 양발을 천천히 들어 올리며 호흡을 내쉬고 최대한 근육을 수축시킨다. 양발이 지면과 90°가 될 때까지 발을 들어올린다.
❷ 발끝이 지면에 닿지 않도록 천천히 내린다. 호흡을 들이마시고 근육을 이완시킨다.

시험장 TIP

• 감독관이 동작을 정확히 볼 수 있도록 측면으로 자세를 잡고 천천히 동작을 수행한다.
• 동작을 수행하면서 감독관이 들을 수 있도록 호흡을 크게 들이마시고 내뱉는 소리를 낸다.
• 감독관이 '그만'이라고 말하기 전까지 동작을 반복한다.

★

16 오블리크 크런치 Oblique Crunch

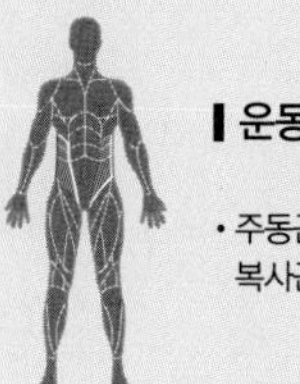

운동 부위

• 주동근 – 내 · 외 복사근

자세 개요

매트에 누워 양손을 머리 뒤에 위치시킨 후 깍지를 낀 상태로 상체는 정면을 향하고 하체는 측면을 향하게 하여 상체를 가볍게 일으켜 세우는 동작이다. 이 동작은 복부 부위의 내 · 외 복사근을 강화하는 운동이다.

세부 평가기준

① 목이 고정된 상태에서 상체를 숙였는가?
② 양어깨가 바닥에 닿지 않을 정도까지 내렸는가?
③ 들어 올리는 단계에서 몸통의 반동을 이용하지 않았는가?
④ 손을 머리에서 떨어뜨리지 않고 운동을 실시하였는가?

1

❶ 매트에 누워 양손을 머리 뒤에 위치시킨 후 깍지를 낀다.
❷ 머리와 허리를 곧게 유지한다. 상체는 정면을 주시하고 하체는 측면을 향하도록 위치시킨다.

2

❶ 상체를 천천히 위로 들어 올리며 호흡을 내쉬고 최대한 근육을 수축시킨다. 양손을 머리에서 떨어뜨리지 않고 몸의 반동을 이용하지 않는다.
❷ 처음 동작으로 천천히 돌아오면서 호흡은 들이마시고 근육을 이완시킨다.

NG 목을 과도하게 들어 올리지 않는다.

시험장 TIP

• 감독관이 동작을 정확히 볼 수 있도록 정면으로 자세를 잡고 천천히 동작을 수행한다.
• 동작을 수행하면서 감독관이 들을 수 있도록 호흡을 크게 들이마시고 내뱉는 소리를 낸다.
• 감독관이 '그만'이라고 말하기 전까지 동작을 반복한다.

★★

17 시티드 니 업
Seated Knee Up

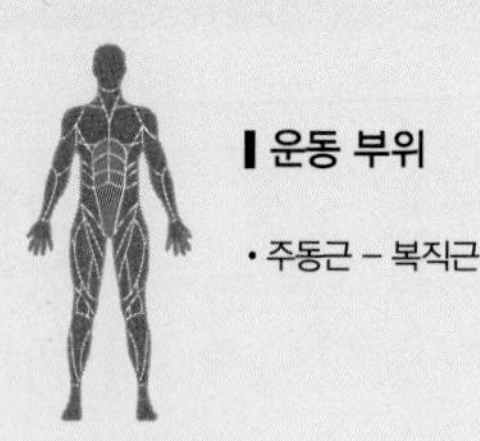

운동 부위
- 주동근 – 복직근

자세 개요

매트에 앉아 양손은 엉덩이 옆에 위치시키고 상체는 고정시킨 후, 무릎을 가볍게 구부리며 가슴 방향으로 당기는 동작이다. 이 동작은 복부 부위의 복직근을 강화하는 운동이다.

세부 평가기준

① 앉아서 상체를 고정시키고 무릎을 구부리는가?
② 발이 땅에 닿지 않게 운동하는가?
③ 발끝이 바닥에 닿지 않을 정도까지 천천히 내렸는가?
④ 올리는 단계에 숨을 내쉬었는가?

1

❶ 매트에 앉아 머리와 허리를 곧게 유지한다.
❷ 양손은 엉덩이 옆에 위치시키고 양발의 무릎을 가볍게 구부린다.

2

❶ 지면에서 양다리를 위로 천천히 들어 올린 뒤 가슴 방향으로 당기면서 호흡을 내쉬고 최대한 근육을 수축시킨다.
❷ 발끝이 지면에 닿지 않도록 천천히 내린다. 호흡을 들이마시고 근육을 이완시킨다.

시험장 TIP

- 감독관이 동작을 정확히 볼 수 있도록 측면으로 자세를 잡고 천천히 동작을 수행한다.
- 동작을 수행하면서 감독관이 들을 수 있도록 호흡을 크게 들이마시고 내뱉는 소리를 낸다.
- 감독관이 '그만'이라고 말하기 전까지 동작을 반복한다.

★★

18 리버스 크런치 Reverse Crunch

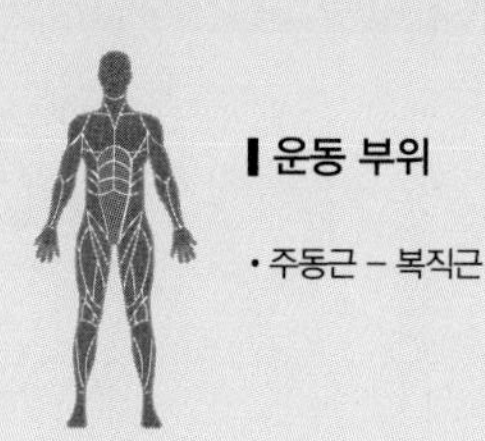

운동 부위

• 주동근 – 복직근

자세 개요

매트에 누워 양손을 허벅지 옆에 위치시키고 무릎을 90°로 구부린 상태에서 엉덩이를 들어 올리며 상체 쪽으로 말아 올리는 동작이다. 이 동작은 복부 부위의 복직근을 강화하는 운동이다.

세부 평가기준

① 숨을 내쉬며 엉덩이가 바닥에서 떨어질 때까지 올렸는가?
② 양어깨와 등 상부를 바닥과 밀착시켰는가?
③ 발끝이 바닥에 닿지 않을 정도까지 천천히 내렸는가?
④ 올리는 단계에서 숨을 내쉬었는가?
⑤ 무릎 관절을 90°로 구부리며 하는가?

1

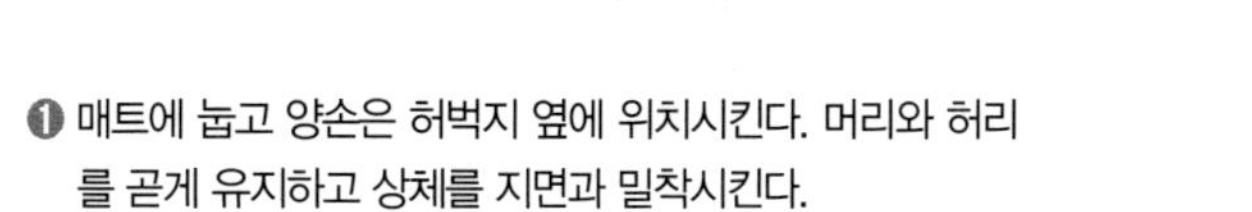

❶ 매트에 눕고 양손은 허벅지 옆에 위치시킨다. 머리와 허리를 곧게 유지하고 상체를 지면과 밀착시킨다.
❷ 양발을 들고 무릎을 90°로 구부린다.

2

❶ 엉덩이를 위로 천천히 들어 올리며 호흡을 내쉬고 최대한 근육을 수축시킨다.
❷ 발끝이 지면에 닿지 않도록 천천히 내린다. 호흡을 들이마시고 근육을 이완시킨다.

시험장 TIP

• 감독관이 동작을 정확히 볼 수 있도록 측면으로 자세를 잡고 천천히 동작을 수행한다.
• 동작을 수행하면서 감독관이 들을 수 있도록 호흡을 크게 들이마시고 내뱉는 소리를 낸다.
• 감독관이 '그만'이라고 말하기 전까지 동작을 반복한다.

★★★

19 V-싯업 V-seat Up

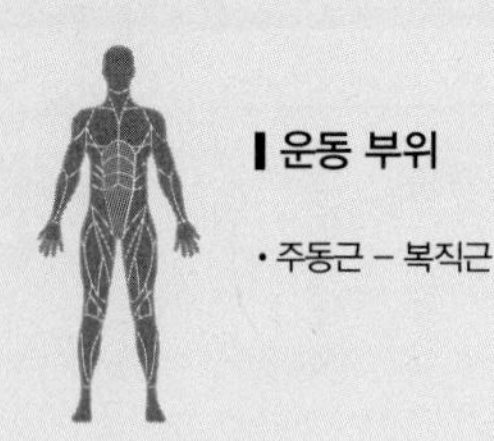

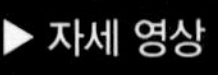

▎자세 개요

매트에 누워 머리와 허리를 곧게 펴고 양팔과 다리를 동시에 위로 들어 올리며 V자 모양을 만드는 동작이다. 이 동작은 복부 부위의 복직근을 강화하는 운동이다.

▎세부 평가기준

① 다리와 상체를 동시에 올렸는가?
② 양다리와 양팔을 천천히 내렸는가?
③ 팔과 다리가 구부러지지 않고 펴져 있는가?
④ 올리는 단계에서 숨을 내쉬었는가?

1

❶ 매트에 누운 상태에서 머리와 허리를 곧게 유지하고 상체를 지면과 밀착시킨다.
❷ 양손을 머리 위로 들어 올려 지면과 수평이 되도록 한다.

2

❶ 다리와 상체를 동시에 들어 올려 V자 모양을 만들며 근육을 최대한 수축시키고 호흡은 내쉰다.
❷ 처음 동작으로 돌아오면서 근육을 최대한 이완시키고 호흡은 들이마신다.

NG 팔과 다리가 구부러지지 않도록 한다.

시험장 TIP

- 감독관이 동작을 정확히 볼 수 있도록 측면으로 자세를 잡고 천천히 동작을 수행한다.
- 동작을 수행하면서 감독관이 들을 수 있도록 호흡을 크게 들이마시고 내뱉는 소리를 낸다.
- 감독관이 '그만'이라고 말하기 전까지 동작을 반복한다.

★★★

20 스쿼팅 바벨 컬
Squating Barbell Curl

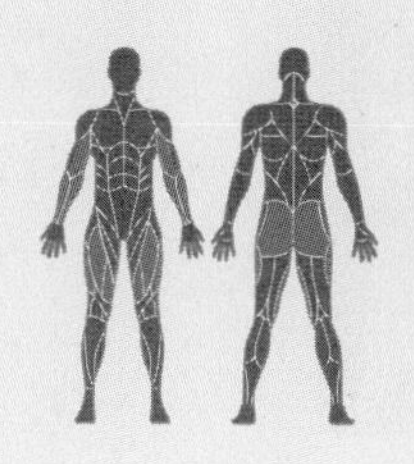

운동 부위

- 주동근 – 상완 이두근
- 협응근 – 대퇴 사두근, 대둔근, 전완근

자세 개요

스쿼트 자세에서 양 팔꿈치를 양 무릎에 위치시킨 후 바벨을 얼굴 방향으로 들어 올리는 동작이다. 이 동작은 상완 부위의 상완 이두근을 강화하는 운동이다.

세부 평가기준

① 발의 위치와 바벨을 잡은 양손 간격은 어깨너비 정도인가?
② 팔꿈치 뒷부분 위치가 양 무릎 위에 적당히 위치하는가?
③ 동작 시 앉은 스쿼트 자세와 상체 부분이 반동 없이 고정을 유지하는가?
④ 바벨을 얼굴 쪽으로 당길 시 숨을 내쉬고 천천히 원위치로 내리는가?

1

❶ 스탠다드 그립과 언더핸드 그립으로 바벨을 잡는다. 스쿼트 자세를 취하며 상체를 곧게 유지한다.
❷ 양 팔꿈치는 흔들리지 않도록 무릎 위에 잘 고정시킨다.

2

❶ 바벨을 얼굴 쪽으로 들어 올리면서 근육을 최대한 수축시키고 호흡은 내쉰다. 이때 상체에 반동이 생기지 않도록 주의해야 한다.
❷ 처음 동작으로 돌아오면서 근육을 최대한 이완시키고 호흡은 들이마신다.

시험장 TIP

- 감독관이 동작을 정확히 볼 수 있도록 측면으로 자세를 잡고 천천히 동작을 수행한다.
- 동작을 수행하면서 감독관이 들을 수 있도록 호흡을 크게 들이마시고 내뱉는 소리를 낸다.
- 감독관이 '그만'이라고 말하기 전까지 동작을 반복한다.

인생에 있어서 가장 큰 기쁨은

'너는 그것을 할 수 없다'라고 세상 사람들이 말하는

그 일을 성취시키는 일이다.

– 월터 배젓(Walter Bagehot)

CHAPTER 4

실전 기술

01 프론트 더블 바이셉스(전면 이두근 포즈)
Front Double Biceps

자세 개요

선수는 심판을 향해 정면으로 서서 두 팔을 어깨와 수평이 되도록 들고 두 팔꿈치도 올리며 두 손은 주먹을 쥔다. 이 포즈에서 제일 중요한 근육 부위는 이두박근(상완이두근)과 전완근이다. 이두박근 부위의 근육을 힘껏 수축해야 한다.

세부 평가기준

① 이두박근과 전완근을 표현하고 있는가?
② 팔의 높이는 어깨보다 같거나 높게 하고 있는가?
③ 가슴이 들리고 가슴 근육의 선을 표현하고 있는가?
④ 광배근을 표현하고 있는가?
⑤ 하체에 힘을 지속적으로 유지하여 대퇴근을 표현하고 있는가?

❶ 심판을 보고 정면으로 선다. 양발바닥으로 바닥을 밀면서 하체를 수축한다.
❷ 두 팔을 어깨와 수평이 되도록 들어 올리고 팔꿈치는 굽힌다.
❸ 주먹을 꽉 쥐고 이두박근과 전완근을 수축시키고 광배근은 벌린다.

시험장 TIP

감독관이 포즈를 정확히 볼 수 있도록 정면으로 자세를 잡고 천천히 동작을 수행한다.

02 프론트 랫 스프레드(전면 광배근 포즈)
Front Lat Spread

❙ 자세 개요

선수는 심판을 향해 정면으로 서고 두 손은 허리 쪽에 둔 후 광배근을 힘껏 편다. 동시에 선수는 반드시 전면 근육의 이완과 수축을 조정할 수 있어야 한다.

❙ 세부 평가기준

① 가슴 근육의 수축을 표현하고 있는가?
② 하체에 힘을 지속적으로 유지하여 대퇴근을 표현하고 있는가?
③ 심판을 향해 정면으로 서서 발의 간격을 최대 15cm로 유지하고 있는가?

❶ 심판을 보고 정면으로 선다. 다리를 최대 15cm까지 벌리고 양 발바닥으로 바닥을 밀어내면서 하체를 수축한다.
❷ 주먹을 쥐거나 엄지를 세워 양손을 허리 부근에 위치시키고 광배근을 펼친다.
❸ 동시에 전면 근육은 가능한 한 많이 수축시킨다.

시험장 TIP
감독관이 포즈를 정확히 볼 수 있도록 정면으로 자세를 잡고 천천히 동작을 수행한다.

03 사이드 체스트(측면 가슴 포즈) Side Chest

자세 개요

선수는 우측 또는 좌측의 자신 있는 가슴 근육 쪽을 선택하여 연기한다. 한쪽 다리를 굽혀 다른 쪽 발 앞으로 착지한다. 선수는 가슴을 젖히고, 심판에게 보이는 쪽 팔을 힘껏 꺾으며, 이두박근(상완 이두근)을 수축하여 울퉁불퉁하게 한다. 동시에 다리의 근육을 수축하는데 특히 이두박근과 종아리 근육을 강하게 수축한다.

세부 평가기준

① 가슴을 들고 가슴 라인을 표현하고 있는가?
② 어깨와 이두근을 수축하여 표현하고 있는가?
③ 앞다리를 약간 구부려 대퇴 이두근을 표현하고 있는가?
④ 하체를 수축하여 대퇴근을 표현하고 있는가?
⑤ 종아리를 수축하여 비복근을 표현하고 있는가?

❶ 더 자신 있는 방향의 측면으로 선다.
❷ 심판에게 가까운 쪽의 팔을 굽히고 굽힌 팔의 손은 주먹을 쥔다. 다른 한 손은 주먹을 쥔 손의 손목을 잡는다.
❸ 심판에게 가까운 쪽의 무릎을 굽히고 뒤꿈치를 들어 올려 발가락으로 지탱한다.
❹ 가슴을 펴고 굽혀진 팔의 압력으로 상완 이두근을 강하게 수축시킨다. 발가락 역시 압력을 가하여 허벅지 근육과 대퇴 이두근, 비복근을 강하게 수축시킨다.

시험장 TIP

감독관이 포즈를 정확히 볼 수 있도록 측면으로 자세를 잡고 천천히 동작을 수행한다.

04 백 더블 바이셉스(후면 이두근 포즈) Back Double Biceps

자세 개요

선수는 뒷모습이 심판에게 보이게 서서 두 팔과 팔목 부분을 프론트 더블 바이셉스 동작과 똑같이 한다. 한쪽 다리를 발 앞으로 착지하고, 발꿈치를 쳐든다. 팔과 어깨, 등 근육을 수축하고 허벅다리, 종아리도 힘껏 수축한다.

세부 평가기준

① 팔의 높이는 어깨보다 같거나 높게 하고 있는가?
② 등 근육을 수축하고 몸이 앞으로 구부러지지 않게 하고 있는가?
③ 한 다리를 뒤로 뻗어 슬와근을 표현하고 있는가?
④ 종아리를 수축하여 비복근을 표현하고 있는가?
⑤ 이두근과 삼각근을 수축하여 표현하고 있는가?

❶ 심판을 두고 뒤로 돌아선다. 프론트 더블 바이셉스와 같이 두 팔은 어깨와 수평이 되도록 들어 올리고 팔꿈치는 굽힌다.
❷ 한 다리를 뒤로 뻗어 발가락으로 지탱한다.
❸ 광배근을 펴면서 어깨와 상하부의 등 근육을 수축하고 허벅지와 비복근도 강하게 수축한다.

시험장 TIP

감독관이 포즈를 정확히 볼 수 있도록 돌아서서 자세를 잡고 천천히 동작을 수행한다.

05 백 랫 스프레드(후면 광배근 포즈)
Back Lat Spread

자세 개요

선수는 뒷모습이 심판에게 보이게 서서 두 손을 허리 쪽에 놓고 팔꿈치를 편다. 다리와 발의 간격을 최대 15cm로 유지한다. 광배근을 가능한 힘껏 펴고, 종아리도 힘껏 수축한다.

세부 평가기준

① 등 근육을 잘 펴고 있는가?
② 등 모양이 V자가 되고 있는가?
③ 발의 간격을 최대 15cm로 유지한 채 두 다리를 곧게 편 상태로 근육을 수축하고 있는가?
④ 종아리를 수축하여 비복근을 표현하고 있는가?
⑤ 팔꿈치는 어깨보다 전방을 향하고 있는가?

❶ 심판을 두고 뒤로 돌아선다. 양발바닥으로 바닥을 밀면서 하체를 수축한다.
❷ 팔꿈치는 넓게 벌려 유지하고 손은 허리 부근 위에 올린 후 광배근을 최대한 넓게 펼친다.
❸ 팔과 어깨, 등 근육을 수축시키고 종아리도 강하게 수축시킨다.

시험장 TIP

감독관이 포즈를 정확히 볼 수 있도록 돌아서서 자세를 잡고 천천히 동작을 수행한다.

06 사이드 트라이셉스(측면 삼두근 포즈) Side Triceps

자세 개요

선수는 자신의 한쪽 팔의 삼두 부분을 택하여 연기한다. 우측 또는 좌측으로 심판을 향해 서서 두 손을 몸 뒤쪽에 놓는다. 심판을 향한 쪽의 다리는 반드시 조금 굽혀 다른 쪽 발 앞으로 착지한다. 선수는 앞에 있는 손을 힘껏 수축하고 근육을 과시한다.

세부 평가기준

① 삼두근을 수축하여 표현하고 있는가?
② 가슴의 모양을 보여 주고 있는가?
③ 심판과 가까운 쪽 다리의 무릎은 구부린 상태로 발을 지면 위에 두고, 다른 다리는 뒤로 뺀 채 무릎을 구부려 발가락으로 지탱하며 대퇴부와 비복근을 표현하고 있는가?
④ 전면 · 측면 · 후면 삼각근을 동시에 표현하고 있는가?

❶ 자신 있는 방향의 측면으로 선다. 두 팔은 등 뒤로 보내고 깍지를 끼거나 손목을 잡는다.
❷ 심판에게서 멀리 있는 쪽의 다리를 굽히고 뒤꿈치를 들어 올려 발가락으로 지탱한다.
❸ 앞쪽의 팔에 압력을 가하여 상완 삼두근을 강하게 수축한다.
❹ 가슴을 올리며 복부 근육과 허벅지, 비복근을 강하게 수축한다.

시험장 TIP

감독관이 포즈를 정확히 볼 수 있도록 측면으로 자세를 잡고 천천히 동작을 수행한다.

07 업도미널 앤 타이(복직근과 다리 포즈)
Abdominal & Thighs

자세 개요

선수는 심판을 향해 정면으로 서서 한 쪽 다리는 앞으로 뺀다. 복부 근육을 수축하고 몸을 약간 앞으로 하며 손을 깍지 낀 채 머리 뒤로 올리는 동작을 취한다. 동시에 앞으로 뻗은 다리 근육을 수축한다.

세부 평가기준

① 손은 머리 뒤에 위치하고 있는가?
② 복부를 수축하여 복근을 표현하고 있는가?
③ 이두근을 수축하여 표현하고 있는가?
④ 대퇴근을 수축하여 표현하고 있는가?
⑤ 광배근을 수축하여 표현하고 있는가?

❶ 심판을 보고 정면으로 선다. 두 팔은 머리 위로 올려 뒤로 넘긴다.
❷ 한 쪽 다리는 앞으로 내민다.
❸ 몸을 앞쪽으로 보내면서 크런치 자세로 복부 근육을 수축시킨다.
❹ 동시에 다리의 허벅지 근육도 강하게 수축시킨다.

시험장 TIP

감독관이 포즈를 정확히 볼 수 있도록 정면으로 자세를 잡고 천천히 동작을 수행한다.

01 프론트 포지션
Front Position

세부 평가기준

① 머리와 눈이 몸과 같은 방향으로 향하고 있는가?
② 발뒤꿈치가 같은 선상에서 간격을 유지하며 양팔은 신체 중심선을 따라 측면에 위치하고 팔꿈치는 약간 구부린 상태로 손바닥이 신체를 바라보게 한 상태로 주먹을 쥐고 있는가?

❶ 바르게 서서 머리와 시선을 몸과 같은 방향으로 일치시킨다.
❷ 발뒤꿈치는 같은 선상에서 간격을 15cm 정도로 유지하고 발은 바깥쪽 30°의 각도로 기울인다. 무릎은 구부리지 않은 채 배는 안으로, 가슴은 바깥으로, 어깨는 뒤로 빼며 고개를 든다.
❸ 양팔은 신체 중심선을 따라 측면에 위치하며 팔꿈치는 약간 구부리고 손가락과 손바닥은 신체를 바라보게 한 상태로 주먹을 쥔다.

시험장 TIP

감독관이 포즈를 정확히 볼 수 있도록 정면으로 자세를 잡고 천천히 동작을 수행한다.

02 쿼터 턴 라이트 Quarter Turn Right

세부 평가기준

① 머리와 눈이 몸과 같은 방향으로 향하고 있는가?
② 발뒤꿈치를 모으고 있으며 발을 바깥쪽으로 벌리고 있는가?
③ 좌측 팔은 등 뒤의 신체 중심선에, 우측 팔은 신체 중심선 전방에 위치하여 팔꿈치는 약간 구부리고 손바닥이 신체를 바라본 상태에서 주먹을 쥐고 있는가?

왼쪽 측면이 심판을 향함

❶ 바르게 서서 머리와 시선을 몸과 같은 방향으로 일치시킨다.
❷ 발뒤꿈치를 모으고 발은 바깥쪽으로 벌리며 무릎은 구부리지 않는다. 배는 안으로, 가슴은 바깥으로, 어깨는 뒤로 빼며 고개를 든다.
❸ 좌측 팔은 등 뒤의 신체 중심선에 위치하며 팔꿈치는 약간 구부리고 손가락, 손바닥이 신체를 바라보는 상태로 주먹을 쥔다.
❹ 우측 팔은 신체 중심선 전방에 위치하며 팔꿈치는 약간 구부리고 손가락, 손바닥이 신체를 바라보는 상태로 주먹을 쥔다.
❺ 팔의 위치 때문에 상체가 약간 좌측으로 틀어지고 좌측 어깨는 내려가며 우측 어깨가 올라가는데, 이는 정상이지만 과도해서는 안 된다.

시험장 TIP

감독관이 포즈를 정확히 볼 수 있도록 측면으로 자세를 잡고 천천히 동작을 수행한다.

03 쿼터 턴 백 Quarter Turn Back

세부 평가기준

① 머리와 눈이 몸과 같은 방향으로 향하고 있는가?
② 발뒤꿈치가 같은 선상에서 간격을 유지하며 양팔은 신체 중심선을 따라 측면에 위치하고 팔꿈치는 약간 구부린 상태로 손바닥이 신체를 바라보게 한 상태로 주먹을 쥐고 있는가?
③ 무릎은 곧게 펴고, 복부는 안으로, 가슴은 바깥으로 어깨는 뒤로, 고개는 들고 있는가?

❶ 뒤돌아 바르게 서서 머리와 시선을 몸과 같은 방향으로 일치시킨다.
❷ 발뒤꿈치는 같은 선상에서 간격을 15cm 정도 유지한다. 무릎은 구부리지 않은 채 배는 안으로, 가슴은 바깥으로, 어깨는 뒤로 빼며 고개를 든다.
❸ 양팔은 신체 중심선을 따라 측면에 위치하고 팔꿈치는 약간 구부리며 손가락과 손바닥은 신체를 바라보게 한 상태로 주먹을 쥔다.

시험장 TIP

감독관이 포즈를 정확히 볼 수 있도록 뒤로 돌아 자세를 잡고 천천히 동작을 수행한다.

04 쿼터 턴 라이트 Quarter Turn Right

세부 평가기준

① 머리와 눈이 몸과 같은 방향으로 향하고 있는가?
② 발뒤꿈치를 모으고 있으며 발을 바깥쪽으로 벌리고 있는가?
③ 우측 팔은 등 뒤의 신체 중심선에, 좌측 팔은 신체 중심선 전방에 위치하여 팔꿈치는 약간 구부리고 손바닥이 신체를 바라본 상태에서 주먹을 쥐고 있는가?

오른쪽 측면이 심판을 향함

❶ 바르게 서서 머리와 시선을 몸과 같은 방향으로 일치시킨다.
❷ 발뒤꿈치를 모으고 발은 바깥쪽 벌리며 무릎은 구부리지 않는다. 배는 안으로, 가슴은 바깥으로, 어깨는 뒤로 빼며 고개를 든다.
❸ 우측 팔은 등 뒤의 신체 중심선에 위치하고 팔꿈치는 약간 구부리며 손가락, 손바닥이 신체를 바라보는 상태로 주먹을 쥔다.
❹ 좌측 팔은 신체 중심선 전방에 위치하며 팔꿈치는 약간 구부리고 손가락, 손바닥이 신체를 바라보는 상태로 주먹을 쥔다.
❺ 팔의 위치 때문에 상체가 약간 우측으로 틀어지고 우측 어깨가 내려가며 좌측 어깨는 올라가는데 이는 정상이지만 과도해서는 안 된다.

시험장 TIP

감독관이 포즈를 정확히 볼 수 있도록 측면으로 자세를 잡고 천천히 동작을 수행한다.

01 프론트 포즈 Front Pose

자세 개요

심판을 향해 정면으로 서서 다리를 바깥쪽으로 빼고 두 팔을 어깨높이까지 올린 후 팔꿈치를 구부리고 손과 손가락을 최대한 펴면서 가능한 많은 근육이 수축될 수 있도록 하는 동작이다.

세부 평가기준

① 두 다리(오른쪽 또는 왼쪽 다리를 바깥쪽으로)와 발의 위치(일직선상)는 정확한가?
② 두 팔의 높이(어깨높이)와 팔꿈치를 구부리고 있는 동작이 정확한가?
③ 손과 손가락이 하늘을 향하고 있는가?
④ 최대한 많은 근육들을 수축하고 있는가?

❶ 심판을 정면으로 보고 선다. 한쪽 다리를 바깥쪽으로 빼고 발은 일직선 상에 둔다.
❷ 두 팔을 어깨높이까지 올린 후 팔꿈치를 구부리고 손과 손가락은 하늘을 향해 최대한 편다.
❸ 머리부터 발끝까지 최대한 많은 근육을 수축한다.

시험장 TIP

감독관이 포즈를 정확히 볼 수 있도록 정면으로 자세를 잡고 천천히 동작을 수행한다.

02 사이드 체스트
Side Chest

자세 개요

자신 있는 방향의 측면으로 서서 두 팔을 신체 앞으로 보내고 팔꿈치와 손가락을 펴서 손바닥이 아래로 향하게 한 후, 한쪽 다리를 곧게 펴서 발을 앞으로 내려놓고 가슴 근육과 상완 삼두근, 대퇴부 근육 및 비복근을 표현하는 동작이다.

세부 평가기준

① 심판을 향해 오른쪽 또는 왼쪽으로 비틀게 서 있는가?
② 오른쪽 또는 왼쪽 무릎은 구부리지 않은 채로 다리를 곧게 펴고 있으며 왼쪽 또는 오른쪽 무릎은 살짝 구부리고 있는가?
③ 팔, 팔꿈치, 손가락 및 손바닥의 자세 및 위치는 정확한가?
④ 가슴 근육, 상완 삼두근, 대퇴 사두근, 대퇴 이두근 및 비복근을 수축하고 있는가?

❶ 자신 있는 방향의 측면으로 비틀게 선다. 심판에 가까운 쪽의 다리를 앞쪽으로 곧게 펴서 발을 앞으로 내려놓고 반대쪽 다리의 무릎은 살짝 굽힌다.
❷ 두 팔을 앞으로 보내서 팔꿈치와 손가락은 펴고 손바닥이 아래로 향하게 한다.
❸ 몸을 가볍게 비틀고 가슴 근육과 상완 삼두근, 대퇴 사두근, 대퇴 이두근 및 비복근을 강하게 수축한다.

시험장 TIP

감독관이 포즈를 정확히 볼 수 있도록 측면으로 자세를 잡고 천천히 동작을 수행한다.

03 백 포즈 Back Pose

자세 개요

심판을 두고 뒤로 돌아선 상태에서 프론트 포즈 같은 자세를 취한 후 한 발은 뒤로 보내고 삼각근과 상하부 등 근육, 허벅지 근육과 비복근을 수축하는 동작이다.

세부 평가기준

① 두 다리(한 발을 뒤에 위치하여 발가락으로 지탱)와 발의 위치는 정확한가?
② 두 팔의 높이(어깨높이)와 팔꿈치는 구부리고 있는 동작이 정확한가?
③ 손과 손가락이 하늘을 향하고 있는가?
④ 삼각근, 등 상하부, 대퇴 이두근 및 비복근을 수축하고 있는가?

❶ 심판을 두고 뒤로 돌아선다. 프론트 포즈와 같이 두 팔을 어깨높이까지 올린 후 팔꿈치를 구부리고 손과 손가락은 하늘을 향해 최대한 편다.
❷ 한 발을 뒤로 보내고 뒤꿈치를 들어 발가락으로 지탱한다.
❸ 삼각근과 등 상하부, 대퇴 이두근 및 비복근을 강하게 수축한다.

시험장 TIP

감독관이 포즈를 정확히 볼 수 있도록 돌아서서 자세를 잡고 천천히 동작을 수행한다.

04 사이드 트라이셉스
Side Triceps

자세 개요

자신 있는 방향의 측면으로 서서 두 팔을 뒤로 보내고 한쪽 다리는 편 후, 다른 한쪽은 굽혀 상완 삼두근과 가슴 근육, 복근, 허벅지 근육과 비복근을 수축하는 동작이다.

세부 평가기준

① 오른쪽 또는 왼쪽 측면이 심판을 향해 서 있는가?
② 팔을 등 뒤에 위치시켜 오른쪽 또는 왼쪽 손목을 왼쪽 또는 오른쪽 손으로 잡고 있으며 손과 손가락을 편 상태로 손바닥이 아래 지면과 평행하게 되어 있는가?
③ 오른쪽 또는 왼쪽 무릎을 구부리지 않고 다리를 곧게 펴서 바닥에 내려놓았으며 왼쪽 또는 오른쪽 무릎은 살짝 구부렸는가?
④ 상완 삼두근, 가슴, 복부, 대퇴근부 및 비복근을 수축하고 있는가?

❶ 자신 있는 방향의 측면으로 선다. 심판에 가까운 쪽의 다리를 앞쪽으로 곧게 펴서 발을 앞으로 내려놓고 반대쪽 다리의 무릎은 살짝 굽힌다.
❷ 팔을 등 뒤에 위치시켜 오른쪽 또는 왼쪽 손목을 왼쪽 또는 오른쪽 손으로 잡고, 손과 손가락을 편 상태로 손바닥이 아래 지면과 평행하게 한다.
❸ 상완 삼두근, 가슴, 복부, 대퇴근부 및 비복근을 강하게 수축한다.

시험장 TIP

감독관이 포즈를 정확히 볼 수 있도록 측면으로 자세를 잡고 천천히 동작을 수행한다.

01 프론트 포지션 Front Position

| 세부 평가기준

① 머리와 눈이 몸과 같은 방향으로 향하고 있는가?
② 발뒤꿈치를 모으고 있으며 발은 바깥쪽으로 향하고 있는가?
③ 무릎을 곧게 펴고, 복부는 안으로, 가슴은 바깥으로 어깨는 뒤로 뺐는가?

❶ 바르게 서서 머리와 시선을 몸과 같은 방향으로 일치시킨다.
❷ 발뒤꿈치를 모은 상태로 발은 바깥쪽으로 향하게 하고 무릎은 구부리지 않는다. 배는 안으로, 가슴은 바깥으로, 어깨는 뒤로 뺀다.
❸ 양팔은 신체 중심선을 따라 측면에 위치하고 팔꿈치는 약간 구부리며 손가락을 모은 상태로 손바닥은 신체를 바라보게 하여 약간 떨어뜨리고 손을 오므린다.

시험장 TIP

감독관이 포즈를 정확히 볼 수 있도록 정면으로 자세를 잡고 천천히 동작을 수행한다.

02 쿼터 턴 라이트 Quarter Turn Right

세부 평가기준

① 머리와 눈이 몸과 같은 방향으로 향하고 있는가?
② 발뒤꿈치를 모으고 있으며 발은 바깥쪽으로 향하고 있는가?
③ 좌측 팔은 등 뒤 신체 중심선에, 우측 팔은 신체 중심선 전방에 위치하여 팔꿈치는 약간 구부리고 손바닥은 신체를 바라보게 한 상태로 손은 오므리고 있는가?

왼쪽 측면이 심판을 향함

❶ 바르게 서서 머리와 시선은 몸과 같은 방향으로 일치시킨다.
❷ 발뒤꿈치를 모은 상태로 발은 바깥쪽으로 향하게 하고 무릎은 구부리지 않는다. 배는 안으로, 가슴은 바깥으로, 어깨는 뒤로 뺀다.
❸ 좌측 팔은 등 뒤의 신체 중심선에 위치하며 팔꿈치는 약간 구부리고 손가락과 손바닥은 신체를 바라보게 한 상태로 손을 약간 오므린다.
❹ 우측 팔은 신체 중심선 전방에 위치하며 팔꿈치는 약간 구부리고 손가락과 손바닥은 신체를 바라보게 한 상태로 손을 약간 오므린다.
❺ 상체가 약간 좌측으로 틀어짐에 따라 좌측 어깨가 내려가고 우측 어깨는 올라가는데 이는 정상이지만 과도해서는 안 된다.

시험장 TIP

감독관이 포즈를 정확히 볼 수 있도록 측면으로 자세를 잡고 천천히 동작을 수행한다.

03 쿼터 턴 백 Quarter Turn Back

▎세부 평가기준

① 머리와 눈이 몸과 같은 방향으로 향하고 있는가?
② 발뒤꿈치를 모으고 있으며 발은 바깥쪽으로 향하고 있는가?

❶ 뒤돌아 바르게 서서 머리와 시선을 몸과 같은 방향으로 일치시킨다.
❷ 발뒤꿈치를 모은 상태로 발은 바깥쪽으로 향하게 하고 무릎은 구부리지 않는다. 배는 안으로, 가슴은 바깥으로, 어깨는 뒤로 뺀다.
❸ 양팔은 신체 중심선을 따라 측면에 위치하며 팔꿈치는 약간 구부리고 손가락과 손바닥은 신체를 바라보게 한 상태로 약간 떨어뜨리고 손을 오므린다.

시험장 TIP
감독관이 포즈를 정확히 볼 수 있도록 돌아서서 자세를 잡고 천천히 동작을 수행한다.

04 쿼터 턴 라이트
Quarter Turn Right

세부 평가기준

① 머리와 눈이 몸과 같은 방향으로 향하고 있는가?
② 발뒤꿈치를 모으고 있으며 발은 바깥쪽으로 향하고 있는가?
③ 우측 팔은 등 뒤 신체 중심선에, 좌측 팔은 신체 중심선 전방에 위치하여 팔꿈치는 약간 구부리고 손바닥은 신체를 바라보게 한 상태로 손은 오므리고 있는가?

오른쪽 측면이 심판을 향함

❶ 바르게 서서 머리와 시선을 몸과 같은 방향으로 일치시킨다.
❷ 발뒤꿈치를 모은 상태로 발은 바깥쪽으로 향하게 하고 무릎은 구부리지 않는다. 배는 안으로, 가슴은 바깥으로, 어깨는 뒤로 뺀다.
❸ 우측 팔은 등 뒤의 신체 중심선에 위치하며 팔꿈치는 약간 구부리고 손가락과 손바닥은 신체를 바라보게 하며 손을 약간 오므린다.
❹ 좌측 팔은 신체 중심선 전방에 위치하며 팔꿈치는 약간 구부리고 손가락과 손바닥은 신체를 바라보게 한 상태로 손을 약간 오므린다.
❺ 상체가 약간 우측으로 틀어짐에 따라 우측 어깨가 내려가고 좌측 어깨는 올라가는데 이는 정상이지만 과도해서는 안 된다.

시험장 TIP

감독관이 포즈를 정확히 볼 수 있도록 측면으로 자세를 잡고 천천히 동작을 수행한다.

01 프론트 포지션
Front Position

세부 평가기준

① 바르게 서서 머리와 눈이 몸과 같은 방향을 바라보고 있는가?
② 한 손은 엉덩이 위에 두고, 다른 한 손은 몸 옆에 자연스레 늘어뜨리고 손은 편 상태로 미적으로 보이게 하는가?
③ 무릎을 구부리지 않고, 복부를 끌어당기고 가슴을 세우고 어깨는 폈는가?

❶ 바르게 서서 머리와 눈은 몸과 같은 방향을 바라본다.
❷ 한 손은 엉덩이 위에 올려놓고 한쪽 다리는 약간 앞쪽 옆에 위치한다.
❸ 다른 손은 신체를 따라 약간 측면에 늘어뜨리고 손과 손가락을 곧게 편 상태로 미적으로 보이게 한다.
❹ 무릎은 구부리지 않으며 복부는 안쪽으로 끌어당기고, 가슴은 세우고, 어깨는 편다.

시험장 TIP

감독관이 포즈를 정확히 볼 수 있도록 정면으로 자세를 잡고 천천히 동작을 수행한다.

02 쿼터 턴 라이트 Quarter Turn Right

세부 평가기준

① 측면이 심판을 향한 상태에서 상체를 돌려 심판을 바라보고 있는가?
② 심판으로부터 가까운 엉덩이를 약간 올리고 있는가?
③ 심판으로부터 가까운 팔은 약간 뒤쪽 신체 중심선에 위치하여 손을 편 상태로 미적으로 보이게 하는가?
④ 심판으로부터 먼 팔을 엉덩이 위에 올리고 있는가?

왼쪽 측면이 심판을 향함

❶ 왼쪽 측면이 심판을 향하게 되며 심판을 바라보기 위해서 상체를 약간 돌린다.
❷ 오른손은 오른쪽 엉덩이 위에 올리고 왼쪽 팔은 약간 뒤쪽 신체 중심선 부근에 위치시켜 고정한다. 손바닥이 보이게 손가락을 곧게 편 상태로 미적으로 보이게 한다.
❸ 왼쪽 엉덩이는 약간 올리고 왼쪽 무릎(심판 쪽에서 가까운)은 약간 구부리고 왼쪽 발을 2cm 앞으로 움직여 발가락을 바닥에 내려놓는다.

시험장 TIP

감독관이 포즈를 정확히 볼 수 있도록 측면으로 자세를 잡고 천천히 동작을 수행한다.

03 쿼터 턴 백
Quarter Turn Back

▎세부 평가기준

① 상체를 숙이지 않고 바르게 서 있는가?
② 한 손을 엉덩이 위에 올려놓고 있는가?
③ 다른 손은 신체를 따라 약간 측면에 늘어뜨리고 손을 편 상태로 미적으로 보이게 하는가?
④ 무릎은 구부리지 않고 복부는 안쪽으로, 상체는 앞으로, 어깨는 뒤로 뺀 상태로 위치하고 있는가?
⑤ 등 하부를 자연스럽게 만곡시키거나 약간 척추 전만의 자세를 취하고 있는가?
⑥ 등 상부는 곧게 펴고 고개는 심판을 바라보지 않고 정면(무대 뒤쪽)을 향하고 있는가?

❶ 뒤돌아 심판을 향해 선다.
❷ 상체를 앞으로 숙이지 않고 바르게 선 상태로 한 손은 엉덩이 위에 올려놓는다.
❸ 다른 손은 신체를 따라 약간 측면에 늘어뜨리고 손과 손가락을 곧게 편 상태로 미적으로 보이게 한다.
❹ 무릎은 구부리지 않으며 복부는 안쪽으로, 상체는 앞으로, 어깨는 뒤로 뺀다.
❺ 등 하부는 자연스럽게 만곡시키거나 약간 척추 전만의 자세를 취하고 등 상부는 곧게 편 상태로 고개를 든다.
❻ 상체를 돌려서 심판을 바라보면 안 되고, 심사가 진행되는 동안 무대 뒤쪽을 바라보고 있어야 한다.

시험장 TIP

감독관이 포즈를 정확히 볼 수 있도록 돌아서서 자세를 잡고 천천히 동작을 수행한다.

04 쿼터 턴 라이트 Quarter Turn Right

세부 평가기준

① 측면이 심판을 향한 상태에서 상체를 돌려 심판을 바라보고 있는가?
② 심판으로부터 가까운 엉덩이를 약간 올리고 있는가?
③ 심판으로부터 가까운 팔은 약간 뒤쪽 신체 중심선에 위치하여 손을 편 상태로 미적으로 보이게 하는가?
④ 심판으로부터 먼 팔을 엉덩이 위에 올리고 있는가?

오른쪽 측면이 심판을 향함

❶ 오른쪽 측면이 심판을 향하게 되며 심판을 바라보기 위해서 상체를 약간 돌린다.
❷ 왼손은 왼쪽 엉덩이 위에 올리고 오른쪽 팔은 약간 뒤쪽 신체 중심선 부근에 위치시켜 고정한다. 손바닥이 보이게 손가락을 곧게 편 상태로 미적으로 보이게 한다.
❸ 오른쪽 엉덩이는 약간 올리고 오른쪽 무릎(심판 쪽에서 가까운)은 약간 구부리고 오른쪽 발을 2cm 앞으로 움직여 발가락을 바닥에 내려놓는다.

시험장 TIP
감독관이 포즈를 정확히 볼 수 있도록 측면으로 자세를 잡고 천천히 동작을 수행한다.

2021 에듀윌 스포츠지도사 실기+구술 한권끝장 보디빌딩

초판발행	2021년 3월 4일
2쇄발행	2021년 5월 28일
저 자	정수봉
펴 낸 이	박명규
펴 낸 곳	(주)에듀윌
등록번호	제25100-2002-000052호
주 소	08378 서울특별시 구로구 디지털로34길 55 코오롱싸이언스밸리 2차 3층

* 이 책의 무단 인용 · 전재 · 복제를 금합니다.

ISBN 979-11-360-0975-3(13690)

www.eduwill.net
대표전화 1600-6700

여러분의 작은 소리
에듀윌은 크게 듣겠습니다.

본 교재에 대한 여러분의 목소리를 들려주세요.
공부하시면서 어려웠던 점, 궁금한 점,
칭찬하고 싶은 점, 개선할 점, 어떤 것이라도 좋습니다.

에듀윌은 여러분께서 나누어 주신 의견을
통해 끊임없이 발전하고 있습니다.

에듀윌 도서몰 book.eduwill.net

- 부가학습자료 및 정오표: 에듀윌 도서몰 → 도서자료실
- 교재 문의: 에듀윌 도서몰 → 문의하기 → 교재(내용, 출간) / 주문 및 배송

eduwill

에듀윌은 고객의 꿈, 직원의 꿈,
지역사회의 꿈을 실현한다

취업, 공무원, 자격증 시험준비의 흐름을 바꾼 화제작!

에듀윌 히트교재 시리즈

에듀윌 교육출판연구소가 만든 히트교재 시리즈!
YES24, 교보문고, 알라딘, 인터파크, 영풍문고 등 전국 유명 온/오프라인 서점에서 절찬 판매 중!

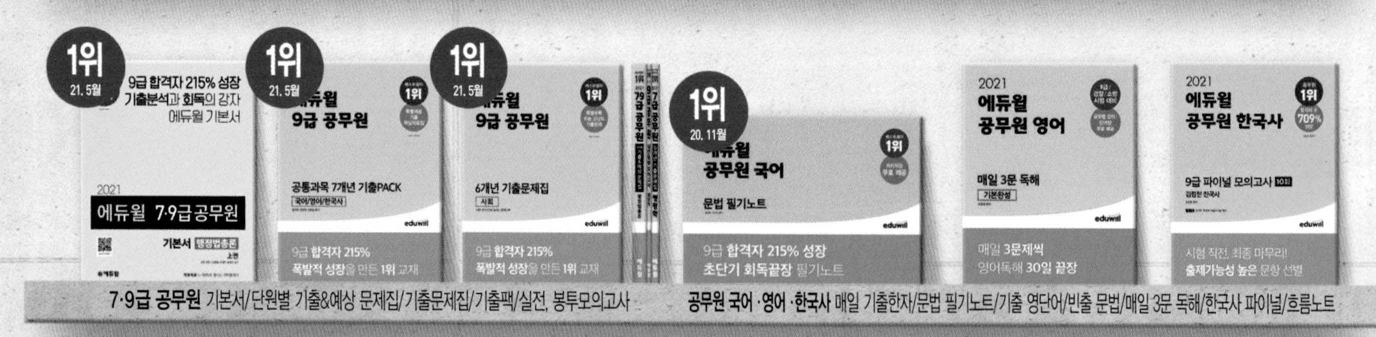

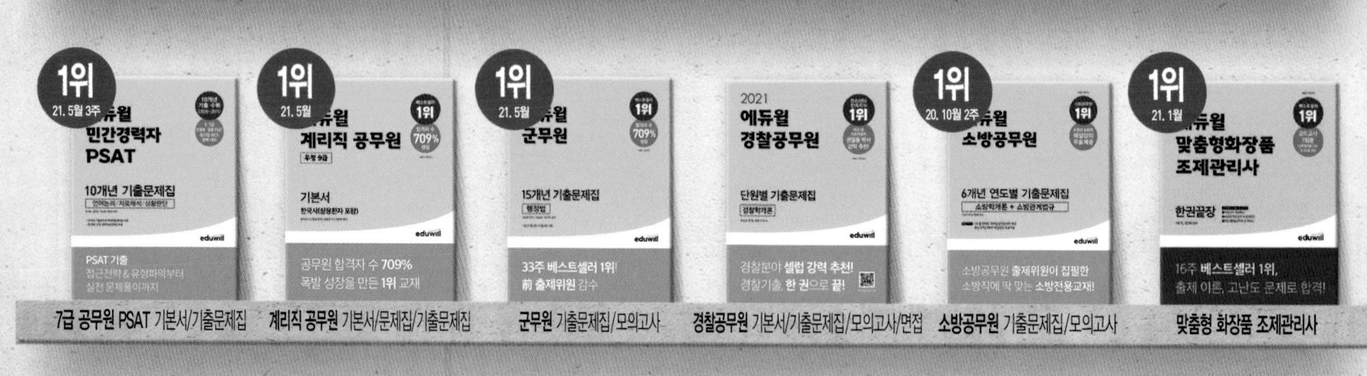

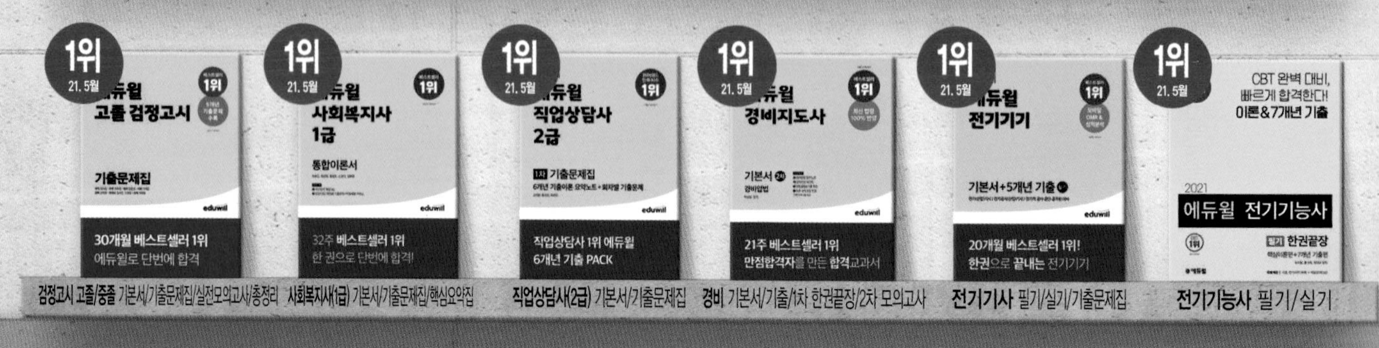

※ YES24 수험서 자격증 공인중개사 베스트셀러 1위 (2011년 12월, 2012년 1월, 12월, 2013년 1월~5월, 8월~12월, 2014년 1월~5월, 7월~8월, 12월, 2015년 2월~4월, 2016년 2월, 4월, 6월, 12월, 2017년 1월~12월, 2018년 1월~12월, 2019년 1월~12월, 2020년 1월~12월, 2021년 1월~5월 월별 베스트, 매월 1위 교재는 다름)

산출근거 후면표기

2021

에듀윌 스포츠지도사

실기+구술 한권끝장

보디빌딩 | 구술

정수봉 편저

특별제공 핵심동작 브로마이드 | 구술대비 핵심특강

eduwill

48만뷰로 검증된
스포츠지도사 **베스트셀러 1위**!

2021

에듀윌 스포츠지도사

실기+구술 한권끝장

보디빌딩 | 구술

PART 03

구술

자신을 믿어야 합격한다. ▼

1 보디빌딩규정

01 ★★

경기인등록규정의 목적에 대해 설명하시오.

선수 · 지도자 · 심판의 등록과 활동 등에 관한 기준과 절차를 정함으로써 건전하고 효율적인 선수 및 지도자 · 심판 육성과 우리나라 체육의 균형 발전을 도모함을 목적으로 한다.

꼭 외우는 키워드 □ 선수 · 지도자 · 심판 등록과 활동 □ 선수 및 지도자 · 심판 육성 □ 체육의 균형 발전

02 ★

경기인 등록 구분에 대해 설명하시오.

협회는 연령(다만, 연령 기준은 출생 연도를 기준으로 한다, 이하 같다) 등을 기준으로 하여 각 부를 둔다. 다만, 다음 각 호의 연령을 초과하지 않는 범위 안에서 협회의 특성에 따라 별도의 부를 둘 수 있다.

① 13세 이하 부
② 16세 이하 부
③ 19세 이하 부
④ 대학부
⑤ 일반부

꼭 외우는 키워드 □ 연령 □ 13세 이하 부 □ 16세 이하 부 □ 19세 이하 부 □ 대학부 □ 일반부

03 ★

경기인 등록의 결격 사유에 대해 설명하시오.

① 스포츠공정위원회규정 제27조의 선수 · 심판 · 지도자 · 단체 임원으로서 제명의 징계를 받은 사람은 전문 선수 등록을 할 수 없다.
② 당해 연도에 심판으로 등록한 사람은 해당 회원 종목 단체의 전문 선수로 등록할 수 없다.

꼭 외우는 키워드 □ 스포츠공정위원회규정 □ 선수 · 심판 · 지도자 · 단체 임원 □ 제명 □ 전문 선수 등록 □ 당해 연도 □ 심판 등록

04 ★★

경기인등록규정의 위반에 대한 조치에 대해 설명하시오.

(1) 체육회 또는 해당 회원 종목 단체에서 정한 경기인등록규정을 위반한 사람에 대하여는 다음과 같이 조치하여야 한다.
   ① 경기인: 1년 이상 5년 이하의 경기인 출전 또는 자격 정지
   ② 관련된 임직원(단장, 감독, 코치 포함): 2년 이상 5년 이하의 해당 회원 종목 단체의 활동 자격 금지
   ③ 경기인 등록을 하지 않고 활동한 사람: 2년간 등록 금지(확인한 날의 연도 말일을 기준으로 산정)

(2) 위반 행위를 불문하고 이 규정의 2회 위반자에 대해서는 해당 징계 기준의 2배 이상 가중 처분하며, 3회 위반한 자에 대해서는 제명 또는 파면한다.

(3) 체육회 또는 회원 종목 단체는 제2항에 의거하여 규정 위반자에 대하여 위반 행위, 징계 대상 및 징계 수위를 정하여야 한다.

꼭 외우는 키워드
☐ 경기인 ☐ 1년 이상 5년 이하 ☐ 출전 또는 자격 정지
☐ 임직원 ☐ 2년 이상 5년 이하 ☐ 활동 자격 금지
☐ 경기인 미등록 ☐ 2년 등록 금지 ☐ 2회 위반 시 징계 2배 이상
☐ 3회 위반 시 제명 또는 파면

05 ★★

경기력향상위원회의 기능에 대해 설명하시오.

① 국가 대표 경기력 향상 기본 계획
② 올림픽 및 아시아경기대회 대비 강화 훈련 계획 수립
③ 스포츠 과학의 연구 지원 및 현장 적용에 관한 사항
④ 경기 지도자의 육성 및 자질 향상에 관한 사항
⑤ 국가 대표 선수 훈련 참가 임원 및 선수 선발에 관한 사항
⑥ 국가 대표 훈련의 지도, 감독, 평가 분석에 관한 사항
⑦ 우수 소질 보유자의 발굴 육성에 관한 사항
⑧ 국가 대표 훈련 참가 임원 및 선수의 상벌에 관한 사항
⑨ 올림픽 및 아시아경기대회 파견 선수단 전형 추천 및 사후 평가에 관한 사항

꼭 외우는 키워드
☐ 국가 대표 경기력 향상 기본 계획 ☐ 올림픽 및 아시아경기대회 대비 훈련 계획
☐ 스포츠 과학의 연구 지원 및 적용 ☐ 지도자 육성 및 자질 향상
☐ 국가 대표 선수 훈련 참가 임원 및 선수 선발
☐ 국가 대표 지도 및 감독, 평가 분석 ☐ 우수 소질 보유자의 발굴 및 육성
☐ 국가 대표 훈련 참가 임원 및 선수 상벌
☐ 올림픽 및 아시아경기대회 파견 선수단 전형 추천 및 평가

06 ★

선수 권익 보호와 관련된 조사 기관을 말하시오.

1차 조사 기관은 선수위원회이며, 2차 조사 기관은 대한체육회이다.

꼭 외우는 키워드
☐ 1차 조사 기관 ☐ 선수 위원회 ☐ 2차 조사 기관 ☐ 대한체육회

07 ★★

선수위원회규정에 명시된 선수등록규정을 위반할 경우의 조치에 대해 설명하시오.

① 선수(보호자가 포함된 경우 포함): 최소 1년 이상 5년 이하의 선수 활동(동호인 포함) 금지
② 관련된 임직원(단장, 감독, 코치 포함): 최소 2년 이상 5년 이하의 본 협회 관련 활동 자격 정지
③ 학교 관련자(교장, 관련 교사, 코치 등): 소속 기관장에게 징계 의뢰(단, 감독, 코치는 ②의 조치 병행), 또한 학교 관계자에 대하여는 징계 이외에 신분상의 제한이 필요한 경우 대한체육회에 건의할 수 있다.
④ 징계 만료 이후 및 징계 해제 후 재위반한 경우에는 그 자격을 영구히 박탈한다.
⑤ 대한체육회에서 운영하는 선수 등록 관리 시스템에 등록을 지연시켜 선수 활동에 지장을 초래한 관계자는 그 자격을 최소 1년 이상 3년 이하 또는 법제 · 상벌위원회에 회부하여 징계 조치한다.

꼭 외우는 키워드
□ 선수 □ 1년 이상 5년 이하 활동 금지 □ 임직원
□ 2년 이상 5년 이하 자격 정지 □ 학교 관련자 □ 소속 기관장 징계 의뢰
□ 재위반 시 자격 영구 박탈 □ 선수 등록 관리 시스템 등록 지연
□ 1년 이상 3년 이하 □ 법제 · 상벌위원회 □ 징계 조치

08 ★★

선수위원회규정에 명시된 선수 권익 보호와 관련하여 신고 접수되거나 직권으로 조사한 사항에 대하여 그 사실이 인정될 경우의 조치에 대해 설명하시오.

① 폭력 행위

구분	지도자	선수
1차 적발	5년 이상의 자격 정지	3년 이상의 자격 정지
2차 적발	10년 이상의 자격 정지 병과	5년 이상의 자격 정지
3차 적발	영구 제명	영구 제명

② 성폭력 범죄 행위를 한 선수 또는 지도자: 1차 적발 시 영구 제명
③ 성폭력 범죄 행위 외 성과 관련된 행위에 대한 징계

구분	지도자	선수
1차 적발	5년 이상의 자격 정지	3년 이상의 자격 정지
2차 적발	10년 이상의 자격 정지	5년 이상의 자격 정지
3차 적발	영구 제명	영구 제명

꼭 외우는 키워드
□ 폭력 □ 지도자 □ 5년 이상 자격 정지 □ 10년 이상 자격 정지
□ 영구 제명 □ 선수 □ 3년 이상 자격 정지 □ 5년 이상 자격 정지
□ 영구 제명 □ 성폭력 범죄 □ 영구 제명 □ 성과 관련 행위
□ 지도자 □ 5년 이상 자격 정지 □ 10년 이상 자격 정지
□ 영구 제명 □ 선수 □ 3년 이상 자격 정지 □ 5년 이상 자격 정지
□ 영구 제명

09 ★★★

심판의 등급 구분에 대해 설명하시오.

① 국제 심판(A, B, C급): 세계연맹 심판 자격 취득자로서 각종 국제경기대회의 심판 및 전국 규모의 경기대회에서 심판 위원으로 지명 받을 수 있다.

② 국내 심판(1, 2급)

1급	국내 심판 자격 취득자로서 전국 규모의 경기대회에서 심판 및 지역 규모의 경기대회에 심판 위원으로 지명 받을 수 있다.
2급	국내 심판 자격 취득자로서 지역 규모의 경기대회에서 심판으로 지명 받을 수 있다.

꼭 외우는 키워드 □ 국제 심판 □ A, B, C급 □ 세계연맹 심판 자격 취득자 □ 국제경기대회 심판 □ 전국 규모 경기대회 심판 위원 □ 국내 심판 □ 1급 □ 국내 심판 자격 취득자 □ 전국 규모 경기대회 심판 □ 지역 규모 경기대회 심판 위원 □ 2급 □ 지역 규모 경기대회 심판

10 ★★

심판위원회규정에서 명시한 심판 판정에 대해 설명하시오.

① 외부 단체로부터 독립하여 공정한 업무를 수행하여야 한다.

② 심판 관련 규정과 해당 단체의 규약 및 심판 규정을 준수하고 경기 규칙에 따라 명확한 판정을 위하여 최선을 다하여야 한다.

③ 경기 운영 및 판정에 있어 공명정대하게 양심에 따라 판정한다.

꼭 외우는 키워드 □ 외부 단체 독립 □ 공정한 업무 수행 □ 관련 규약 및 심판 규정 준수 □ 명확한 판정 □ 공명정대 □ 양심

11 ★

심판위원회규정에서 명시한 심판 품위 관련 내용을 설명하시오.

① 심판은 체육회 또는 본 협회에서 발급한 신분 증서를 패용하여야 한다.

② 심판은 본 협회에서 규정한 복장과 장비만 사용하여야 한다.

③ 심판은 반드시 필요한 상해 보험에 가입하여야 한다.

④ 심판은 본 협회의 정관 및 관련 규정을 준수하여야 한다.

⑤ 심판은 오심 및 편파 판정에 대하여 본 협회 '정관', 본 협회 또는 체육회의 '스포츠공정위원회규정'에 따라 징계(문책)받을 수 있다.

⑥ 심판은 선수 · 지도자의 팀(단체 등) 입단, 계약 또는 기타 취직의 알선, 협조 등 심판으로서의 직분이나 직무 공정성을 해하는 행위를 해서는 안 된다.

꼭 외우는 키워드 □ 체육회 또는 협회 □ 신분 증서 패용 □ 규정 복장 및 장비 사용 □ 상해 보험 가입 □ 정관 및 규정 준수 □ 오심 및 편파 판정 □ 정관 및 스포츠공정위원회규정 □ 징계(문책) □ 팀 입단 금지 □ 팀 계약 금지 □ 취직 알선 금지 □ 직무 공정성 해하는 행위 금지

12 ★

심판 자격 취득의 제한에 대해 설명하시오.

① 선수로 등록한 사람은 심판 자격을 취득할 수 없다.
② 심판 자격 유지 중 선수로 등록한 사람은 선수로 등록한 해에는 심판으로 활동할 수 없다.
③ 선수로 활동 중 도핑방지규정 위반으로 제재를 받은 사람은 징계 만료 후 5년 이상 경과해야 심판 자격을 취득할 수 있다. 단, 영구 제명 선수는 심판 자격을 취득할 수 없다.

꼭 외우는 키워드 □ 선수 등록한 사람 □ 심판 자격 취득 금지 □ 심판 자격 유지 중 선수 등록 □ 심판 활동 금지 □ 도핑 방지 규정 위반 □ 징계 만료 후 5년 이상 경과 □ 영구 제명 시 심판 자격 취득 불가

13 ★

심판 자격의 유지 및 부활에 대해 설명하시오.

① 심판 자격의 유지를 희망하는 심판의 경우 자격 취득 후 4년에 한 번씩 재교육을 받아야 한다.
② 재교육을 이수하지 않아 자격을 상실한 자는 자격 상실 기간에 비례하는 소정의 추가 강습비 납부 및 재교육을 통해 동일 자격을 득할 수 있다.
③ 징계로 인하여 자격이 정지된 심판은 징계 해제 후 3년이 경과한 후 재교육을 통하여 2급 심판 자격을 득할 수 있다.

꼭 외우는 키워드 □ 4년마다 재교육 □ 자격 상실 기간 비례 □ 추가 강습비 납부 □ 재교육 □ 징계 해제 후 3년 경과 □ 재교육 □ 2급 심판 자격

14 ★★★

보디빌딩 심사 위원의 의무에 대해 설명하시오.

① 경기 규칙을 준수한다.
② 공정하게 심사한다.
③ 심판에 책임을 진다.
④ 청렴하게 심사한다.
⑤ 정확하게 평가한다.
⑥ 소집 회의 시 참석한다.

꼭 외우는 키워드 □ 규칙 준수 □ 공정 심사 □ 책임 □ 청렴 심사 □ 정확 평가 □ 소집 회의 참석

15 ★★★

보디빌딩심사규정에 대한 심판원의 주의 사항에 대해 설명하시오.

① 다른 심판원과 담화를 할 수 없다.
② 다른 심판원의 심판 결정에 의도적인 영향을 주어서는 안 된다.
③ 심사하는 동안 사진을 찍을 수 없다.
④ 참가 선수 누구라도 지도해서는 안 된다.
⑤ 심사하는 동안에는 알코올 함량이 있는 음료수를 마실 수 없다.
⑥ 선수로 참가할 수 없다.

꼭 외우는 키워드 □ 다른 심판원 □ 담화 □ 결정 □ 의도적 영향 □ 사진 □ 참가 선수 □ 지도 □ 알코올 함량 □ 음료수 □ 선수 참가

16 ★★★

도핑에 대해 설명하시오.

도핑(Doping)은 수행 능력을 향상시킬 목적으로 선수에게 금지 약물(호르몬제, 신경 안정제, 흥분제 등)을 투여하거나 특수한 이학적 처치 및 사용 행위를 은폐하는 것을 의미한다.

꼭 외우는 키워드 □ 수행 능력 향상 □ 금지 약물 투여 □ 특수한 이학적 처치 □ 사용 행위 □ 은폐

17 ★★★

도핑방지규정 위반에 대해 설명하시오.

도핑이란 세계반도핑규약 및 한국도핑방지규정에서 규정한 하나 또는 그 이상의 도핑방지 규정 위반의 발생을 말한다. 경기력을 향상시킬 목적으로 의도적으로 금지 약물을 섭취해 도핑 테스트에서 양성 반응이 나타난 경우를 도핑이라고 정의한다.

꼭 외우는 키워드 □ 세계반도핑규약 □ 한국도핑방지규정 □ 규정 위반 □ 경기력 향상 □ 의도적 □ 금지 약물 □ 도핑 테스트 □ 양성 반응

18 ★

도핑방지규정의 기본 원리에 대해 설명하시오.

도핑 방지 프로그램은 스포츠의 본질적 가치를 보전하는 데 그 목적이 있다. 본질적 가치는 스포츠 정신으로 불리며, 올림픽 정신의 핵심이다. 이는 타고난 재능의 완성을 위해 혼신의 노력을 다함으로써 인간의 우수성을 추구하고자 함이며, 진정한 의미의 경기 방식을 나타내기도 한다. 스포츠 정신은 인간의 정신과 심신의 찬양이며, 스포츠를 통하여 발견한 다음과 같은 가치를 반영한다.

- 윤리, 페어플레이, 정직
- 건강
- 우수한 경기력
- 품성 및 교육
- 재미와 즐거움
- 협동 정신
- 헌신과 책임
- 규칙과 법령의 준수
- 용기
- 자기 자신과 다른 참가자를 존중하는 자세
- 공동체 의식과 연대 의식

꼭 외우는 키워드 □ 스포츠 □ 본질적 가치 □ 스포츠 정신 □ 올림픽 정신 □ 윤리 □ 페어플레이 □ 정직 □ 건강 □ 우수한 경기력 □ 품성 및 교육 □ 재미와 즐거움 □ 협동 정신 □ 헌신과 책임 □ 규칙과 법령의 준수 □ 용기 □ 존중하는 자세 □ 공동체 의식 □ 연대 의식

19 ★★★

도핑방지규정 위반에 대해 설명하시오.

① 선수의 시료 내에 금지 약물, 그 대사 물질 또는 표지자가 존재하는 경우
② 선수의 금지 약물 또는 금지 방법의 사용 또는 사용 시도
③ 시료 채취 제공의 회피, 거부 또는 실패
④ 소재지 정보 실패
⑤ 도핑 관리 과정의 특정 부분에 대한 부정행위 및 부정행위의 시도
⑥ 금지 약물 또는 금지 방법의 소지
⑦ 금지 약물 또는 금지 방법의 부정 거래 또는 부정 거래의 시도
⑧ 경기 기간 중에 선수에게 금지 약물 또는 금지 방법의 투여 또는 투여 시도, 또는 선수에게 경기 기간 외 검사에서 금지되는 금지 약물 또는 금지 방법의 경기기간 외 투여 또는 투여 시도
⑨ 공모
⑩ 금지된 연루

꼭 외우는 키워드
□ 시료 내 □ 금지 약물, 대사 물질, 표지자 □ 금지 약물, 금지 방법
□ 사용, 사용 시도 □ 시료 채취 제공 □ 회피, 거부, 실패
□ 소재지 정보 실패 □ 금지약물, 금지 방법 □ 소지
□ 부정 거래, 부정 거래 시도 □ 경기 기간 중 □ 경기 기간 외
□ 투여, 투여 시도 □ 공모 □ 금지된 연루

20 ★

도핑방지규정의 위반에 대한 제재에 대해 설명하시오.

도핑방지규정 위반에 대해 부과되는 자격 정지 기간은 한국도핑방지규정 제10조에 따른 제재 결정에 따른다.
① 첫 번째 위반: 일반부는 400만 원, 학생부는 200만 원에 해당하는 과징금을 부과한다. 단, 전국체육대회 도핑방지규정 위반 시에는 1,000만 원의 과징금을 부과한다.
② 두 번째 위반: 일반부는 1,000만 원, 학생부는 500만 원에 해당하는 과징금을 부과한다. 단, 전국체육대회 도핑방지규정 위반 시에는 1,500만 원의 과징금을 부과한다.
③ 세 번째 위반: 1,500만 원에 해당하는 과징금을 부과한다. 단, 전국체육대회 도핑방지규정위반 시에는 2,500만 원의 과징금을 부과한다.

꼭 외우는 키워드
□ 일반부 400만 원 □ 학생부 200만 원
□ 전국체육대회 규정 위반 1,000만 원 □ 일반부 1,000만 원
□ 학생부 500만 원 □ 전국체육대회 규정 위반 1,500만 원
□ 1,500만 원 □ 전국체육대회 규정 위반 2,500만 원

21 ★★

도핑 방지를 위한 선수의 역할과 책임에 대해 말하시오.

① 도핑방지규정 및 한국도핑방지규정에 규정된 모든 도핑 방지 정책과 규정을 숙지하고 준수하여야 한다.
② 시료 채취가 언제나 가능하도록 하여야 한다.
③ 도핑 방지와 관련하여 선수가 사용하고 복용한 모든 물질에 대하여 책임을 진다.
④ 의료진에게 선수로서 금지 약물 및 금지 방법을 사용하지 않아야 할 책임이 있음을 고지하고, 어떠한 의료 처치도 본 도핑방지규정 및 한국도핑방지규정에 규정된 도핑 방지 정책 및 규정에 위반되지 않도록 확인 할 책임을 진다.
⑤ 과거 10년 내에 선수가 도핑방지규정을 위반하였다고 결정한 비가맹기구의 모든 결정을 국제경기연맹 및 한국도핑방지위원회에 공개하여야 한다.
⑥ 도핑방지규정위반을 조사하는 도핑방지기구에 협력하여야 한다.

꼭 외우는 키워드 □ 도핑 방지 정책 및 규정 □ 숙지 및 준수 □ 시료 채취 협조 □ 의료진 □ 책임 □ 10년 내 □ 비가맹기구 결정 공개 □ 도핑방지기구 협력

22 ★★★

'의도하지 않은 도핑'에 대해 말하시오.

선수의 부주의 또는 실수로 자신도 모르게 섭취한 금지 약물이 도핑 테스트 결과에 검출되는 것으로, 질병이나 부상의 치료 과정, 보충제의 섭취 시 나타날 수 있다. 도핑방지규정 위반 행위는 선수의 고의성 여부와 무관하게 성립되며, 세계도핑방지기구는 엄격한 책임 원칙을 채택하고 있다. 선수가 자신에게 과실 또는 부주의가 없음을 입증할 수 있는 경우 제재를 감경 또는 면제받을 수 있는 가능성을 규정하고 있으나, 이 규정을 적용받을 수 있는 경우는 거의 없다.

꼭 외우는 키워드 □ 부주의 □ 실수 □ 금지 약물 □ 도핑 테스트 □ 검출 □ 고의성

23 ★★

도핑과 관련한 치료목적사용면책에 대해 설명하시오.

① 금지 약물 또는 그 대사 물질 또는 표지자의 존재, 금지 약물 또는 금지 방법의 사용 및 사용 시도, 소지 또는 투여 및 투여 시도가 「치료목적사용면책국제표준」에 따라 부여된 치료목적사용면책규정에 합치된다면 도핑방지규정 위반으로 간주되지 않는다.
② 금지 약물 또는 금지 방법을 치료 목적으로 국내 수준의 선수가 사용하여야 하는 경우, 그 필요성이 발생했을 때에는 가능한 한 빠른 시일 내에, 그리고 선수의 출전 예정 경기일(응급 상황 또는 극히 예외적인 상황 또는 국제 표준 제4.3항이 적용되는 경우는 제외)의 최소한 30일 전에 치료 목적 사용 면책을 신청하여야 한다.

꼭 외우는 키워드 □ 치료목적사용면책국제표준 □ 치료목적사용면책규정 합치 □ 치료 목적 □ 가능한 빠른 시일 내 □ 출전 예정 경기일 최소 30일 전 □ 치료 목적 사용 면책 신청

24 ★ 보디빌딩의 정의에 대해 설명하시오.	바벨, 덤벨, 익스팬더 등의 기구를 사용하여 여러 가지 방법으로 근육 혹은 체력을 단련하는 운동이다. 꼭 외우는 키워드 □ 기구 □ 근육 □ 체력 □ 단련 □ 운동
25 ★ 국내에 보디빌딩을 누가 전파하였는지 말하시오.	문곡 서상천 선생이 우리나라에 역도와 보디빌딩을 함께 전파했다. 꼭 외우는 키워드 □ 문곡 □ 서상천 □ 역도 □ 보디빌딩
26 ★ 보디빌딩의 역사에 대해 설명하시오.	역도와 보디빌딩의 발생을 비슷하게 본다. 창시자는 독일의 유진 샌도우(Euegen Sandow)이며, 1949년 문곡 서상천 선생이 우리나라에 역도와 함께 보디빌딩을 보급했다. 1950년경부터 보디빌딩의 과학적 연구를 진행하였고, 그 후 전 세계적으로 보디빌딩이 보급되었다. 꼭 외우는 키워드 □ 독일 □ 유진 샌도우 □ 1949년 □ 문곡 □ 서상천
27 ★★ 보디빌딩이 아시안게임의 정식 종목으로 채택된 연도와 도시를 말하시오.	2002년 부산아시안게임에서 정식 종목으로 채택되었다. 꼭 외우는 키워드 □ 2002년 □ 부산
28 ★ 우리나라에서 체중으로 보디빌딩의 체급을 분류하기 시작한 해를 말하시오.	우리나라에서는 1979년부터 체중으로 보디빌딩의 체급을 분류했다. 꼭 외우는 키워드 □ 1979년 □ 체중 □ 체급
29 ★★★ 보디빌딩과 역도의 차이점에 대해 설명하시오.	보디빌딩은 벌크 업을 목적으로 최대 근력 70~85%의 무게로 1세트 8~12회를 실시한다. 역도는 파워 업을 목적으로 최대 근력 80% 이상의 무게로 1세트 1~3회를 실시한다. 꼭 외우는 키워드 □ 벌크 업 □ 최대 근력 70~85% □ 1세트 8~12회 □ 파워 업 □ 최대 근력 80% 이상 □ 1세트 1~3회

30 ★★★

보디빌딩의 효과에 대해 설명하시오.

근력, 근지구력, 심폐 지구력, 유연성, 기초 체력이 향상되고, 체지방 감량, 자세 교정 등으로 건강하고 아름다운 신체를 가질 수 있다.

꼭 외우는 키워드 □ 근력 □ 근지구력 □ 심폐 지구력 □ 유연성 □ 기초 체력 □ 체지방 감량 □ 자세 교정

31 ★★

보디빌딩 관련 기관 및 협회를 말하시오.

① 세계보디빌딩연맹(International Federation of Bodybuilding and Fitness: IFBB)
② 대한보디빌딩협회(Korea Bodybuilding & Fitness Federation: KBBF)
③ 아시아보디빌딩연맹(Asian Bodybuilding Federation: ABBF)
④ 한국도핑방지위원회(Korea Anti-Doping Agency: KADA)

꼭 외우는 키워드 □ 세계보디빌딩연맹 □ 대한보디빌딩협회 □ 아시아보디빌딩연맹 □ 한국도핑방지위원회

32 ★

보디빌딩의 경기장 규격에 대해 설명하시오.

경기장의 규격은 최소 가로 6m, 세로 1.5m, 높이 0.6m이어야 하고, 근육을 잘 비춰 줄 수 있도록 조명이 설치되어야 한다. 단상 정면에는 IFBB 로고를 붙이고, 선수들이 맨발로 무대에 서기 때문에 바닥에는 카펫이 깔려 있어야 한다.

꼭 외우는 키워드 □ 가로 6m □ 세로 1.5m □ 높이 0.6m □ 조명 □ IFBB 로고 □ 카펫

33 ★

보디빌딩의 심판 및 심사 기준에 대해 설명하시오.

(1) **심판**
① 심판위원장 1명, 심판장 1명, 심판원 9명
② 심판원마다 예비 심판원 배정
③ 여성 시합의 경우 여성 심판 4명 이상

(2) **심사 기준**
① 벌크 업(Bulk-up): 근육의 크기를 심사한다.
② 데피니션(Definition): 근육의 선명도를 심사한다.
③ 컷(Cut): 근육의 윤곽이 각을 이룬 상태를 심사한다.

꼭 외우는 키워드 □ 심판위원장 1명 □ 심판장 1명 □ 심판원 9명 □ 벌크 업 □ 근육 크기 □ 데피니션 □ 근육 선명도 □ 컷 □ 근육 윤곽의 각

34 ★

보디빌딩 종목에 대해 설명하시오.

① 보디빌딩(Bodybuilding): 남자 보디빌딩(Men's Bodybuilding)은 유고슬라비아의 베오그라드에서 있었던 1970년 IFBB 총회에서 현대 스포츠 분야로 공식적인 인정을 받았다. 여자 보디빌딩(Women's Bodybuilding)은 1982년 벨기에 브뤼헤의 IFBB 총회에서 스포츠 분야로 인정받았지만, 모로코의 마라케시에서 개최된 2013년 IFBB 총회에서 승인을 취소하면서 여자 피지크(Women's Physique)로 대체되었다.

② 클래식 보디빌딩(Classic Bodybuilding): 남자 클래식 보디빌딩(Men's Classic Bodybuilding)은 중국의 상하이에서 있었던 2005년 IFBB 총회에서 현대 스포츠 분야로 공식적인 인정을 받았다. 클래식 보디빌딩은 현재의 보디빌딩 선수와는 다른, 전 세계적으로 근육을 덜 발달시키는 것을 선호하는 수요 증가에 반응한 종목이다. 클래식 보디빌딩은 탄탄하고 미적으로 보기 좋아야 한다.

③ 피지크(Physique): 여자 피지크(Women's Physique)는 에콰도르의 과야킬에서 있었던 IFBB 총회 및 집행 위원회로부터 2012년 11월 11일에 새로운 스포츠로 공식 인정을 받았다. 여자 피지크는 근육을 덜 발달시키는 것을 선호하는 여성을 대상으로 구성되었다. 여자 피지크는 탄탄하고 미적으로 보기 좋아야 한다.

④ 보디 피트니스(Body Fitness): 여자 보디 피트니스(Women's Body Fitness)는 이집트의 카이로에서 있었던 IFBB 총회 및 집행 위원회로부터 2002년 10월 27일에 새로운 스포츠로 공식적인 인정을 받았다.

⑤ 비키니 피트니스(Bikini Fitness): 여자 비키니 피트니스(Women's Bikini Fitness)는 아제르바이잔의 바쿠에서 있었던 IFBB 총회 및 집행 위원회로부터 2010년 11월 7일에 새로운 스포츠로 공식적인 인정을 받았다.

꼭 외우는 키워드

☐ 보디빌딩 ☐ 남자 ☐ 유고슬라비아 ☐ 베오그라드 ☐ 1970년
☐ 여자 ☐ 1982년 ☐ 벨기에 ☐ 브뤼헤 ☐ 모로코
☐ 마라케시 ☐ 2013년 ☐ 승인 취소 ☐ 클래식 보디빌딩
☐ 중국 ☐ 상하이 ☐ 2005년 ☐ 여자 피지크 ☐ 에콰도르
☐ 과야킬 ☐ 2012년 ☐ 보디 피트니스 ☐ 이집트 ☐ 카이로
☐ 2002년 ☐ 비키니 피트니스 ☐ 아제르바이잔 ☐ 바쿠 ☐ 2010년

35 ★

남자 보디빌딩의 카테고리와 체급에 대해 말하시오.

세계선수권대회 보디빌딩 경기는 남자 보디빌딩 7개 체급, 남자 주니어 보디빌딩 2개 체급, 남자 마스터스 보디빌딩 12개 체급으로 나뉜다.

(1) **남자 보디빌딩–7개 체급**

① Bantam weight: 65Kg 이하*
② Light weight: 70Kg 이하
③ Welter weight: 75Kg 이하
④ Middle weight: 80Kg 이하
⑤ Light – Heavy weight: 90Kg 이하
⑥ Heavy weight: 100Kg 이하
⑦ Super–Heavy weight: 100Kg 초과

*65kg 이하는 아시아 또는 남미에서 개최될 경우에만 해당

(2) **남자 주니어* 보디빌딩–2개 체급**

① Light weight: 75Kg 이하
② Heavy weight: 75Kg 초과

*주니어 참가 연령은 만 16세 ~ 23세 이하

(3) **남자 마스터스 보디빌딩–12개 체급**

가. 40세~44세
① Ligh tweight: 70Kg 이하
② Middle weight: 80Kg 이하
③ Light–Heavy weight: 90Kg 이하
④ Heavy weight: 90Kg 초과

나. 45세~49세
① Light weight: 70Kg 이하
② Middle weight: 80Kg 이하
③ Light–Heavy weight: 90Kg 이하
④ Heavy weight: 90Kg 초과

다. 50세~54세
① Middle weight: 80Kg 이하
② Heavy weight: 80Kg 초과

라. 55세 이상
① Middle weight: 75Kg 이하
② Heavy weight: 75Kg 초과

꼭 외우는 키워드 □ 남자 보디빌딩 □ 7개 체급 □ 남자 주니어 보디빌딩 □ 2개 체급 □ 남자 마스터스 보디빌딩 □ 12개 체급

36 ★

남자 보디빌딩의 라운드에 대해 설명하시오.

① 예선-예선라운드(Elimination Round): 4개 규정 포즈(Four Mandatory Poses)
② 예선-제1라운드(Round 1): 4개 규정 포즈 및 7개 규정 포즈 비교 심사(Four Mandatory Poses and Comparisons of Seven Mandatory Poses)
③ 결선-제2라운드(Round 2): 7개 규정 포즈 및 포즈 다운(Seven Mandatory Poses and Posedown)
④ 결선-제3라운드(Round 3): 개인별 자유 포즈 60초(Free Posing Routines-60 sec)

꼭 외우는 키워드 □ 예선라운드 □ 제1라운드 □ 제2라운드 □ 제3라운드

37 ★★★

남자 보디빌딩 규정 포즈에 대해 설명하시오.

① 프론트 더블 바이셉스(Front Double Biceps): 전면 이두근 및 전완근의 발달 정도를 심사한다.
② 프론트 랫 스프레드(Front Lat Spread): 전면 광배근의 발달 정도를 심사한다.
③ 사이드 체스트(Side Chest): 가슴 근육, 이두근과 종아리 발달 정도를 심사한다.
④ 백 더블 바이셉스(Back Double Biceps): 등 근육의 밀도와 곡선 전체의 발달 정도를 심사한다.
⑤ 백 랫 스프레드(Back Lat Spread): 광배근의 신축성과 등 근육의 강도, 부피와 발달 정도를 심사한다.
⑥ 사이드 트라이셉스(Side Triceps): 가슴과 허벅다리, 종아리의 근육 발달 정도를 심사한다.
⑦ 업도미널 앤 타이(Abdominal & Thighs): 복부 근육과 다리 근육 발달 정도를 심사한다.

꼭 외우는 키워드 □ 프론트 더블 바이셉스 □ 프론트 랫 스프레드 □ 사이드 체스트 □ 백 더블 바이셉스 □ 백 랫 스프레드 □ 사이드 트라이셉스 □ 업도미널 앤 타이

38 ★★★

남자 보디빌딩 경기의 복장 규정에 대해 설명하시오.

경기복은 단색이어야 하고 투명하지 않은 깔끔하고 단정한 경기 복장을 착용한다. 트렁크(trunk)의 색상, 섬유, 질감 및 스타일은 선수들의 재량으로 선택할 수 있으며, 트렁크는 최소 대둔근의 3/4를 가려야 한다. 또한 전면은 덮어 가려져야 하고, 측면은 최소 1cm 폭이어야 한다.

꼭 외우는 키워드 □ 단색 □ 불투명 □ 깔끔 □ 단정 □ 트렁크 □ 선수 재량 □ 대둔근 3/4 □ 측면 최소 1cm 폭

39 ★★★

남자 보디빌딩 경기의 복장 규정 위반에 대해 설명하시오.

트렁크 안에 패딩을 넣는 것은 금지된다. 선수들은 결혼반지를 제외하고 신발, 안경, 시계, 팔찌, 목걸이, 귀걸이, 가발, 산란한 장식, 인공 모조품을 착용할 수 없다. 임플란트 또는 액상 주사를 사용하여 근육 또는 신체의 자연적인 형태를 변형하는 것은 엄격하게 금지된다.

꼭 외우는 키워드 □ 트렁크 안 □ 패딩 □ 신발 □ 안경 □ 시계 □ 팔찌 □ 목걸이 □ 귀걸이 □ 가발 □ 산란한 장식 □ 인공 모조품 □ 자연적 형태 변형 □ 금지

40 ★★★

여자 피지크 경기의 규정 포즈에 대해 설명하시오.

① 프론트 포즈(Front Pose): 전면 이두근 및 전완근의 발달 정도를 심사한다.
② 사이드 체스트(Side Chest): 가슴 근육, 이두근과 종아리 발달 정도를 심사한다.
③ 백 포즈(Back Pose): 등 근육의 밀도와 곡선 전체의 발달 정도를 심사한다.
④ 사이드 트라이셉스(Side Triceps): 가슴과 허벅다리, 종아리의 근육 발달 정도를 심사한다.

꼭 외우는 키워드 □ 프론트 포즈 □ 사이드 체스트 □ 백 포즈 □ 사이드 트라이셉스

41 ★★

여자 피지크 경기의 평가 기준에 대해 설명하시오.

① 1~2라운드: 전반적인 체격의 느낌을 시작으로 머리 스타일 및 화장, 전반적인 근골격의 발달, 균형, 체격의 대칭적인 발달, 피부 및 피부색의 상태 및 무대 위에서의 자신감을 표현하는 능력을 평가한다. 항상 여자 피지크 선수는 '건강, 조화, 탄탄한 모습, 근육이 발달된 체격'을 매력적으로 함께 보여주어야 한다.
② 3라운드: 근육, 선명도, 스타일, 우아함, 개성, 탄탄함, 전반적인 안무 과정을 평가한다. 아울러 예술성 및 매끄럽고 훌륭한 안무 과정과 그 과정 안에 규정 포즈가 포함되어 있는지를 평가한다.

꼭 외우는 키워드 □ 전반적인 체격 □ 머리 스타일 □ 화장 □ 근골격 발달, 균형 □ 체격의 대칭 발달 □ 피부, 피부색의 상태 □ 자신감 표현 □ 건강 □ 조화 □ 탄탄한 모습 □ 근육 발달 체격 □ 근육 □ 선명도 □ 스타일 □ 우아함 □ 개성 □ 탄탄함 □ 전반적 안무 과정 □ 예술성 □ 규정 포즈

42 ★★★

여자 피지크 경기 중 감점 요인에 대해 설명하시오.

과도한 근육 스타일이거나 혈관 및 근육의 선명도 등이 이전의 여자 보디빌딩 선수와 비슷하면 감점된다. 또한 과도하게 마르거나 셀룰라이트가 있어도 감점된다.

꼭 외우는 키워드 □ 과도한 근육 □ 근육 선명도 □ 여자 보디빌딩 선수 □ 과도한 마름 □ 셀룰라이트

43 ★★

여자 피지크 경기의 구성에 대해 설명하시오.

여자 피지크 경기는 다음 4개의 라운드로 구성된다.

① 예선 – 예선라운드(Elimination Round): 4개 규정 포즈(Four Mandatory Poses)
② 예선 – 제1라운드(Round 1): 4개 규정 포즈, 쿼터 턴 및 규정 포즈 비교 심사(Four Mandatory Poses, comparisons in Quater Turns and Mandatory Poses)
③ 결선 – 제2라운드(Round 2): 규정 포즈 및 포즈 다운(Mandatory Poses and Posedown)
④ 결선 – 제3라운드(Round 3): 개인별 자유 포즈 심사 30초(Free Posing Routines – 30 sec)

꼭 외우는 키워드 ☐ 예선 라운드 ☐ 예선 제1라운드 ☐ 결선 제2라운드 ☐ 결선 제3라운드

44 ★★★

여자 피지크 경기의 복장 규정에 대해 설명하시오.

경기복은 투명하지 않은 일반 비키니(투피스)를 착용하며, 최소 대둔근(둔부)의 1/2 이상과 전면을 가리는 비키니를 착용하여야 하고 비키니의 상태는 좋아야 한다.

꼭 외우는 키워드 ☐ 불투명 ☐ 일반 비키니(투피스) ☐ 대둔근 1/2 ☐ 전면 가리는 비키니

45 ★★★

여자 피지크 경기의 복장 규정 위반에 대해 설명하시오.

끈으로 된 비키니는 엄격하게 금지되며, 결혼반지, 팔찌 및 귀걸이를 제외한 장신구, 안경, 시계, 가발 및 인공 모조품을 착용할 수 없다. 또한 임플란트 또는 액상 주사를 사용하여 근육 또는 신체의 자연적인 형태를 변형하는 것은 엄격하게 금지된다(단, 인공 유방 확대술 제외).

꼭 외우는 키워드 ☐ 끈 비키니 ☐ 결혼반지, 팔찌, 귀걸이 제외 장신구 ☐ 안경 ☐ 시계 ☐ 가발 ☐ 인공 모조품 ☐ 자연적 형태 변형 ☐ 금지

46 ★★★

컬러링 규정과 대회 컬러 크림 규정에 대해 설명하시오.

지워질 수 있는 탄 및 브론저(bronzer) 사용을 금지한다. 만약에 간단하게 태닝 로션이 지워진다면 선수는 무대로 들어갈 수 없다. 예선 24시간 전에 사용한 인공 착색이나 셀프 태닝 제품은 허용된다. 전문적인 경기 태닝 방법(에어 브러시 & 캐빈 스프레이 태닝)은 전문적인 회사나 자격이 있는 개인에게 받을 경우에 사용할 수 있다. 누가 선수들 몸에 발라주는가와 관계없이 광택, 광채, 윤이 나는 펄 및 황금빛 색의 사용은 엄격하게 금지되며 사용하는 태닝 로션에 섞여 있어도 허용되지 않는다. 또한 적당한 보디 오일과 보습제는 사용할 수 있으나, 오일의 과도한 사용은 엄격하게 금지한다.

꼭 외우는 키워드 ☐ 지워지는 탄, 브론저 ☐ 예선 24시간 전 ☐ 인공 착색 ☐ 셀프 태닝 ☐ 전문적 경기 태닝 방법 ☐ 전문 회사 ☐ 자격 있는 개인 ☐ 광택 ☐ 광채 ☐ 윤이 나는 펄 ☐ 황금빛 색 ☐ 과도한 오일 사용

CHAPTER

2 스포츠 인권

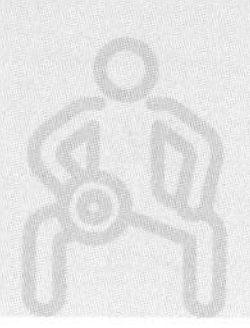

01 ★★

성희롱, 성추행, 강제 추행, 성폭행, 성폭력에 대해 설명하시오.

성희롱	말과 행동 등으로 성적 수치심을 불러일으키는 행위이다.
성추행	신체 접촉 등을 통해 혐오감(굴욕감)을 주는 행위이다.
강제 추행	폭행과 협박 등을 통해 타인을 강제적으로 추행하는 행위이다.
성폭행	강제적으로 성관계를 요구하거나 실행하는 행위이다.
성폭력	성희롱, 성추행, 강제 추행, 성폭행의 요소를 포함하는 가장 큰 범주(성적 자기 결정권을 침해)이다.

꼭 외우는 키워드 □ 말, 행동 □ 성적 수치심 □ 신체 접촉 □ 혐오감(굴욕감) □ 폭행, 협박 □ 강제 추행 □ 강제 성관계 요구 및 실행 □ 가장 큰 범주 □ 성적 자기 결정권 침해

02 ★★

스포츠 폭력의 정의를 말하시오.

스포츠 영역에서 스포츠인을 대상으로 폭행 및 감금, 갈취, 강요, 협박 등 정신적 · 신체적 · 금전적으로 피해를 가하는 것을 의미한다.

꼭 외우는 키워드 □ 스포츠인 대상 □ 폭행 □ 감금 □ 갈취 □ 강요 □ 협박 □ 정신적 · 신체적 · 금전적 피해

03 ★★★

스포츠 폭력의 예방법 및 대처법에 대해 설명하시오.

(1) **예방법**

① 지도자는 선수 모두를 공평하게 대해야 한다.

② 인격이나 명예를 훼손하는 등의 언행을 하지 않아야 한다.

③ 사전에 선수에게 훈련 방법 및 과정 등을 상세히 설명하고 대화를 통해 충분한 의견을 수렴할 수 있도록 한다.

(2) **대처법**

① 피해자의 안전 보호를 최우선으로 두고 진위 파악, 증거 확보 등의 조사를 진행한다.

② 가해자 및 사건 연루자에게 사건의 심각성을 인식하게 하고 처벌과 재발 방지를 위한 교육을 실시한다.

꼭 외우는 키워드 □ 공평 □ 인격 훼손 □ 명예 훼손 □ 언행 □ 상세한 설명 □ 대화 □ 의견 수렴 □ 피해자 안전 보호 □ 조사 □ 처벌 □ 재발 방지 교육

04 ★★

스포츠 성폭력의 정의를 말하시오.

스포츠인이 자신의 지위와 권력 등을 이용하여 타인에게 신체적 · 언어적 · 정신적으로 성적 자기 결정권을 착취하는 행동을 의미한다.

꼭 외우는 키워드 □스포츠인 □지위 □권력 □성적 자기 결정권 □착취

05 ★★★

스포츠 성폭력의 예방법 및 대처법에 대해 설명하시오.

(1) **예방법**

① 훈련 및 상담 시 공적인 공간을 활용한다.

② 훈련 시 신체 접촉을 최소화하고 필요할 경우 먼저 상대방의 동의를 구한다.

③ 신체나 외모에 대한 성적 언급이나 성적 농담을 하지 않는다.

④ 성폭력 예방과 대처에 대한 책임을 인지하고 방지를 위해 최선을 다한다.

⑤ 성폭력은 이성 간에만 발생하는 것이 아니며 동성 간에도 성적 굴욕감을 느낄 수 있음을 인지한다.

(2) **대처법**

① 성적 불쾌감과 수치심을 느낄 때 즉시 알리고 그 행위를 중단하도록 요구한다.

② 비의도적 신체 접촉이 발생했을 경우 고의가 아님을 분명히 밝히고 사과한다.

③ 성폭력 발생 시 피해자 보호를 최우선으로 하고 신뢰 관계가 있는 사람이나 전문 기관에 알려 도움을 받도록 한다.

꼭 외우는 키워드 □공적인 공간 □신체 접촉 최소화 □상대 동의 □성적 언급 □성적 농담 □성폭력 예방 및 대처 □책임 인지 □최선 □동성 간 성적 굴욕감 □성적 불쾌감 □수치심 □중단 요구 □비의도적 신체 접촉 □사과 □피해자 보호 □최우선 □신뢰 관계 □전문 기관

06 ★★★

스포츠 성폭력 피해자의 대처 방법에 대해 설명하시오.

① 피해자는 추가 피해를 막기 위해 피해 상황에서 즉시 벗어날 수 있도록 해야 한다.

② 피해 옷차림 그대로 즉시 병원을 방문하여 진찰을 받는다.

③ 피해 사실에 대한 기록 및 증거 자료를 확보한다.

④ 스포츠인권센터, 한국성폭력상담소, 수사 기관, 동료, 지도자, 부모님 등에게 도움을 요청한다.

⑤ 외상이나 심리적 트라우마에 시달리지 않도록 치료에 적극적으로 임한다.

꼭 외우는 키워드 □피해 상황 □즉시 □벗어남 □피해 옷차림 □병원 진찰 □기록 □증거 자료 □스포츠인권센터 □한국성폭력상담소 □수사 기관 □동료 □지도자 □부모님 □적극 치료

07 ★★★

성 그루밍에 대해 설명하시오.

피해자와 오랜 기간 동안 친분을 쌓아 심리적으로 지배한 후 언어적·신체적·성적 착취를 가하는 것을 의미한다.

꼭 외우는 키워드 □ 오랜 기간 □ 친분 □ 심리적 지배 □ 언어적·신체적·성적 착취

08 ★★★

성인지 감수성에 대해 설명하시오.

성별 간의 사회적 불평등을 인지하고 일상생활 속에서 성차별적 요소를 감지해 내는 민감성을 의미한다.

꼭 외우는 키워드 □ 성별 간 □ 사회적 불평등 □ 일상생활 □ 성차별적 요소 □ 감지 □ 민감성

CHAPTER

3 트레이닝 방법론

01 ★★

웨이트 트레이닝의 효과에 대해 설명하시오.

웨이트 트레이닝의 효과에는 힘을 발휘할 수 있는 능력인 근력의 증대, 단위 시간당 힘을 낼 수 있는 능력인 파워의 증대, 근육의 형태 변화가 있다.

꼭 외우는 키워드 □ 근력 증대 □ 파워 증대 □ 근육 형태 변화

02 ★★

웨이트 트레이닝의 신체적 효과에 대해 설명하시오.

웨이트 트레이닝은 신체의 체력 강화, 근력 및 근지구력 향상, 심폐 기능 및 유연성을 향상시키는 효과가 있다. 이와 더불어 뼈의 굵기 증가와 체중 조절에도 영향을 미친다.

꼭 외우는 키워드 □ 체력 강화 □ 근력 향상 □ 근지구력 향상 □ 심폐 기능 향상 □ 유연성 향상 □ 뼈의 굵기 증가 □ 체중 조절

03 ★★★

웨이트 트레이닝을 하면 근육이 비대해지는 이유에 대해 설명하시오.

근력 훈련으로 근육이 비대해지는 정확한 기전은 밝혀지지 않고 있으나, 운동 시 단백질의 합성과 이화가 함께 증가하는데 합성 속도가 이화 속도를 능가하기 때문에 근원세사의 단백질량이 증가한다고 본다. 특히, 저항 운동은 mRNA의 보다 효율적인 번역(Translation) 작용을 자극함으로써 근원섬유의 단백질 합성을 촉진하기 때문에 근육이 비대해진다고 학계에서 주장하고 있다.

꼭 외우는 키워드 □ 단백질 합성 □ 단백질 이화 □ 합성 속도 □ 이화 속도 □ 능가 □ 저항 운동 □ 번역 작용 □ 단백질 합성 촉진

04 ★★★

데피니션과 세퍼레이션에 대해 설명하시오.

데피니션(Definition)은 근육의 선명도로 근육의 형태가 또렷하게 나타나는 것이고, 세퍼레이션(Separation)은 근육의 갈라짐으로 근육과 근육의 경계선이 명확히 분리되는 것이다.

꼭 외우는 키워드 □ 데피니션 □ 근육 선명도 □ 세퍼레이션 □ 근육 갈라짐

05 ★★★

스트리에이션에 대해 설명하시오.

스트리에이션(Striation)은 근육의 다발(근육의 줄무늬)이 잘 발달된 상태이다.

꼭 외우는 키워드 □ 근육 다발 □ 근육 줄무늬 □ 발달

06 ★★

웨이트 트레이닝의 정신적 효과에 대해 설명하시오.

웨이트 트레이닝은 신체의 긴장 감소, 스트레스 해소, 생활의 활력을 제공하며, 자신감 증가, 생활 만족, 삶의 질을 향상 시키는 효과가 있다.

꼭 외우는 키워드 □ 긴장 감소 □ 스트레스 해소 □ 활력 제공 □ 자신감 증가 □ 생활 만족 □ 삶의 질 향상

07 ★★★

준비 운동의 필요성과 효과에 대해 설명하시오.

준비 운동인 웜 업과 스트레칭을 하면 체온이 상승하고 유연성이 향상되어 부상을 방지할 수 있고 관절의 가동 범위 증가, 운동 능력 향상의 효과를 얻을 수 있다.

꼭 외우는 키워드 □ 웜 업 □ 스트레칭 □ 부상 예방 □ 관절 가동 범위 증가 □ 운동 능력 향상

08 ★★

트레이닝의 종류에 대해 설명하시오.

① 플라이오메트릭 트레이닝(Plyometric Training): 가능한 짧은 시간에 최대 근력을 발휘할 수 있는 활동을 의미하며, 근육의 자연적 탄성 요소와 신전 반사에 의해서 근 파워를 증가시키는 트레이닝 방법이다.

② 서키트 트레이닝(Circuit Training): 서키트(Circuit)란 순회 또는 순환이라는 뜻으로 몇 가지 운동 동작을 세트화하여 실시하는 트레이닝 방법이다. 기초 체력 양성과 심폐 기능 강화를 위해 실시한다.

③ 인터벌 트레이닝(Interval Training): 완전한 휴식이 아닌 불완전한 휴식을 통하여 신체의 피로를 충분히 회복시키기 전에 다시 운동을 실시하는 방법이다.

④ 레피티션 트레이닝(Repetition Training): 운동 후 완전한 휴식을 취한 후 트레이닝을 반복하는 방법이다.

꼭 외우는 키워드 □ 플라이오메트릭 트레이닝 □ 짧은 시간 □ 최대 근력 □ 서키트 트레이닝 □ 세트화 □ 인터벌 트레이닝 □ 불완전 휴식 □ 레피티션 트레이닝 □ 완전한 휴식

09 ★★★

트레이닝의 5가지 원리에 대해 설명하시오.

① 과부하의 원리: 운동 시 일상적인 자극 이상의 물리적 운동 자극을 신체에 주는 원리이다.

② 점진성의 원리: 신체 기능의 발달을 위해서 점진적으로 부하를 올리는 원리이다.

③ 반복성의 원리: 신체가 적응할 수 있도록 운동을 장기간 반복적으로 시행하는 원리이다.

④ 개별성의 원리: 개개인의 특성에 따라 맞춤형 운동을 하는 원리이다.

⑤ 특이성의 원리: 운동 효과는 운동 중 사용된 특정 부위에 한정되어 나타난다는 원리이다.

꼭 외우는 키워드 □ 과부하의 원리 □ 물리적 운동 자극 □ 점진성의 원리 □ 점진적 부하 증가 □ 반복성의 원리 □ 장기간 반복 □ 개별성의 원리 □ 맞춤형 운동 □ 특이성의 원리 □ 특정 부위

10 ★★★

초급자의 트레이닝 원리에 대해 설명하시오.

① 분리 원리: 신체를 부위별로 구분하여 훈련하는 것을 의미한다.

② 점진적 과부하 원리: 근육의 근력, 근지구력 등을 높이기 위해 점진적으로 근육에 부하를 주어야 하는 원리로 점차적으로 트레이닝 기간 및 세트 수를 증가시키는 것을 의미한다.

③ 세트 시스템 원리: 자신의 신체 조건에 맞춰 신체의 각 근육 부위마다 한 가지 운동을 3~4세트씩 행하는 원리로 한 근육 부위를 집중적으로 훈련함으로써 해당 부위를 지치게 하거나 더욱 강화시키는 것을 의미한다.

④ 혼동 원리: 근육의 성장을 위한 하나의 방법으로 자극을 주는 것이 아니라 근육에 가해지는 세트 수, 반복 횟수 등에 다양한 변화를 주어 근육에 혼동을 주는 것을 의미한다.

꼭 외우는 키워드
- □ 분리 원리 □ 부위별 훈련 □ 점진적 과부하 원리 □ 근육 부하
- □ 세트 시스템 원리 □ 한 가지 운동 □ 3~4세트 □ 혼동 원리
- □ 다양한 변화 □ 근육 혼동

11 ★★★

중급자의 트레이닝 원리에 대해 설명하시오.

① 슈퍼 세트 원리: 서로 반대 작용을 하는 근육을 단련하는 운동으로 두 종류를 묶어서 세트 사이에 휴식 없이 실시한다. 예를 들면 상완 이두근과 상완 삼두근, 가슴과 등, 대퇴 사두근과 대퇴 이두근 등의 부위를 묶어서 훈련하는 것이다.

② 피라미드 원리: 신체의 부상을 줄이기 위해 첫 세트는 비교적 가벼운 부하로, 최대 근력의 70%로 15회 정도 실시하고, 부하가 무거워질수록 반복 횟수는 10~12회로 감소시키며, 최대 근력의 80% 정도일 때 5~6회 반복하여 훈련하는 것을 의미한다.

③ 컴파운드 세트 원리: 신체의 동일한 근육 부위에 두 가지 이상의 운동을 연속하여 실시하는 훈련을 의미한다.

④ 스플릿 원리: 신체에 고강도 부하를 제공하기 위해 하루에 몸 전체의 근육 부위를 운동하지 않고 2~3개의 부위로 나누어 각 부분에 교대로 실시하는 훈련을 의미한다.

⑤ 플러싱 원리: 신체의 한 부분에 몇 가지 운동으로 집중적인 부하를 전달하여 해당 부위를 충혈시키는 훈련을 의미한다.

꼭 외우는 키워드
- □ 슈퍼 세트 원리 □ 반대 작용 □ 피라미드 원리 □ 근력 70%
- □ 근력 80% □ 컴파운드 세트 원리 □ 동일한 근육 □ 두 가지 이상 운동
- □ 스플릿 원리 □ 고강도 부하 □ 플러싱 원리 □ 집중 부하

12 ★★★

상급자의 트레이닝 원리에 대해 설명하시오.

① 치팅 원리: 신체 부위에 정확한 동작으로 주는 자극이 아닌 반동을 이용하여 자극을 증가시키는 훈련을 의미한다.
② 트라이 세트 원리: 세트 사이에 휴식 없이 같은 근육 부위로 3가지 운동을 하는 훈련을 의미한다.
③ 자이언트 세트 원리: 근육 부위에 휴식이 거의 없거나 아예 휴식이 없이 4~6가지의 운동을 연속적으로 실시하는 훈련을 의미한다.
④ 프리 이그져션 원리: 관절이나 근육의 부상을 피하기 위해 가벼운 운동 먼저 실시한 후 무거운 운동을 실시하는 훈련을 의미한다.
⑤ 피크 컨트렉션 원리: 근육에 최대한 긴장이 유지되도록 하기 위해 근육이 긴장한 상태에서 1~2초 정도 멈추었다가 이완하는 훈련을 의미한다.
⑥ 더블 스플릿 원리: 오전에 신체의 1~2개 부위를 훈련하고 오후에 신체의 또 다른 1~2개 부위를 훈련하는 것을 의미한다.
⑦ 퀄리티 원리: 이전보다 많은 반복 횟수 또는 같은 양의 반복 횟수로 운동을 하고 있을 때, 운동 중 세트 사이의 휴식 시간을 점진적으로 감소시키는 훈련을 의미한다.
⑧ 디센딩 원리: 고중량에서 경량으로 시행하는 훈련이다. 1개의 운동 종목에 대해 몇 개의 세트를 실시할 때마다 중량을 조금씩 내리면서 가벼워진 중량으로 할 수 있을 때까지 반복 실시하는 훈련을 의미한다.

꼭 외우는 키워드 □ 치팅 원리 □ 반동 □ 트라이 세트 원리 □ 휴식 □ 3가지 □ 자이언트 세트 원리 □ 4~6가지 □ 프리 이그져션 원리 □ 가벼운 운동 □ 무거운 운동 □ 피크 컨트렉션 원리 □ 긴장 □ 1~2초 □ 이완 □ 더블 스플릿 원리 □ 오전 □ 오후 □ 퀄리티 원리 □ 휴식 시간 감소 □ 디센딩 원리 □ 중량 □ 경량

13 ★★

초보자의 운동 지도 방법에 대해 설명하시오.

이해하기 쉬운 용어를 사용하고 안전한 운동을 선택한다. 개인 수준에 맞춰 지도하고 오버트레이닝을 하지 않도록 한다.

꼭 외우는 키워드 □ 쉬운 용어 □ 안전한 운동 □ 개인 수준 □ 오버 트레이닝 금지

14 ★★★

여성의 훈련 방법은 남성의 훈련 방법과 어떤 차이가 있는지 말하시오.

일반적으로 여성은 남성에 비해 체지방량이 많고 근육량이 적기 때문에 유산소 운동보다는 저항 운동에 비중을 높게 두고 훈련하는 방법이 권장된다.

꼭 외우는 키워드 □ 체지방량 □ 근육량 □ 저항 운동

15 ★★

연령에 따른 훈련 방법에 대해 설명하시오.

연령에 따라 운동 방법이 크게 다르지는 않지만 노인은 골밀도가 낮고 관절에 문제가 있을 수 있어 점프 동작은 피하고 가동 범위가 과하지 않도록 안전 범위 내에서 훈련해야 한다.

꼭 외우는 키워드 □ 연령 □ 크게 다르지 않음 □ 노인 □ 점프 동작 금지 □ 안전 범위

16 ★★★

웨이트 트레이닝 시 운동 배열의 원리에 대해 설명하시오.

훈련 효과를 위해서는 먼저 가장 무거운 중량을 사용하는 대근육 부위를 중심으로 운동을 실시하고, 그 후 소근육 부위를 훈련하는 것이 좋다. 또한 다중 관절 운동에서 단순 관절 운동의 순서로 배열하는 것이 이상적이다.

꼭 외우는 키워드 □ 대근육 부위 □ 소근육 부위 □ 다중 관절 운동 □ 단순 관절 운동

17 ★★

트레이닝 원리 중에서 자신의 컨디션을 생각하여 운동하는 원리를 말하시오.

자각성의 원리이다.

꼭 외우는 키워드 □ 자각성의 원리

18 ★★★

트레이닝의 주기화에 대해 설명하시오.

기간에 따라 체계적이고 점진적으로 단계별 계획을 세우고 훈련을 실시하는 것이다. 계속 같은 방법과 주기로 트레이닝하면 인체의 항상성 때문에 근육 발달에 한계가 있고 오버 트레이닝과 부상 위험이 있기 때문에 주기화 훈련을 적용하여 항상성에 대한 저항, 다양한 체력 요소를 발달시켜 트레이닝 효율을 높일 수 있다.

꼭 외우는 키워드 □ 단계별 계획 □ 훈련 □ 항상성 □ 근육 발달 한계 □ 오버 트레이닝 □ 부상 위험 □ 항상성 저항 □ 체력 요소 발달 □ 트레이닝 효율

19 ★★

분할 훈련 원칙에 대해 설명하시오.

상체와 하체를 나누거나 상체를 2일이나 3일로 나누어서 보다 집중적이고 강도 있게 훈련하는 원칙이다.

꼭 외우는 키워드 □ 상체 □ 하체 □ 2일 □ 3일 □ 집중적 □ 강도

20 ★★

분할 훈련법과 이중 분할 훈련법에 대해 설명하시오.

분할 훈련법은 전신을 2~3일 동안 분할하여 훈련하는 방법이고, 이중 분할 훈련법은 하루 동안 오전과 오후에 신체의 다른 부위를 훈련하는 방법이다.

꼭 외우는 키워드 □ 전신 □ 2~3일 □ 분할 □ 오전, 오후 □ 신체 다른 부위

21 ★★

취약 부위 우선 원칙에 대해 설명하시오.

에너지가 많을 때 가장 약한 부위를 먼저 훈련하여 평소에 잘 자라지 않은 근육 부위를 더욱 발달하게 하는 원칙이다.

꼭 외우는 키워드 □ 에너지 □ 약한 부위 □ 훈련

22 ★★

우선 수칙과 충격 수칙에 대해 설명하시오.

우선 수칙은 힘이 가장 많을 때 가장 약한 부분을 먼저 훈련하는 것이고, 충격 수칙은 신체가 예상하지 못한 방법으로 운동 루틴에 변화를 주어 신체를 훈련하는 것이다.

꼭 외우는 키워드 □ 힘 □ 가장 많을 때 □ 약한 부분 □ 먼저 훈련 □ 예상 못한 방법 □ 루틴 변화

23 ★★★

컴파운드 세트, 트라이 세트, 자이언트 세트에 대해 설명하시오.

① 컴파운드 세트: 같은 근육 부위의 운동 2개를 묶어서 휴식 없이 실시한다.
② 트라이 세트: 같은 근육 부위의 운동 3개를 묶어서 휴식 없이 실시한다.
③ 자이언트 세트: 같은 근육 부위의 운동 4~6개를 묶어서 휴식 없이 실시한다.

꼭 외우는 키워드 □ 같은 근육 부위 □ 2개 □ 3개 □ 4~6개 □ 휴식 없이

24 ★★★

슈퍼 세트의 종류에 대해 설명하시오.

컴파운드 슈퍼 세트(Compound Super Set)는 한 부위에 두 가지 이상 운동을 쉬지 않고 실시하는 것을 말하며, 오포징 슈퍼 세트(Opposing Super Set)는 주동근과 길항근을 쉬지 않도록 운동을 실시하는 것을 말한다.

꼭 외우는 키워드 □ 컴파운드 슈퍼 세트 □ 오포징 슈퍼 세트

25 ★★★

디센딩 세트와 드롭 세트를 설명하시오.

① 디센딩 세트는 세트가 끝난 후 일정한 휴식을 가진 후 고중량에서 경량으로 낮춰가며 실시하는 훈련을 의미한다.
② 드롭 세트는 첫 세트가 끝난 후 휴식 없이 중량의 30% 정도를 낮추어 실시하는 훈련을 의미한다.

꼭 외우는 키워드 □ 휴식 □ 고중량 □ 경량 □ 30%

26 ★★★

강제 횟수법에 대해 설명하시오.

훈련의 반복으로 실패 지점까지 도달하여 더 이상 반복할 수 없을 때 파트너의 도움을 받아 2~3회 강제로 횟수를 늘리는 방법을 의미한다.

꼭 외우는 키워드 □ 훈련 반복 □ 실패 지점 □ 파트너 □ 2~3회 □ 강제

27 ★★★

치팅 시스템에 대해 설명하시오.

치팅 시스템(Cheating System)은 훈련의 반복 횟수를 증가시키기 위해 신체의 반동을 사용하는 방법을 의미한다.

꼭 외우는 키워드 □ 반복 횟수 □ 증가 □ 신체 반동

28 ★★★

초보자의 훈련 프로그램을 작성하는 요령을 설명하시오.

큰 근육 부위(가슴, 어깨, 등, 팔, 다리)로 몸을 나눈 후, 개인에 따라 다중 관절 1종목과 단순 관절 운동을 넣어 한 부위당 1~3종목으로 작성한다.

꼭 외우는 키워드 □ 큰 근육 □ 다중 관절 □ 1종목 □ 단순 관절 운동 □ 1~3종목

29 ★★★

초보자에게 맞는 가장 적절한 유산소 강도를 작성하는 방법을 설명하시오.

사람에 따라 심장과 폐의 기능이 다르므로 러닝머신에서 초보자와 코치가 별 무리 없이 대화를 하면서 땀을 흘릴 정도의 속도라면 심장과 폐의 기능 수준에서 적절하다고 본다. 즉, 초보자 자신의 최대 심박수의 60% 정도 되는 강도의 유산소 운동이 적절하다.

꼭 외우는 키워드 □ 무리 없이 대화 □ 최대 심박수 □ 60%

30 ★★★

트레이닝의 기본 요소에 대해 설명하시오.

트레이닝을 실시할 때에는 어떤 운동을 선택하여 어떻게 실시할 것인가에 대한 구체적인 계획이 수립되어야 한다. 어떤 유형의 운동을 어떤 강도로 얼마나 자주 실시하는가가 트레이닝의 구성 요소이며 운동 형태, 운동 강도, 운동 시간, 운동 빈도로 구분한다.

<table>
<tr><td rowspan="2">운동 부하의 질적 요소</td><td>운동 형태</td><td>트레이닝의 목적에 따라 운동의 형태를 선별하는 것이다.
• 유산소 운동: 달리기, 자전거, 수영 등
• 무산소 운동: 웨이트 트레이닝 등</td></tr>
<tr><td>운동 강도</td><td>어느 정도의 강도로 운동을 할 것인가를 결정하는 중요한 척도이다.</td></tr>
<tr><td rowspan="2">운동 부하의 양적 요소</td><td>운동 시간</td><td>몇 분 동안 혹은 몇 시간 동안 운동을 수행할지 결정하는 요소이다.</td></tr>
<tr><td>운동 빈도</td><td>어느 정도의 간격으로 운동을 실시할지 결정하는 요소이다. 예를 들면 일 2회, 주 2회, 주 3회 등으로 구분하는 것이다.</td></tr>
</table>

꼭 외우는 키워드 □ 질적 요소 □ 운동 형태 □ 운동 강도 □ 양적 요소 □ 운동 시간 □ 운동 빈도

31 ★★★

웨이트 머신과 프리 웨이트의 차이점에 대해 설명하시오.

구분	웨이트 머신(Weight Machine)	프리 웨이트(Free Weight)
장점	• 안전성 • 편리함 • 특정 부위 부하 제공	• 역동적인 동작 가능 • 협응력 발달에 도움 • 다양한 운동 제공
단점	• 제한된 운동만 제공 • 역동적인 동작 수행 불가	• 부상 위험 높음 • 숙련된 기술이 필요함 • 장비 사용에 있어 전문성이 요구됨

꼭 외우는 키워드 □ 안전성 □ 편리함 □ 특정 부위 부하 □ 제한된 운동 □ 역동적 동작 □ 협응력 □ 부상 위험 □ 숙련 기술 □ 장비 사용 □ 전문성

32 ★★

유산소 운동을 근력 운동보다 나중에 해야 하는 이유에 대해 설명하시오.

운동을 하게 되면 인체는 탄수화물 – 지방 – 단백질 순서로 에너지를 사용하게 된다. 고강도 운동 시 탄수화물이 주로 사용이 되고, 장시간 저강도 운동 시 지방이 주로 사용이 되기 때문에 근력 운동을 먼저 하여 탄수화물을 사용한 후 유산소 운동을 함으로써 지방을 보다 효과적으로 연소시킬 수 있다. 단백질은 인체의 세포, 호르몬 등을 구성하는 물질로서, 운동 강도가 극도의 한계까지 올라온 상황에서 사용된다.

꼭 외우는 키워드 □ 탄수화물 □ 지방 □ 단백질 □ 고강도 운동 □ 저강도 운동

33 ★★

운동 목표에 따른 운동 부하와 반복 횟수에 대해 설명하시오.

① 근력: 80~90%의 강도로 4~6회 반복한다.
② 근지구력: 60~75%의 강도로 12~15회 반복한다.
③ 근비대: 70~85%의 강도로 8~12회 반복한다.

꼭 외우는 키워드 □ 근력 □ 80~90% □ 4~6회 □ 근지구력 □ 60~75% □ 12~15회 □ 근비대 □ 70~85% □ 8~12회

34 ★★★

최대 심박수와 목표 심박수를 구하는 방법을 말하시오.

① 최대 심박수(MHR) = 220 – 자기 나이
② 목표 심박수(HR) = (최대 심박수 – 안정 시 심박수)×운동 강도 + 안정 시 심박수

꼭 외우는 키워드 □ 220 □ 자기 나이 □ 최대 심박수 □ 운동 강도 □ 안정 시 심박수

35 ★★★

웨이트 트레이닝 시 호흡법에 대해 설명하시오.

근육을 수축할 때는 호흡을 내쉬고, 근육을 이완할 때는 호흡을 들이마신다.

꼭 외우는 키워드 ☐ 수축 ☐ 내쉼 ☐ 이완 ☐ 들이마심

36 ★★★

발살바 호흡법에 대해 설명하시오.

호흡을 들이마시고 고정한 채로 상체의 지지력을 최대화하는 리프팅 방식으로 강한 힘을 발휘하기 위해서 근육이 수축할 때 호흡을 멈추는 호흡법이다. 고중량을 들 때 효과적이지만 고혈압 등의 성인병 환자에게는 추천하지 않는 호흡법이다.

꼭 외우는 키워드 ☐ 고정 ☐ 상체 지지력 ☐ 최대화 ☐ 리프팅 ☐ 근육 수축 ☐ 호흡 멈춤 ☐ 고중량 효과적

37 ★★★

근육통의 종류에 대해 설명하시오.

근육통은 근육에 미세한 상해를 입었을 때 발생하며, 훈련이 효과적으로 수행되고 있는지를 알려 주는 좋은 지표가 된다.

① 지연성 근육통(DOMS): DOMS(Delayed-Onset Muscle Soreness)라고 하며, 훈련을 마친 뒤 바로 다음 날이 아닌 이틀 뒤에 나타나는 심한 근육통이다. 근육이 구조적인 손상을 입어 수축되면서 근육의 길이나 가동 범위가 줄어들고 신경근성 기능에 이상이 생기는 통증을 의미한다. 회복하는 데 5~6일, 길게는 1주일까지도 걸린다.

② 가벼운 근육통: 훈련을 한 다음 날 느끼는 전형적이고 가벼운 통증을 의미한다. 근육섬유에 생기는 미세한 상해와 젖산 과다가 원인이다.

③ 부상과 관련된 근육통: 훈련 다음 날 근육뿐만 아니라 관절을 움직일 수 없게 될 수도 있으며 찌르는 듯한 고통을 수반하는 것을 의미한다. 부상의 성격에 따라 지속적으로 통증을 느끼기도 하고, 관절을 움직일 때나 근육이 수축할 때만 통증을 느끼기도 한다.

꼭 외우는 키워드 ☐ 지연성 근육통 ☐ 이틀 뒤 ☐ 심한 근육통 ☐ 구조적 손상 ☐ 회복 5~6일, 1주일 ☐ 가벼운 근육통 ☐ 미세 상해 ☐ 젖산 과다 ☐ 부상과 관련된 근육통 ☐ 찌르는 듯한 고통 ☐ 부상의 성격

38 ★★★

오버 트레이닝에 대해 설명하시오.

평소의 훈련 강도보다 높은 강도의 훈련으로 근육의 피로도가 증가하여 정상 컨디션으로 돌아오지 못하는 신체 상태를 의미한다.

꼭 외우는 키워드 ☐ 높은 강도 ☐ 훈련 ☐ 근육 피로도 ☐ 증가

39 ★★

웨이트 트레이닝 후 심한 피로감 및 근육 통증이 느껴지는 이유를 말하시오.

웨이트 트레이닝 시 운동 에너지로 쓰이고 난 부산물, 즉 젖산 때문이다.

꼭 외우는 키워드 □ 운동 에너지 □ 부산물 □ 젖산

40 ★★★

초과 회복에 대해 설명하시오.

트레이닝 휴식 시간 동안 운동 전의 수준보다 더 높은 수준으로 회복되는 신체 생리 현상이다.

꼭 외우는 키워드 □ 트레이닝 휴식 시간 □ 운동 전 □ 더 높은 수준 □ 회복

41 ★★

피로 회복에는 어느 정도의 시간이 걸리는지 설명하시오.

작은 근육의 경우 적게는 24~48시간 정도면 회복이 되고, 큰 근육의 경우 48~72시간 정도가 걸린다. 작은 근육은 큰 근육에 비해 피로 회복 속도가 빠르기 때문에 큰 근육의 경우 작은 근육보다 회복을 위해 더 오랜 시간이 필요하다.

꼭 외우는 키워드 □ 작은 근육 □ 24~48시간 □ 큰 근육 □ 48~72시간 □ 피로 회복 속도

42 ★

스포츠 빈혈에 대해 설명하시오.

빈혈이란 혈액 중의 적혈구 수와 헤모글로빈 농도가 줄어든 상태이며 스포츠 빈혈은 격렬한 운동으로 인해 생기는 빈혈에 해당한다. 격렬한 운동으로 강한 압력에 적혈구가 충격을 받아 막이 터지면서 적혈구 내 헤모글로빈이 유출되는 '용혈'이라는 현상에 의해 발생한다.

꼭 외우는 키워드 □ 적혈구 수 □ 헤모글로빈 농도 □ 격렬한 운동 □ 강한 압력 □ 적혈구 충격 □ 막 파괴 □ 헤모글로빈 유출 □ 용혈

43 ★★★

세컨드 윈드에 대해 설명하시오.

운동을 지속하다 보면 너무 힘들어 포기하고 싶은 시기가 오는데 이를 사점(Dead Point)이라고 한다. 이 사점을 넘으면 아주 쉽고 편하게 운동할 수 있는데 이때의 상태를 세컨드 윈드(Second Wind)라고 한다. 2차적 호흡의 안정 상태를 말하며 '차식', '임계 호흡'이라고도 한다.

꼭 외우는 키워드 □ 사점 □ 2차적 호흡 □ 안정 상태 □ 차식 □ 임계 호흡

44 ★★★

운동 처방의 가장 기본적인 구성 요소를 말하시오.

운동 목적, 운동 목표, 운동 형태, 운동 강도, 운동 빈도, 운동 시간이다.

꼭 외우는 키워드 □ 운동 목적 □ 운동 목표 □ 운동 형태 □ 운동 강도 □ 운동 빈도 □ 운동 시간

45 ★★

비만 환자의 트레이닝 방법을 설명하시오.

운동 시간은 길게, 운동 강도는 약하게 해야 하고, 주로 유산소 운동을 실시한다.

꼭 외우는 키워드 □ 긴 운동 시간 □ 약한 운동 강도 □ 유산소 운동

46 ★★

ROM에 대해 설명하시오.

ROM은 관절의 가동 범위(Range Of Motion)를 말한다. ROM이 클수록 동작이 가능한 범위가 넓은 것을 의미하고, 작을수록 가동 범위가 작은 것을 의미한다.

꼭 외우는 키워드 □ 관절 가동 범위 □ Range Of Motion

47 ★★★

다중 관절 운동과 단순 관절 운동의 정의에 대해 설명하시오.

다중 관절 운동은 2가지 이상의 관절을 사용하며 단순 관절 운동보다는 많은 힘을 발휘할 수 있다. 단순 관절 운동은 1가지 관절을 사용하여 운동하는 것으로 많은 힘을 발휘하지 못한다.

꼭 외우는 키워드 □ 2가지 이상 관절 □ 많은 힘 □ 발휘 □ 1가지 관절

48 ★★★

다중 관절 운동과 단순 관절 운동의 예를 두 가지씩 말하시오.

① 다중 관절 운동에는 스쿼트, 데드리프트, 벤치 프레스 등이 있다.
② 단순 관절 운동에는 컨센트레이션 컬, 레그 익스텐션, 덤벨 플라이 등이 있다.

꼭 외우는 키워드 □ 스쿼트 □ 데드리프트 □ 벤치 프레스 □ 컨센트레이션 컬 □ 레그 익스텐션 □ 덤벨 플라이

49 ★★★

1RM에 대해 설명하시오.

1RM(Repetition Maximum)은 한 관절을 중심으로 발휘되는 최고의 힘이다. 한 관절을 중심으로 1회밖에 들어 올릴 수 없는 중량을 들 때 발휘하는 힘이라고 정의한다.

꼭 외우는 키워드 □ 한 관절 □ 1회 □ 최고의 힘

50 ★★

근비대를 위해서 운동 부하는 1RM의 몇 %가 적절한지 설명하시오.

근비대를 위해서는 주로 1RM의 70~85%로 훈련하는 것이 적절하다.

꼭 외우는 키워드 □ 근비대 □ 1RM □ 70~85%

51 ★★★

보디빌딩 운동에서 근비대를 위한 가장 중요한 3요소를 말하시오.

근비대를 위한 3요소는 영양, 휴식, 운동이다.

꼭 외우는 키워드 □ 영양 □ 휴식 □ 운동

52 ★★

근력 강화와 근비대를 위한 트레이닝에서의 일반적인 최대 근력의 비율(%)을 말하시오.

최대 근력의 비율은 80% 이상이다.

꼭 외우는 키워드 □ 최대 근력 □ 80% 이상

53 ★★★

보디빌딩 운동을 하기 전에 준비 운동을 하는 목적을 설명하시오.

준비 운동을 하면 체온이 상승하고 근신경 협응 능력이 좋아지며, 격렬한 트레이닝에 신체가 잘 적응할 수 있어 트레이닝 중에 일어나기 쉬운 근육의 부상이 예방된다.

꼭 외우는 키워드 □ 체온 상승 □ 근신경 협응 능력 □ 근육 부상 예방

54 ★★

보디빌딩의 5대 요소에 대해 설명하시오.

트레이닝, 영양, 피로 회복과 휴식, 피부색(일광욕과 컬러링), 정신적 자세이다.

꼭 외우는 키워드 □ 트레이닝 □ 영양 □ 피로 회복과 휴식 □ 피부색(일광욕과 컬러링) □ 정신적 자세

55 ★★★

보디빌딩 운동 시 바벨을 잡는 그립의 종류에 대해 설명하시오.

① 오버핸드 그립(Overhand Grip): 손등이 천장을 향하는 가장 기본적인 그립 방법이다.
② 언더핸드 그립(Underhand Grip): 손등이 지면을 향하는 그립 방법이다.
③ 뉴트럴 그립(Neutral Grip): 손바닥이 서로 마주 보게 잡는 그립으로, 패러럴 그립(Parallel Grip)이라고도 한다.
④ 리버스 그립(Reverse Grip): 한 손은 오버핸드 그립으로 다른 한 손은 언더핸드 그립으로 잡는 방법으로, 얼터네이트 그립(Alternate Grip)이라고도 한다.
⑤ 섬레스 그립(Thumbless Grip): 엄지손가락을 제외한 나머지 네 개의 손가락으로 잡는 그립 방법이다.
⑥ 훅 그립(Hook Grip): 엄지손가락을 네 손가락 안으로 넣어서 바를 감싸 잡는 그립 방법이다.

꼭 외우는 키워드 □ 오버핸드 그립 □ 언더핸드 그립 □ 뉴트럴 그립 □ 리버스 그립 □ 섬레스 그립 □ 훅 그립

56 ★

보디빌딩 운동 시 바벨을 잡는 간격에 대해 설명하시오.

① 와이드 그립(Wide Grip): 어깨너비보다 넓은 간격의 그립이다.
② 스탠다드 그립(Standard Grip): 어깨너비 간격의 그립이다.
③ 내로우 그립(Narrow Grip): 어깨너비보다 좁은 간격의 그립이다.

꼭 외우는 키워드 □ 와이드 그립 □ 스탠다드 그립 □ 내로우 그립 □ 어깨너비

57 ★★

웨이트 3대 운동과 파워 리프팅에 대해 설명하시오.

웨이트 3대 운동은 벤치 프레스, 데드리프트, 스쿼트이고, 파워 리프팅은 많은 무게를 밀고 당기는 힘을 이용하여 겨루는 스포츠로 큰 근력이 필요하다.

꼭 외우는 키워드 □ 벤치 프레스 □ 데드리프트 □ 스쿼트 □ 많은 무게 □ 밀고 당기는 힘 □ 큰 근력

58 ★★★

스티프 레그 데드리프트와 데드리프트 차이점을 설명하시오.

스티프 레그 데드리프트(Stiff Leg Deadlift)는 주로 대퇴 이두근을 발달시키고, 데드리프트(Deadlift)는 주로 대둔근과 척추 기립근, 광배근을 발달시킨다.

꼭 외우는 키워드 □ 대퇴 이두근 □ 대둔근 □ 척추 기립근 □ 광배근

59 ★★

복근 운동 4가지를 말하시오.

싯업(Sit-up), 크런치(Crunch), 레그 레이즈(Leg Raise), 행잉 레그 레이즈(Hanging Leg Raise) 등이 있다.

꼭 외우는 키워드 □ 싯업 □ 크런치 □ 레그 레이즈 □ 행잉 레그 레이즈

60 ★★

컨센트레이션 컬의 운동 부위를 말하시오.

컨센트레이션 컬(Concentration Curl)의 운동 부위는 상완 이두근이다.

꼭 외우는 키워드 □ 상완 이두근

61 ★★

대퇴근육을 발달시키기 위한 가장 기본적인 운동을 말하시오.

스쿼트(Squat)이다.

꼭 외우는 키워드 □ 스쿼트

62 ★★

삼각근을 발달시키는 운동 두 가지를 말하시오.

프레스(Press), 레터럴 레이즈(Lateral Raise) 등이 있다.

꼭 외우는 키워드 □ 프레스 □ 레터럴 레이즈

63 ★★

복부 운동 중 상복부 운동을 말하시오.

싯업(Sit–up), 크런치(Crunch), 로프 크런치(Rope Crunch) 등이 있다.

꼭 외우는 키워드 □ 싯업 □ 크런치 □ 로프 크런치

64 ★★

전완근을 발달시키는 운동을 말하시오.

리스트 컬(Wrist Curl), 리버스 리스트 컬(Reverse Wrist Curl) 등이 있다.

꼭 외우는 키워드 □ 리스트 컬 □ 리버스 리스트 컬

65 ★★

척추 기립근을 발달시키는 운동을 말하시오.

데드리프트(Deadlift), 하이퍼 익스텐션(Hyper Extension), 굿모닝 엑서사이즈(Good Morning Exercise) 등이 있다.

꼭 외우는 키워드 □ 데드리프트 □ 하이퍼 익스텐션 □ 굿모닝 엑서사이즈

66 ★★

광배근을 발달시키는 운동을 말하시오.

데드리프트(Deadlift), 풀업(Pull–up), 랫 풀 다운(Lat Pull Down), 벤트 오버 바벨 로우(Bent Over Barbell Row), 원암 덤벨 로우(One arm Dumbbell Row) 등이 있다.

꼭 외우는 키워드 □ 데드리프트 □ 풀업 □ 랫 풀 다운 □ 벤트 오버 바벨 로우 □ 원암 덤벨 로우

67 ★★

카프 레이즈, 시티드 카프 레이즈, 레그 프레스, 덩키 카프 레이즈를 했을 때 발달하는 근육을 말하시오.

하퇴 부위 중 종아리의 비복근과 가자미근이 발달된다.

꼭 외우는 키워드 □ 종아리 □ 비복근 □ 가자미근

68 ★★ 레그 레이즈, 트위스트, 크런치 동작을 했을 때 발달하는 근육을 말하시오.	복부 부위 중 복직근, 외복사근, 내복사근이 발달된다. 꼭 외우는 키워드 □ 복직근 □ 외복사근 □ 내복사근
69 ★★ 데드리프트, 하이퍼 익스텐션, 굿모닝 엑서사이즈, 스티프 레그 데드리프트는 신체 어느 부위를 발달시키는지 말하시오.	대퇴 이두근, 대둔근, 척추 기립근을 발달시키는 운동이다. 꼭 외우는 키워드 □ 대퇴 이두근 □ 대둔근 □ 척추 기립근
70 ★★ 대흉근이 발달하는 운동 중 두 가지 기본 운동을 말하시오.	벤치 프레스(Bench Press), 덤벨 플라이(Dumbbell Fly)이다. 꼭 외우는 키워드 □ 벤치 프레스 □ 덤벨 플라이
71 ★★ 레버리지 바 엑서사이즈의 신체 발달 부위를 말하시오.	전완부(전완근)이 발달한다. 꼭 외우는 키워드 □ 전완부 □ 전완근
72 ★★ 벤트 오버 트위스팅의 신체 발달 부위를 말하시오.	외복사근이 발달한다. 꼭 외우는 키워드 □ 외복사근
73 ★★ 스탠딩 트라이셉스 익스텐션의 신체 발달 부위를 말하시오.	상완 삼두근이 발달한다. 꼭 외우는 키워드 □ 상완 삼두근

74 ★★

비하인드 넥 프레스 운동의 주동근을 말하시오.

주동근은 전면 삼각근과 상완 삼두근이다.

꼭 외우는 키워드 ☐ 전면 삼각근 ☐ 상완 삼두근

75 ★★

벤트 오버 레터럴 레이즈의 신체 발달 부위를 말하시오.

삼각근의 전 · 중 · 후면 중에서 후면(뒷면)이다.

꼭 외우는 키워드 ☐ 삼각근 ☐ 후면(뒷면)

76 ★★

덤벨 레터럴 레이즈의 신체 발달 부위를 말하시오.

삼각근의 전 · 중 · 후면 중에서 중간(측면) 부위이다.

꼭 외우는 키워드 ☐ 삼각근 ☐ 중간(측면) 부위

77 ★★

원암 덤벨 로우의 신체 발달 부위를 말하시오.

광배근이 발달한다.

꼭 외우는 키워드 ☐ 광배근

78 ★★

업라이트 로우의 신체 발달 부위를 말하시오.

측면 삼각근과 승모근이 발달한다.

꼭 외우는 키워드 ☐ 측면 삼각근 ☐ 승모근

79 ★★

요통 환자가 피해야 할 운동에 대해 설명하시오.

벤트 오버류, 스쿼트, 데드리프트 등 고관절과 허리를 함께 사용하는 운동이다. 운동 기구의 무게가 허리에 부담을 주고 척추에 불필요한 압력을 주기 때문이다.

꼭 외우는 키워드 ☐ 벤트 오버류 ☐ 스쿼트 ☐ 데드리프트 ☐ 고관절 ☐ 허리

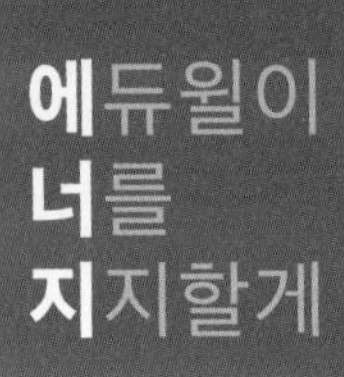

ENERGY

사소한 것에 목숨을 걸기에는
인생이 너무 짧고,
하찮은 것에 기쁨을 빼앗기기에는
오늘이 소중합니다.

– 조정민, 『인생은 선물이다』, 두란노

4 운동 영양학

01 ★★★

우리 몸의 필수 영양소에 대해 설명하시오.

우리 몸의 3대 영양소에는 탄수화물, 지방, 단백질이 있으며, 6대 영양소에는 무기질(미네랄), 비타민, 물(수분)이 포함된다.

꼭 외우는 키워드 □ 3대 영양소 □ 탄수화물 □ 지방 □ 단백질 □ 6대 영양소 □ 무기질(미네랄) □ 비타민 □ 물(수분)

02 ★★★

인체에서의 수분의 역할에 대해 설명하시오.

우리 몸의 60~70%는 수분으로 구성되어 있으며, 수분은 체온 조절, 영양분 전달, 노폐물 배출 등의 역할을 한다.

꼭 외우는 키워드 □ 60~70% □ 체온 조절 □ 영양분 전달 □ 노폐물 배출

03 ★★

탈수 현상에 대해 설명하시오.

수분은 체내에서 물질 대사, 체온 조절, 삼투압의 유지 등의 생명 유지를 위한 중요한 역할을 한다. 이런 체내 수분이 부족한 탈수가 발생하면 생리적 기능의 실조를 초래하고, 운동 능력 및 체온 조절 능력을 상실한다.

꼭 외우는 키워드 □ 체내 수분 부족 □ 생리적 기능 실조 □ 운동 능력 상실 □ 체온 조절 능력 상실

04 ★★

시합 전 수분 조절 방법에 대해 설명하시오.

시합 1~2주 전에는 충분한 수분을 섭취하여 염분을 배출하고 시합 하루 전부터는 수분 섭취를 조절하여 근육 선명도를 높여준다.

꼭 외우는 키워드 □ 1~2주 전 □ 충부한 수분 섭취 □ 하루 전 □ 수분 섭취 조절

05 ★★★

영양소 1g당 칼로리양을 말하시오.

단백질은 4kcal, 지방은 9kcal, 탄수화물은 4kcal이다.

꼭 외우는 키워드 □ 단백질 □ 4kcal □ 지방 □ 9kcal □ 탄수화물 □ 4kcal

06 ★

트레이닝을 위한 에너지 영양소에 대해 설명하시오.

에너지 영양소는 크게 탄수화물, 단백질, 지방으로 구분하며, 이는 ATP를 합성하는 데 필요한 에너지를 공급하기 위하여 화학적으로 분해하는 물질을 말한다.

꼭 외우는 키워드 □ 탄수화물 □ 단백질 □ 지방

07 ★★

탄수화물의 기능 및 종류에 대해 설명하시오.

구분	내용
기능	• 신체를 위한 주 에너지 연료로 사용 • 단백질을 절약하는 데 사용 • 중추신경계의 연료로 사용
종류	• 1g당 4kcal • 탄소(C), 수소(H), 산소(O)의 3원소로 구성 • 단당류, 이당류, 다당류로 분류 • 단순 탄수화물에는 설탕, 밀가루, 음료수, 과일 등 • 복합 탄수화물에는 고구마, 쌀, 곡류, 채소 등

꼭 외우는 키워드 □ 에너지 연료 □ 단백질 절약 □ 중추신경계 연료 □ 4kcal □ 탄소 □ 수소 □ 산소 □ 단당류 □ 이당류 □ 다당류 □ 단순 탄수화물 □ 복합 탄수화물

08 ★★

탄수화물 섭취 후 탄수화물이 저장되는 세 곳을 말하시오.

근육(글리코겐; Glycogen)과 간, 혈액(글루코스; Glucose)에 저장된다.

꼭 외우는 키워드 □ 근육 □ 글리코겐 □ 간 □ 혈액 □ 글루코스

09 ★★

단백질의 기능 및 종류에 대해 설명하시오.

구분	내용
기능	• 세포, 생체의 구성 성분 • 효소나 호르몬을 생성 • 근수축을 위한 기본 요소
종류	• 1g당 4kcal • 아미노산으로 된 복잡한 고분자 N화합물 • 식물성 단백질에는 콩, 땅콩, 곡물, 옥수수, 해바라기씨 등 • 동물성 단백질에는 육류, 생선, 닭고기, 계란, 우유, 치즈 등

꼭 외우는 키워드 □ 세포 □ 생체 □ 효소 □ 호르몬 □ 근수축 □ 4kcal □ 아미노산 □ 고분자 N화합물 □ 식물성 단백질 □ 동물성 단백질

10 ★★

완전 단백질과 불완전 단백질에 대해 설명하시오.

① 완전 단백질은 생명체의 성장과 유지에 필요한 필수 아미노산을 포함하고 있으며, 그 종류에는 소고기, 닭고기, 달걀, 생선 등이 있다.
② 불완전 단백질은 필수 아미노산이 하나 이상 없고, 생명체의 성장과 유지에 어려움이 있다. 그 종류에는 두부, 견과류, 곡류 등이 있다.

꼭 외우는 키워드 □ 완전 단백질 □ 필수 아미노산 포함 □ 불완전 단백질 □ 필수 아미노산 불포함

11 ★★★

단백질 섭취 시기에 대해 설명하시오.

운동 직후 60분 이내가 동화 작용을 촉진시킬 수 있는 최적의 기회이므로 이때 단백질을 섭취해 주는 것이 좋고, 이와 더불어 고강도 운동의 주 에너지원인 탄수화물도 같이 섭취해 주는 것이 좋다.

꼭 외우는 키워드 □ 운동 직후 □ 60분 이내 □ 동화 작용 □ 탄수화물

12 ★★

지방의 기능 및 종류에 대해 설명하시오.

기능	• 에너지원으로의 기능 • 지용성 비타민 흡수 및 운반 • 허기 억제의 기능
종류	• 1g당 9kcal • 체내에서 중성 지방의 형태로 저장 • 유리 지방산이 이용 가능한 연료의 형태 • 지방산은 포화 지방산과 불포화 지방산으로 분류 • 필수 지방산은 신체의 성장과 유지 및 생리적 과정의 기능에 필수 요소

꼭 외우는 키워드 □ 에너지원 □ 지용성 비타민 □ 흡수 □ 운반 □ 허기 억제 □ 9kcal □ 중성 지방 □ 유리 지방산 □ 연료 □ 포화 지방산 □ 불포화 지방산 □ 필수 지방산

13 ★

체지방에 대해 말하시오.

체지방에는 피하 지방과 내장 지방이 있다. 피하 지방은 피부밑에 있는 지방을 말하며, 내장 지방은 인체의 장기 사이에 끼어 있는 지방을 의미한다.

꼭 외우는 키워드 □ 피하 지방 □ 피부밑 □ 내장 지방 □ 인체 장기 사이

14 ★★

포화 지방과 불포화 지방에 대해 설명하시오.

포화 지방은 시간이 지나면 굳어지는 특징이 있고, 다량 섭취 시 심혈관 질환을 유발한다. 반면, 불포화 지방은 시간이 지나도 굳어지지 않고 견과류나 생선류에 많이 포함되어 있어 콜레스테롤 수치와 심혈관 질환 발생 위험을 낮춰 주는 역할을 한다.

꼭 외우는 키워드 □ 포화 지방 □ 심혈관 질환 □ 불포화 지방 □ 콜레스테롤

15 ★

생리적으로 필요한 남녀의 최소 지방 보유율을 말하시오.

남성은 5%, 여성은 10%이다.

꼭 외우는 키워드 □ 남성 5% □ 여성 10%

16 ★★★

비타민의 종류에 대해 설명하시오.

비타민은 수용성과 지용성 비타민 두 종류로 구분된다. 수용성 비타민(비타민 B, C)은 많이 섭취하여도 몸속에 축적되지 않고 과잉 섭취된 부분이 대부분 소변을 통해 빠져나간다. 지용성 비타민(비타민 A, D, E, K)은 몸속에 축적되기 때문에 과잉 섭취할 경우 부작용을 초래할 수 있다.

꼭 외우는 키워드 □ 수용성 비타민 □ 과잉 섭취 시 소변 □ 지용성 비타민 □ 몸속 축적 □ 과잉 섭취 시 부작용

17 ★

비타민 C에 대해 설명하시오.

비타민 C는 근육 운동이나 스포츠 활동에 효과적이다. 특히 아주 무더운 상태에서 체내의 비타민 보존량이 감소할 때 사용된다.

꼭 외우는 키워드 □ 근육 운동 □ 스포츠 활동 □ 무더운 상태 □ 체내 비타민 보존량

18 ★

비타민 C의 효과에 대해 말하시오.

비타민 C는 항암 작용 및 감기 예방, 피부 치료 기능 향상 등의 효과가 있다.

꼭 외우는 키워드 □ 항암 작용 □ 감기 예방 □ 피부 치료 기능 향상

19 ★

엽산에 대해 설명하시오.

엽산은 단백질 대사와 세포 분열뿐만 아니라 DNA와 RNA 합성에 있어서도 중요한 비타민이다.

꼭 외우는 키워드 □ 단백질 대사 □ 세포 분열 □ DNA와 RNA 합성

20 ★ **에어로빅 운동 중 산소를 절약하는 비타민이 무엇인지 말하시오.**	비타민 E이다. 꼭 외우는 키워드 □ 비타민 E
21 ★★ **웨이트 트레이닝의 주 연료원를 말하시오.**	주 연료원은 탄수화물이며, 탄수화물 – 지방 – 단백질 순으로 사용된다. 꼭 외우는 키워드 □ 탄수화물 □ 지방 □ 단백질
22 ★★ **유산소 운동 시 주로 사용되는 에너지원을 말하시오.**	유산소 운동 시 지방을 에너지원으로 사용하고 운동 시간이 극도로 길어지거나 에너지원의 고갈 시 단백질을 분해하여 에너지로 사용한다. 꼭 외우는 키워드 □ 지방 □ 장시간 운동 □ 에너지원 고갈 □ 단백질
23 ★ **트레이닝에서의 영양의 중요성에 대해 설명하시오.**	균형 잡힌 영양은 신체의 생리적 기능을 정상으로 유지시키고, 트레이닝에 필요한 신체 조건을 유지시켜 준다. 불균형한 영양은 트레이닝 효과를 저해시키는 중요한 요인이 되며, 오히려 피로를 불러일으키거나 체력 저하를 유발한다. 꼭 외우는 키워드 □ 생리적 기능 □ 정상 □ 신체 조건 □ 유지
24 ★ **트레이닝을 위한 필요 칼로리에 대해 설명하시오.**	칼로리(Calorie)란 15℃의 물 1g을 1℃만큼 올리는 데 필요한 열량 단위이다. 하루에 필요한 칼로리는 성, 연령, 체격, 신체 활동의 수준 등에 따라 상이하지만 보통 성인의 일상생활에 필요한 칼로리는 2,000~2,500kcal이다. 그러나 일반적으로 성인에게 트레이닝 기간 중에 필요한 칼로리는 3,000~3,500kcal이다. 꼭 외우는 키워드 □ 성인 일상생활 □ 2,000~2,500kcal □ 트레이닝 기간 □ 3,000~3,500kcal

25 ★

콜레스테롤에 대해 설명하시오.

콜레스테롤은 인체 내에 있는 지방의 한 종류로 세포막 형성, 호르몬 합성 등의 기능이 있다. HDL은 조직에 있는 콜레스테롤을 간으로 운반하는 역할을 하고, LDL은 간에 있는 콜레스테롤을 조직으로 운반하는 기능을 한다. LDL이 높으면 콜레스테롤이 혈관 벽에 쌓여 동맥 경화를 일으킨다.

꼭 외우는 키워드 □ 세포막 형성 □ 호르몬 합성 □ HDL □ 콜레스테롤 □ 간으로 운반 □ LDL □ 조직으로 운반 □ 동맥 경화

26 ★★

당뇨병의 종류에 대해 설명하시오.

당뇨병은 인슐린의 분비량이 부족하거나 정상적인 기능이 이루어지지 않는 대사 질환의 일종이다. 제1형은 인슐린을 전혀 생산하지 못하는 것이 원인이며 주로 어린 나이에 발병한다. 제2형은 인슐린 저항성이 특징이며 가장 빈번하게 발견되는 당뇨병 형태이다.

꼭 외우는 키워드 □ 제1형 □ 인슐린 생산 □ 제2형 □ 인슐린 저항성

27 ★

포도당에 대해 설명하시오.

포도당은 단당류에 해당하며 글루코스(Glucose)라고도 한다. 모든 생물체에게 중요한 에너지원이며, 과일에 많이 들어 있다. 에너지가 급하게 필요할 때 저장된 글리코겐이 포도당으로 전환되고, 글리코겐 저장이 더 이상 불가능할 때 여분의 포도당은 지방으로 전환된다.

꼭 외우는 키워드 □ 단당류 □ 글루코스 □ 에너지원 □ 과일 □ 글리코겐 □ 포도당 □ 지방

28 ★★

글리코겐에 대해 말하시오.

글리코겐은 우리가 섭취한 영양소 중 탄수화물이 분해되어 간이나 근육 등에 저장되어 운동할 때 바로 운동 에너지로 쓰이는 탄수화물의 최종 형태이다.

꼭 외우는 키워드 □ 탄수화물 □ 간 □ 근육 □ 운동 에너지

29 ★★★

글리코겐 로딩에 대해 설명하시오.

글리코겐 로딩(Glycogen Loading)은 시합 1주일 전 훈련량을 줄이고 탄수화물을 많이 섭취함으로써 탄수화물 저장량을 높여 경기력을 향상시키는 방법이다.

꼭 외우는 키워드 □ 시합 1주일 전 □ 훈련량 □ 탄수화물 □ 저장량 □ 경기력

30 ★★★

BCAA에 대해 설명하시오.

분지 사슬 아미노산(BCAA; Branched Chain Amino Acid)으로 류신, 이소류신, 발린을 의미한다. 손상된 근육의 회복에 도움을 주고 근육의 피로를 막는다.

꼭 외우는 키워드 □ 분지 사슬 아미노산 □ 류신 □ 이소류신 □ 발린

31 ★★

필수 아미노산에 대해 말하시오.

필수 아미노산에는 류신, 이소류신, 발린, 라이신, 메티오닌, 트레오닌, 트립토판, 페닐알라닌, 히스티딘이 있다.

꼭 외우는 키워드 ☐ 류신 ☐ 이소류신 ☐ 발린 ☐ 라이신 ☐ 메티오닌 ☐ 트레오닌 ☐ 트립토판 ☐ 페닐알라닌 ☐ 히스티딘

32 ★★★

카보 로딩에 대해 설명하시오.

카보 로딩(Carboloading)은 탄수화물 에너지원이 고갈되는 것을 늦추기 위해 추가적으로 인체에 탄수화물을 저장시키는 방법이다. 보디빌딩의 경우 시합 전 볼륨감을 올려 주는 데 이용되기도 한다.

꼭 외우는 키워드 ☐ 탄수화물 에너지원 ☐ 고갈 방지 ☐ 추가 저장

33 ★

카르니틴에 대해 설명하시오.

카르니틴(Carnitine)은 지방의 활용을 향상시키는 등의 기전을 통해 유산소성 지구력을 증가시키며, 최근 에너지 보충물 능력을 인정받은 화합물이다.

꼭 외우는 키워드 ☐ 지방 활용 향상 ☐ 유산소성 지구력 ☐ 증가 ☐ 에너지 보충물 능력 인정 ☐ 화합물

34 ★

엘카르니틴에 대해 설명하시오.

엘카르니틴(L－Carnitine)은 지방산을 에너지로 변환하는 효소이다. 운동 전 섭취하면 지방산의 산화를 촉진하고 근육의 활동을 증가시켜 피로감을 해소하는 데 도움이 된다.

꼭 외우는 키워드 ☐ 지방산 ☐ 에너지 변환 ☐ 효소 ☐ 지방산 산화 촉진 ☐ 근육 활동 증가 ☐ 피로감 해소

35 ★

글루타민에 대해 설명하시오.

글루타민(Glutamine)은 비필수 아미노산의 하나로 면역력을 높여주고, 근육통과 피로를 해소해주는 성분으로 근 손실을 방지하는 목적으로 사용된다.

꼭 외우는 키워드 ☐ 비필수 아미노산 ☐ 면역력 강화 ☐ 근육통 ☐ 피로 ☐ 해소 ☐ 근 손실 방지

36 ★

글루타민산(글루탐산)에 대해 설명하시오.

글루타민산(Glutamic Acid)은 비필수 아미노산으로 근 손실이 발생할 경우 근육 합성을 촉진시키고 면역 체계를 활성화시킨다. 근육량 증가가 목표일 경우 섭취를 권장하지만 신장에 이상이 있다면 섭취를 주의해야 한다.

꼭 외우는 키워드 ☐ 비필수 아미노산 ☐ 근육 합성 촉진 ☐ 면역 체계 활성화 ☐ 근육량 증가 ☐ 섭취 권장

37 ★★

크레아틴에 대해 말하시오.

크레아틴(Creatine)은 주로 붉은색 육류나 생선에 많이 함유된 아미노산이다. 크레아틴은 주로 근육에 저장되는데 약 98%의 크레아틴이 골격근에 저장되어 있다. 그중 50%는 인산크레아틴(Phosphocreatine) 형태로 저장되며 보통 70kg 정도의 남성에게 저장된 근육 내 크레아틴은 약 120g 정도이다.

꼭 외우는 키워드 □ 아미노산 □ 근육 저장 □ 98% 골격근에 저장 □ 50% 인산크레아틴 □ 120g

38 ★

크레아티닌에 대해 설명하시오.

크레아티닌(Creatinine)은 크레아틴에서 생기는 물질이다. 근육 내 아주 적은 양이 혈중으로 이동하여 소변으로 배설된다.

꼭 외우는 키워드 □ 크레아틴 생성 물질 □ 근육 내 적은 양 □ 혈중 이동 □ 소변 배설

39 ★

DHEA에 대해 설명하시오.

부신에서 생산되는 스테로이드 호르몬으로 콜레스테롤로부터 합성된다. 여성에게 과다 사용하면 남성화를 유발한다.

꼭 외우는 키워드 □ 부신 □ 스테로이드 호르몬 □ 콜레스테롤 □ 합성 □ 여성 과다 사용 □ 남성화

40 ★

DHA에 대해 설명하시오.

고도 불포화 지방산의 일종이다. 자연의 담수와 해수에 서식하는 식물 플랑크톤 및 해조류가 주로 생합성하는 것으로 알려져 있으며, 특히 참치나 방어, 고등어, 꽁치, 정어리 등에 많다.

꼭 외우는 키워드 □ 고도 불포화 지방산 □ 식물 플랑크톤 □ 해조류 □ 생합성

41 ★★

유청 단백질에 대해 설명하시오.

우유에서 추출한 고급 단백질로 흡수가 빨라 운동 후 빠른 영양 공급을 위해 섭취한다.

꼭 외우는 키워드 □ 우유 추출 □ 고급 단백질 □ 빠른 흡수 □ 운동 후 □ 빠른 영양 공급

42 ★★★

동화 작용과 이화 작용에 대해 설명하시오.

동화 작용(Anabolism)은 근육에 단백질을 합성해주는 작용이고, 이화 작용(Catabolism)은 근육이 분해되는 작용을 의미한다. 웨이트 트레이닝을 하면 이화 작용보다 동화 작용이 더 활발하며, 동화 작용을 촉진하기 위해 운동 직후 '기회의 창'을 이용하여 영양을 섭취해 주는 것이 좋다.

꼭 외우는 키워드 □ 동화 작용 □ 근육 □ 단백질 합성 □ 이화 작용 □ 근육 분해 □ 기회의 창

43 ★★★

보충제의 필요성과 섭취 방법에 대해 설명하시오.

강도 높은 훈련의 전후를 위해 식사 외로 부족한 영양이나 추가 영양을 보충해 주는 목적의 보충제가 필요하다. 개인의 신체적 상태나 조건에 따라 섭취 방법은 차이가 나지만 보통 단백질의 경우 1회 섭취 시 남성 30g, 여성 20g을 넘지 않아야 간이나 신장에 무리가 가지 않는다. 기상 후 또는 취침 전, 운동 전과 후에 섭취하는 것을 권장한다.

꼭 외우는 키워드 □ 강도 높은 훈련 전후 □ 단백질 1회 섭취 □ 남성 30g □ 여성 20g

44 ★★

스테로이드에 대해 설명하시오.

스테로이드는 약물로 신체적·정신적 스트레스를 이겨낼 수 있는 에너지를 제공하지만, 부작용으로 얼굴이 붓고 홍조가 나타나며 체중 증가, 골다공증, 면역 기능 저하, 우울증 등의 증상이 나타난다.

꼭 외우는 키워드 □ 약물 □ 스트레스 □ 에너지 제공 □ 얼굴 부기 □ 홍조 □ 체중 증가 □ 골다공증 □ 면역 기능 저하 □ 우울증

45 ★★★

운동 전 카페인 섭취의 효능에 대해 설명하시오.

카페인은 각성 효과가 있어 신체의 피곤함을 줄여준다. 운동 시 중추 신경을 흥분시켜 유산소 운동을 할 때 지방을 최대한 활용하게 해 주고, 고강도 운동을 할 때는 힘의 생성을 늘려 주는 효과가 있다. 반면 과도한 카페인 섭취는 불안감, 불면증 등을 초래하며 이뇨 작용을 일으킬 수 있다.

꼭 외우는 키워드 □ 각성 효과 □ 중추 신경 흥분 □ 지방 활용 □ 힘의 생성 □ 불안감 □ 불면증 □ 이뇨 작용

CHAPTER

5 운동 생리학

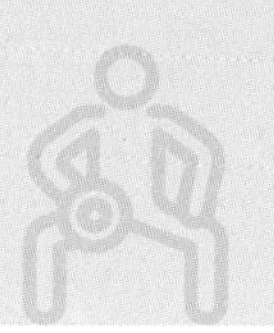

01 ★

정중면에 대해 설명하시오.

직립 자세에서 인체를 좌우 대칭으로 나누는 것을 정중면(Median Plane)이라고 한다.

꼭 외우는 키워드 □ 좌우 대칭 □ 정중면

02 ★

관상면에 대해 설명하시오.

인체의 좌우로 형성되어 인체를 전후로 나누는 평면을 관상면(Coronal Plane)이라고 한다. 좌우면이라고도 하며 내전과 외전의 기본 움직임이 발생하는 인체의 면이다.

꼭 외우는 키워드 □ 관상면 □ 좌우면 □ 내전 □ 외전

03 ★

수평면에 대해 설명하시오.

인체를 상하 수평으로 나누는 평면을 수평면(Horizontal Plane)이라고 한다. 횡단면이라고도 한다.

꼭 외우는 키워드 □ 상하 수평 □ 수평면 □ 횡단면

04 ★★

항상성에 대해 설명하시오.

항상성(Homeostasis)은 인체 기능을 정상적으로 유지하기 위하여 자극에 대해서 적절하게 반응하고 적응하는 기능이다.

꼭 외우는 키워드 □ 인체 기능 □ 정상적 □ 유지

05 ★

피는 어디에서 생성되는지 말하시오.

피는 뼈(골수)에서 생성된다.

꼭 외우는 키워드 □ 뼈 □ 골수

06 ★★

몇 개의 뼈가 연결되어 인체 골격을 형성하는지 말하시오.

우리 인체는 206개의 뼈로 연결되어 있다.

꼭 외우는 키워드 □ 206개

07 ★★★

운동이 뼈에 미치는 영향에 대해 설명하시오.

운동은 뼈를 자극하여 골밀도를 증가시킨다. 뼈가 튼튼하면 뼈의 기능 또한 좋아져 무기질 저장 및 공급, 조혈 작용이 원활해진다. 또한 뼈의 끝에는 성장판이 있는데 성장기 운동을 통해 성장판을 자극하면 키가 자라는 데 도움이 된다. 그러나 무리한 운동은 뼈를 손상시킬 수 있으므로 적당한 운동을 하는 것이 중요하다.

꼭 외우는 키워드 □ 골밀도 □ 무기질 □ 조혈 작용 □ 성장판 자극

08 ★★

근육의 역할에 대해 말하시오.

운동과 호흡, 자세 유지, 체온 유지를 위한 열을 생산한다.

꼭 외우는 키워드 □ 운동 □ 호흡 □ 자세 유지 □ 체온 유지 □ 열 생산

09 ★★★

근육의 종류에 대해 설명하시오.

① 골격근: 인체의 움직임을 관장하는 근육으로 우리의 의지대로 수축할 수 있는 수의근이며 가로무늬의 형태로 되어 있다.
② 심장근: 심장과 심장 주변 혈관에 국한되며, 평활근과 같은 불수의근이고 가로무늬의 형태로 되어 있다.
③ 내장근(평활근): 소화관 벽이나 혈관벽과 같은 유강성 장기를 둘러싸고 있으며, 불수의근이고 민무늬의 형태로 되어 있다.

꼭 외우는 키워드 □ 골격근 □ 인체 움직임 □ 불수의근 □ 가로무늬 □ 심장근 □ 심장 □ 혈관 □ 내장근(평활근) □ 유강성 장기 □ 불수의근 □ 민무늬

10 ★★★

근섬유의 종류에 대해 설명하시오.

근섬유에는 지근(Slow-Twitch Fiber 또는 Type Ⅰ)과 속근(Fast-Twitch Fiber 또는 Type Ⅱ)이 있다.
① 지근: 적근이라고도 하며 굵기가 가는 운동 신경에 연결되어 있다. 수축 반응이 느리고, 운동 강도가 낮은 신체 활동에 사용되며, 쉽게 피로해지지 않는다(Type Ⅰ).
② 속근: 백근이라고도 하며 굵은 운동 신경에 연결되어 있다. 수축 반응이 빠르고, 운동 강도가 높은 신체 활동에 사용되며, 피로가 빠르다. 속근섬유는 피로에 저항하는 능력에 따라 다시 두 종류로 세분된다(Type Ⅱa와 Type Ⅱx).

꼭 외우는 키워드 □ 지근 □ 적근 □ 속근 □ 백근 □ 수축 반응 □ 운동 강도

11 ★★★

주동근과 길항근에 대해 설명하시오.

주동근은 운동 부위에 직접적으로 움직임을 일으키는 근육을 말한다. 길항근은 주동근의 반대로 움직임을 느리게 하거나 정지시키는 근육을 말한다. 길항근은 관절을 안정시키고, 움직임이 빠른 후반부에 팔다리의 속도를 늦춰 동작을 잘 마무리할 수 있도록 도와준다.

꼭 외우는 키워드 □ 주동근 □ 직접 □ 길항근 □ 정지 □ 관절 안정 □ 동작 마무리

12 ★★★

근수축 과정에 대해 설명하시오.

액틴과 미오신 근세사가 모여 근섬유를 만들고, 이들이 모여 근육을 이루고 있다. 근육을 수축하라는 신호가 오면 액틴과 미오신이 서로 끌어당겨 근세사의 길이가 짧아지고 근섬유가 수축하게 되는데 이들이 동시에 작용하기 때문에 근수축이 일어나게 된다.

꼭 외우는 키워드 □ 액틴 □ 미오신 □ 근세사 길이 □ 근섬유 수축 □ 동시 작용

13 ★★★

근육의 세 가지 수축 형태를 말하시오.

① 등장성: 근육의 길이에 변화가 있으면서 근력이 발휘되는 수축(덤벨 컬, 스쿼트)을 말한다.
② 등척성: 근육의 길이 변화가 없으면서 근력이 발휘되는 수축(벽밀기)을 말한다.
③ 등속성: 근육의 이완과 수축이 같은 힘으로 이루어지는 수축(재활 시 사용)을 말한다.

꼭 외우는 키워드 □ 등장성 □ 등척성 □ 등속성

14 ★★★

근력 운동의 두 가지 종류에 대해 설명하시오.

근력 운동에는 움직임 없이 근력을 발휘하는 정적 운동과 움직이면서 근력을 발휘하는 동적 운동이 있다.
① 정적 운동: 움직임 없이 근력을 발휘하는 것
　　예 등척성 운동(Isometric Exercise)
② 동적 운동: 움직이면서 근력을 발휘하는 것
　　예 등장성 운동(Isotonic Exercise)

꼭 외우는 키워드 □ 정적 운동 □ 등척성 운동 □ 동적 운동 □ 등장성 운동

15 ★★

등속성 수축에 대해 설명하시오.

관절각이 일정한 속도로 운동하는 근수축이 등속성 수축(Isokinetic Contraction)이다.

꼭 외우는 키워드 □ 관절각 □ 일정한 속도

16 ★★

등척성 수축에 대해 설명하시오.

근섬유의 길이 및 관절각의 변화 없이 장력이 발휘되는 수축으로 근육에 의해서 발휘될 수 있는 힘보다 무거운 물건을 지탱하거나 움직일 수 없는 물건을 밀거나 당길 때 나타나는 근수축이 등척성 수축(Isometric Contraction)이다.

꼭 외우는 키워드 □ 근섬유의 길이 □ 관절각 □ 장력

17 ★★

등장성 수축에 대해 설명하시오.

등장성 수축(Isotonic Contraction)은 외부 저항으로 인해 근육의 장력이 움직이는 관절각에 따라 변화하는 근수축을 의미한다.

꼭 외우는 키워드 □ 외부 저항 □ 근육의 장력 □ 관절각

18 ★★★

단축성 수축과 신장성 수축에 대해 설명하시오.

관절의 각도에 변화가 생기면서 근육이 짧아지거나 길어지는 등장성 수축에는 단축성 수축과 신장성 수축이 있다.

① 단축성 수축: 근육의 길이가 짧아지며 수축하는 운동이다.

② 신장성 수축: 근육의 길이가 길어지며 수축하는 운동이다.

꼭 외우는 키워드 □ 관절 각도 변화 □ 근육 길이 □ 등장성 수축

19 ★

에너지 소비량의 종류에 대해 설명하시오.

① 기초 대사(Basal Metabolism, BM): 몸이 완전히 휴식 상태에 있을 때의 대사를 기초 대사라고 한다.

② 안정 대사(Resting Metabolism, RM): 기초 대사 상태로부터 앉아서 식사를 하는 정도의 상태에서 이루어지는 대사를 안정 대사라고 한다.

③ 활동 대사(Working Metabolism, WM): 일상생활에서의 활동과 노동 및 운동 등 몸을 움직임으로써 항진하는 에너지 대사를 활동 대사(운동 대사, 노동 대사)라고 한다.

꼭 외우는 키워드 □ 기초 대사 □ BM □ 완전 휴식 □ 안정 대사 □ RM □ 식사 □ 활동 대사 □ WM □ 일상 활동 □ 노동 □ 운동 □ 에너지 대사 □ 운동 대사 □ 노동 대사

20 ★★★

ATP-PC 시스템에 대해 설명하시오.

강한 근력 운동 시 에너지는 빠르게 고갈되고, ATP는 근수축에 필요한 에너지를 방출한다. 하지만 근육 속에 저장되어 있는 ATP의 양은 아주 소량이므로 ATP는 ADP+Pi로 분해가 되고 PC가 C+Pi로 분해되면서 ADP+Pi를 ATP로 재합성한다. 이때 ATP의 양은 최대 운동을 할 때 1~2초 동안, PC는 약 6~8초 후에 고갈된다.

꼭 외우는 키워드 □ ATP □ ADP+Pi □ PC □ C+Pi □ 분해 □ 재합성

21 ★★★

ATP(아데노신삼인산)에 대해 설명하시오.

생물의 세포가 직접적으로 사용하는 에너지원으로 탄수화물, 지방, 단백질이 산소를 만나 ATP를 생성하여 생명 활동에 이용한다.

꼭 외우는 키워드 □ 에너지원 □ 탄수화물 □ 지방 □ 단백질 □ 산소 □ 생명 활동

22 ★★★

에너지 시스템에 대해 설명하시오.

인체가 신체 활동을 하기 위해서는 에너지가 필요하다. 에너지는 일이나 활동을 할 수 있는 능력을 의미하며, 근육에서 직접적으로 사용할 수 있는 화학적 에너지는 ATP(Adenosine Tri Phosphate)이다. 이 ATP를 재합성하여 에너지로 사용하는 ATP-PC(인원질) 시스템과 젖산 시스템의 무산소성 과정이 있고, 유산소 시스템의 유산소성 과정이 있다.

꼭 외우는 키워드 □ ATP-PC(인원질) 시스템 □ 젖산 시스템 □ 무산소성 과정 □ 유산소 시스템 □ 유산소성 과정

23 ★★★

젖산 시스템에 대해 설명하시오.

ATP 시스템에 의한 에너지 고갈 후 근육과 간 속에 있는 글리코겐을 사용하는 시스템이다. 글리코겐은 해당 과정을 거쳐 피루브산으로 분해되면서 ATP를 생성하고 이때 산소가 불충분하면 젖산으로 전화되며 젖산 시스템으로 들어간다. 젖산 시스템은 ATP-PC 시스템 다음으로 빠른 속도로 에너지 생산이 가능하고 글리코겐의 최종 부산물인 젖산이 축적되어 근육에 피로와 고통을 초래한다. 1~3분 사이 최대의 노력으로 행하는 운동의 경우 젖산 시스템이 주로 사용된다.

꼭 외우는 키워드 □ 근육 □ 간 □ 글리코겐 □ 젖산 □ 근육 피로 □ 근육 고통

24 ★★★

유산소 시스템에 대해 설명하시오.

유산소 시스템은 산소를 이용하여 에너지를 만드는 시스템이다. 운동 시 산소가 충분히 공급 될 경우 글리코겐이 이산화탄소와 물로 분해되면서 ATP를 생성하고 젖산의 축적을 막으면서 ATP를 생성하므로 주로 장시간 운동에 사용된다.

꼭 외우는 키워드 □ 산소 □ 공급 □ 글리코겐 □ 이산화탄소 □ 물 □ ATP □ 장시간

25 ★

크레아틴은 골격근 내에서 몇 %를 차지하는지 말하시오.

약 95% 정도를 차지한다.

꼭 외우는 키워드 □ 약 95%

26 ★★

탄수화물의 저장 방법에 대해 설명하시오.

탄수화물은 인체의 주 에너지원이다. 간과 근육에 글리코겐의 형태로 저장하여 이용되며, 간과 근육에서 사용하고 남은 탄수화물은 지방의 형태로 저장된다.

꼭 외우는 키워드 □ 주 에너지원 □ 간 □ 근육 □ 글리코겐 □ 지방

27 ★★

정상 혈당 수치에 대해 설명하시오.

공복 혈당 정상 수치는 70~100mg/dL이고, 식후 2시간 혈당 정상 수치는 90~140mg/dL이다.

꼭 외우는 키워드 □ 공복 혈당 □ 70~100mg/dL □ 식후 2시간 혈당 □ 90~140mg/dL

28 ★★

BMR에 대해 설명하시오.

BMR(Basal Metabolic Rate)은 기초 대사율의 약어이다. 생명 유지에 필요한 최소의 열량을 기초 대사량이라고 하는데, 실제 검사한 기초 대사량과 피검자의 연령, 성별에 해당하는 표준 대사량과의 차를 표준 대사량으로 나누고 100을 곱하여 얻은 수치를 말한다.

꼭 외우는 키워드 □ BMR □ 기초 대사율 □ 생명 유지 □ 최소의 열량 □ 표준 대사량

29 ★

산소 부채에 대해 설명하시오.

무산소 운동과 같이 심한 운동 후에는 호흡을 헐떡이며 깊은숨을 몰아쉬게 된다. 이와 같이 운동 중에 호흡을 하지 못하고 운동 후에 몰아쉬는 것을 산소 부채라고 한다.

꼭 외우는 키워드 □ 운동 후 □ 몰아쉬는 호흡

30 ★★★

스포츠 심장에 대해 설명하시오.

스포츠를 통해 단련된 사람의 심장으로, 심장 근육이 두꺼워져 심장에서 혈액을 내보내는 능력이 좋아 낮은 심박수로도 충분한 혈액 공급이 가능하다.

꼭 외우는 키워드 □ 스포츠 □ 단련 □ 심장 □ 낮은 심박수 □ 혈액 공급

31 ★

대순환과 소순환에 대해 설명하시오.

① 대순환: 체순환[심장 좌심실 – 대동맥 – 동맥 – 모세혈관 – 온몸의 세포(산소와 영양소 공급, 이산화탄소와 노폐물을 받음) – 정맥 – 대정맥 – 심장 우심방]으로 되돌아오는 혈액의 순환 과정이다.
② 소순환: 폐순환[심장 우심실 – 폐동맥 – 폐의 폐포(산소와 이산화탄소 교환) – 폐정맥(산소를 받은 깨끗한 혈액) – 심장의 좌심방]으로 되돌아오는 혈액의 순환 과정이다.

꼭 외우는 키워드 □ 체순환 □ 심장 좌심실 □ 대동맥 □ 동맥 □ 모세혈관 □ 온몸 세포 □ 정맥 □ 대정맥 □ 심장 우심방 □ 폐순환 □ 심장 우심실 □ 폐동맥 □ 폐포 □ 폐정맥 □ 심장 좌심방

32 ★★

체형의 종류에 대해 설명하시오.

① 외배엽: 근육이나 지방이 잘 축적되지 않는 마른 체질로 체내 신진대사가 빨라 체중 증가가 어려운 체형이다.
② 중배엽: 기본적으로 골격이 잘 발달되어 있고 근육량이 많으며 운동 시에 근육량의 증가가 빠르게 일어나는 체형이다.
③ 내배엽: 대체적으로 몸이 둥글하고 부드러우며 흉곽과 복부가 두터운 체형으로 골격이 크고 지방량이 많은 과체중의 형태가 많다.

꼭 외우는 키워드 ☐ 외배엽 ☐ 마른 체질 ☐ 신진대사 ☐ 중배엽 ☐ 골격 발달 ☐ 근육량 ☐ 내배엽 ☐ 흉곽 ☐ 복부 ☐ 과체중

33 ★★★

BMI에 대해 설명하시오.

체질량 지수(Body Mass Index)로 신장과 체중의 비율을 나타낸다{체중(kg)÷신장(m)^2}. 근육과 지방의 무게를 구분하지 않아 근육량이 많은 사람에게는 적합하지 않다.

꼭 외우는 키워드 ☐ 체질량 지수 ☐ 신장 ☐ 체중 ☐ 비율

34 ★

남성과 여성의 체지방률이 몇 % 이상일 때 비만이라고 하는지 말하시오.

남성은 20% 이상, 여성은 30% 이상일 경우 비만이라고 한다.

꼭 외우는 키워드 ☐ 남성 ☐ 20% 이상 ☐ 여성 ☐ 30% 이상

35 ★★

여성이 남성처럼 근육이 크게 발달하지 않는 이유를 설명하시오.

근육 형성에 영향을 주는 대표적인 호르몬인 테스토스테론은 근육의 성장과 발달에 주도적인 역할을 한다. 이 호르몬은 여성보다 남성에게 많이 생성된다. 반면 여성에게는 에스트로겐이라는 호르몬이 더 많은데, 이 호르몬은 근육량 감소, 지방 축적 증가에 관여한다.

꼭 외우는 키워드 ☐ 테스토스테론 ☐ 근육 ☐ 성장 ☐ 발달 ☐ 에스트로겐 ☐ 지방 ☐ 축적

36 ★★

남성 호르몬과 여성 호르몬의 차이점을 설명하시오.

남성호르몬(테스토스테론; Testosterone)은 남성화 작용, 즉 근육 형성을 도모하고 여성호르몬(에스트로겐; Estrogen)은 근육량 감소, 지방 축적 증가에 관여한다.

꼭 외우는 키워드 ☐ 남성호르몬 ☐ 테스토스테론 ☐ 남성화 작용 ☐ 근육 형성 ☐ 여성호르몬 ☐ 에스트로겐 ☐ 근육 감소 ☐ 지방 축적

37 ★

당 수치에 민감한 반응을 보이는 호르몬을 말하시오.

인슐린(Insulin)이다.

꼭 외우는 키워드 □ 인슐린

38 ★★

아르기닌의 효과에 대해 말하시오.

아르기닌(Arginine)은 체내에서 엘(L)아르기닌 형태로 존재할 때 생리적인 활성을 나타내는 준필수 아미노산이다. 엘-아르기닌은 아미노산 보충 등의 목적으로 사용하고, 혈관 이완을 통해 혈행 개선에 도움을 주는 기능성 원료로도 사용한다.

꼭 외우는 키워드 □ 엘아르기닌 □ 생리적인 활성 □ 준필수 아미노산 □ 아미노산 보충 □ 혈관 이완 □ 혈행 개선

39 ★

부정적 사고와 긍정적 사고를 할 때 인체에서 생성되는 호르몬을 말하시오.

아드레날린(Adrenalin)과 엔도르핀(Endorphin)이다.

꼭 외우는 키워드 □ 아드레날린 □ 엔도르핀

40 ★

망간에 대해 설명하시오.

세포 내 미토콘드리아(Mitochondria)의 지방산 합성과 탄수화물 대사에 관여하는 세포 '발전소'의 구조와 기능에 필요한 미네랄이다.

꼭 외우는 키워드 □ 미토콘드리아 □ 지방산 합성 □ 탄수화물 대사

41 ★

운동 중 고원 현상에 대해 설명하시오.

고원 현상은 어느 수준까지 증가하던 학습 효과가 학습의 종류에 따른 학습자의 피로, 권태, 흥미의 상실과 같은 생리적 · 심리적 요인에 의해 일시적으로 정체될 때 나타난다.

꼭 외우는 키워드 □ 학습 효과 □ 피로 □ 권태 □ 흥미 상실 □ 일시적 정체

42 ★

IOC가 도핑을 금지하는 윤리적 이유를 설명하시오.

경기력 향상을 목적으로 금지 약물을 사용하는 것은 정당하고 공평한 경쟁이 요구되는 올림픽의 기본 정신을 위배하는 것이며, 약물 복용을 하지 않는 선수들에게 불리한 결과를 가져다 주기 때문이다.

꼭 외우는 키워드 □ 경기력 향상 □ 금지 약물 □ 사용 □ 올림픽 정신 □ 위배 □ 불리한 결과

43 ★

구골수피, 구골엽, 고정다, 오동자, 다엽은 어떤 성분 때문에 도핑 테스트에 걸리는지 말하시오.

카페인(Caffeine) 때문이다.

꼭 외우는 키워드 □ 카페인

44 ★

마황은 어떤 성분 때문에 도핑 테스트에 걸리는지 말하시오.

에페드린(Ephedrine) 때문이다.

꼭 외우는 키워드 □ 에페드린

CHAPTER

6 응급 처치

01 ★★★

응급 처치의 필요성에 대해 설명하시오.

응급 처치란 갑자기 발생한 외상이나 질환에 대해 최소한의 긴급 처치를 하는 것을 말한다. 지혈, 인공호흡, 심 마사지 등이 그 예이다. 이러한 응급 처치는 응급 환자의 생명을 구하며, 통증의 감소 및 장애를 방지하여 치료 기간을 단축시켜 응급 환자가 회복 후에도 가치 있는 삶을 살아갈 수 있도록 한다.

꼭 외우는 키워드 □ 최소한의 긴급 처치 □ 응급 환자 구조 □ 통증 감소 □ 장애 방지 □ 치료 기간 단축

02 ★★

응급 처치의 중요성에 대해 설명하시오.

① 환자의 생명을 구하고 현 상태를 유지한다.
② 상태의 악화를 방지하고, 고통을 경감시킨다.
③ 치료 기간과 입원 기간을 단축해 준다.
④ 의료비 지출을 줄여 준다.

꼭 외우는 키워드 □ 생명 구조 □ 상태 유지 □ 악화 방지 □ 고통 경감 □ 치료 및 입원 기간 단축 □ 의료비 지출 감소

03 ★★★

응급 처치 시의 기본 사항에 대해 설명하시오.

① 위급 상황이라는 것을 인지하고 어떻게 행동할 것인지를 결정한다.
② 119에 신고하고 정확한 위치를 설명한다.
③ 119 구급대가 사고 현장에 도착할 때까지 적절한 응급 처치를 한다.

꼭 외우는 키워드 □ 위급 상황 인지 □ 행동 결정 □ 119 신고 □ 위치 설명 □ 응급 처치

04 ★★

응급 처치 시 지켜야 할 사항에 대해 설명하시오.

① 응급 처치자 자신의 안전을 확보한다.
② 당황하지 않고 신속 · 침착하게 대응하며 중증 환자부터 우선 처치한다.
③ 환자의 생사에 대한 판단은 하지 않는다.
④ 원칙적으로 의약품을 사용하지 않으며, 검증되지 않은 민간 요법도 사용하지 않는다.
⑤ 어디까지나 응급 처치로 그치고 전문 의료 요원의 처치에 맡긴다.

꼭 외우는 키워드 □ 안전 확보 □ 중증 환자 우선 □ 생사 판단 □ 의약품 및 민간 요법 사용 금지

05 ★★

응급 상황 시 행동 요령에 대해 설명하시오.

① 현장 조사(Check): 현장과 부상자를 확인한다.
② 연락(Call): 119나 응급 의료 기관에 신고한다.
③ 처치 및 도움(Care): 부상자를 돌본다.

꼭 외우는 키워드 □ 현장 조사 □ 연락 □ 처치 및 도움

06 ★★★

의식이 있는 환자의 응급 처치법에 대해 말하시오.

의식이 있는 응급 환자의 확인은 두 가지 단계로 구분된다. 우선 환자와 목격자에게 상황을 물어보고, 환자를 전체적으로 살펴본다. 확인 과정이 끝나고 환자가 통증 없이 움직일 수 있으면 앉히거나 편안한 자세를 취하게 한다. 아울러 어떤 처치가 더 필요한지, 119 신고가 필요한지에 대해서 결정한다.

꼭 외우는 키워드 □ 환자와 목격자 □ 상황 문의 □ 환자 관찰 □ 편안한 자세 □ 추가 처치 □ 119 신고

07 ★★★

의식이 없는 환자의 응급 처치법에 대해 말하시오.

① 의식 확인: 주변에 갑자기 쓰러지는 사람을 목격하거나 쓰러져 있는 사람을 발견하면 즉시 의식 확인을 한다.
② 응급 의료 기관 연락: 주변 사람에게 119에 신고해 달라고 요청을 하거나 아무도 없을 경우 즉시 심폐 소생술을 실시한다.
③ 호흡 확인: 기도가 확보되면 환자가 호흡을 하는지 살펴본다. 호흡은 5~10초 이내에 확인한다.
④ 흉부 압박(30회 흉부 압박하기): 손바닥을 흉골 위에 두고 반대쪽 손을 겹치게 올려놓는다. 손바닥의 뒤꿈치로 압박을 하며, 팔꿈치는 수직이 되도록 곧게 펴서 5~6cm 정도의 깊이로 분당 100~120회 속도로 30회 압박한다.
⑤ 기도 개방: 한 손바닥을 이마에 대고 나머지 손의 검지와 중지를 환자의 턱에 댄다. 머리를 누르며 턱을 동시에 들어 올려 기도를 개방한다.
⑥ 인공호흡(2회 숨 불어넣기): 기도 개방 후 숨 불어넣기에 장애가 되는 이물을 제거한다. 의식이 없는 환자의 경우 이물이 처치자의 시야에 보일 때만 실시한다.
⑦ 순환 확인: 호흡, 기침, 움직임, 맥박 여부가 없다면 흉부 압박부터 다시 실시한다.

꼭 외우는 키워드 □ 의식 확인 □ 응급 의료 기관 연락 □ 호흡 확인 □ 흉부 압박 □ 기도 개방 □ 인공호흡 □ 순환 확인

08 ★★

흉부 압박에 대해 설명하시오.

흉부 압박은 심정지 환자에게 효과적이며 딱딱하고 평평한 바닥에 눕혀 즉시 흉부 압박을 실시할 수 있도록 한다.

① 위치: 복장뼈의 1/2 아래 지점
② 깊이: 최소 5cm, 최대 6cm
③ 속도: 100회 이상, 120회 이하
④ 압박과 인공 호흡: 압박 30회, 인공 호흡 2회
⑤ 압박과 이완 비율: 50 대 50
⑥ 방법: 흉골의 아래쪽 절반 부위에 한쪽 손바닥을 대고 다른 한 손을 그 위에 포개어 깍지를 낀 후 팔꿈치를 곧게 펴서 환자의 가슴과 구조자의 팔이 수직이 되도록 한다. 체중을 실어 분당 100회~120회 정도로 강하게 규칙적으로, 빠르게 압박한다.

꼭 외우는 키워드 □ 심정지 환자 □ 효과적 □ 평평한 바닥 □ 깍지 □ 수직 □ 분당 100회~120회

09 ★★

RICE 처치법에 대해 설명하시오.

RICE 처치법은 모든 뼈, 관절, 근육 부상의 치료를 위한 휴식(Rest), 얼음찜질(Ice), 압박(Compression), 거상(Elevation)의 각 첫 글자를 합친 것이다. 부상 후 48~72시간 이내에 조치가 취해져야 통증을 줄이고 예방하는 데 도움이 된다. 골절이나 탈구의 경우 움직이지 않게 고정하거나 테이프 등으로 감아주어 움직이지 못하도록 한다.

꼭 외우는 키워드 □ 휴식 □ 얼음찜질 □ 압박 □ 거상

10 ★★

출혈이 있는 환자에 대한 응급 처치법을 설명하시오.

① 상처의 범위와 정도를 먼저 평가한다.
② 처치자는 감염으로부터 보호받기 위해 의료용 장갑을 낀다.
③ 옷을 벗기거나 잘라서 상처 부위를 드러내고 출혈이 있는 곳을 찾는다.
④ 소독 거즈나 깨끗한 천으로 상처 부위를 완전히 덮고 손가락이나 손바닥으로 직접 압박하여 지혈한다.
⑤ 출혈이 계속되면 상처 부위를 직접 압박함과 동시에 압박점에 압박을 가해서 혈류를 늦춘다.
⑥ 부목으로 상처 부위를 고정한다.

꼭 외우는 키워드 □ 상처 범위 및 정도 평가 □ 의료용 장갑 □ 출혈이 있는 곳 □ 직접 압박 □ 압박점 압박 □ 부목

아는 세계에서 모르는 세계로 넘어가지 않으면
우리는 아무것도 배울 수 없다.

– 클로드 베르나르 (Claude Bernard)

CHAPTER

7 생활체육론

01 ★

생활체육의 정의에 대해 설명하시오.

일상적인 생활에서 여가 시간을 활용하여 성별 구분 없이 적절한 체육 활동이 가능한 연령대 모두가 즐길 수 있는 체육 활동을 말한다.

꼭 외우는 키워드 □ 여가 시간 활용 □ 체육 활동 가능 연령대

02 ★

생활체육의 목적에 대해 설명하시오.

생활체육은 국민의 자발적인 참여를 통해 개인의 건강을 증진시키고, 여가 선용을 통하여 삶의 질을 향상시키는 데 그 목적이 있다.

꼭 외우는 키워드 □ 자발적 참여 □ 건강 증진 □ 여가 선용 □ 삶의 질

03 ★

생활체육의 목표에 대해 설명하시오.

① 체육 내용의 다양화를 추구한다.
② 체육 활동의 생활화를 추구한다.
③ 체육 방법의 합리화를 추구한다.
④ 체육 환경의 복지화를 추구한다.

꼭 외우는 키워드 □ 다양화 □ 생활화 □ 합리화 □ 복지화

04 ★★

생활체육의 의의에 대해 설명하시오.

① 현대 사회는 사회생활의 공적 영역과 사적 영역이 분리된 사회이다. 생활체육은 사적 영역에 해당하며 개인의 자유로운 의지에 기초하여 활동을 선택하고 삶의 기회를 확대할 수 있도록 제공되는 영역이다.
② 생활체육은 모든 사람을 위한 평등에 기초한 국민복지운동이다.
③ 생활체육은 분열과 투쟁의 현실 세계를 살아가는 사람들에게 화해와 공동체적 삶의 세계를 경험할 수 있는 기회를 제공한다.
④ 생활체육은 궁극적으로 삶의 질적 향상을 통해 행복감을 맛보게 함으로써 삶을 풍요롭게 한다.

꼭 외우는 키워드 □ 사적 영역 □ 개인의 자유 의지 □ 삶의 기회 확대 □ 평등 □ 국민복지운동 □ 화해 □ 공동체적 삶 □ 질적 향상 □ 행복감

05 ★★

생활체육의 필요성에 대해 설명하시오.

① 건강과 체력 증진에 대한 요구가 증대되었다.
② 여가 시간이 늘어나고 대중 스포츠 인구가 증가하였다.
③ 국민의 체육에 대한 가치관과 태도가 변화하였다.
④ 여가 활동에 대한 요구가 증대되었다.

꼭 외우는 키워드 □ 건강 □ 체력 증진 □ 여가 시간 □ 대중 스포츠 인구 □ 체육에 대한 가치관과 태도 □ 여가 활동

06 ★

생활체육의 역할에 대해 설명하시오.

생활체육의 역할에는 인간성 회복, 평생 교육, 국민 건강 증진, 지역 사회 개발, 청소년 선도, 여가 선용 등이 있다.

꼭 외우는 키워드 □ 인간성 회복 □ 평생 교육 □ 국민 건강 증진 □ 지역 사회 개발 □ 청소년 선도 □ 여가 선용

07 ★★★

생활체육의 기능에 대해 설명하시오.

① 사회적 기능: 생활체육은 사회 구성원이 그 사회의 생활 원리와 조화를 이루어 행동하며 살아가도록 사회화시키고, 각기 다른 개성과 이해를 지닌 이질적인 개인 유기체를 공동체로 융화하여 화합시키는 기능을 한다.
② 생리적 기능: 생활체육은 운동량이 부족한 현대 사회의 인간에게 필요한 적정량의 신체 활동 무대를 제공함으로써 극단의 열악한 환경에서도 견딜 수 있는 튼튼한 체력을 육성할 수 있게 한다.
③ 심리적 기능: 체육 활동은 극단적인 감정인 즐거움, 미움, 슬픔 등과 같은 정서적 앙금을 발산시키기 위한 좋은 기회를 제공하고, 강한 연대 의식, 우애, 소속감, 친밀감 및 친교의 감정을 유발하는 잠재력을 지니고 있다.

꼭 외우는 키워드 □ 사회적 기능 □ 사회화 □ 공동체 융화 □ 화합 □ 생리적 기능 □ 신체 활동 □ 튼튼한 체력 □ 심리적 기능 □ 정서적 앙금 □ 발산 □ 연대 의식 □ 우애 □ 소속감 □ 친밀감 □ 친교

08 ★

생활체육의 구성에 대해 설명하시오.

생활체육은 생활체육 시설, 생활체육 프로그램, 생활체육 지도자로 구성되어 있다.

꼭 외우는 키워드 □ 생활체육 시설 □ 생활체육 프로그램 □ 생활체육 지도자

09 ★

생활체육의 대상에 대해 설명하시오.

생활체육은 사회 구성원 전체를 대상으로 하여 이루어지는 체육 활동으로 구체적인 참가자는 다음과 같다.

① 지역 사회 자생 동호인 체육단체 및 조직 가입자
② 스포츠 종목별 동호인 단체 및 조직 가입자
③ 직장 동호인 체육단체 및 조직 회원
④ 상업체육 회원 및 등록자
⑤ 공공체육 시설 및 민간단체 체육 시설 이용자

꼭 외우는 키워드 □ 사회 구성원 전체 □ 지역사회 □ 스포츠 종목별 □ 직장 동호인 □ 상업체육 □ 공공 □ 민간 □ 체육 시설 이용자

10 ★

생활체육의 영역에 대해 설명하시오.

① 가정체육: 사회의 기초 집단인 가족이 단위를 이루어 참가하는 체육을 말하며 가정생활 만족과 삶의 질을 향상시킨다.
② 직장체육: 기업이나 근로 현장과 같은 생활 공간에서 직장인이 자발적으로 참가하는 체육 활동으로서, 건강 및 체력의 유지와 증진, 삶의 질 향상, 노사 관계의 개선, 노동 생산성의 향상 등을 가져온다.
③ 지역사회체육: 지역 사회 발전의 중요한 지표로서 지역 주민의 자발적인 참여를 전제로 한다. 지역 주민의 체력 및 건강 증진, 건강한 지역 주민 육성, 건전한 여가 문화 창달 등 지역사회의 총체적인 복지 증진에 기여한다.
④ 상업체육: 영리 추구를 목적으로 조직된 스포츠 단체나 기업이 체육 활동의 주체인 일반 대중에게 스포츠 활동을 영위할 수 있도록 체육 활동과 관련된 각종 서비스나 상품을 제공하는 행위를 말한다.

꼭 외우는 키워드 □ 가정체육 □ 가족 □ 가정생활 □ 만족 □ 직장체육 □ 직장인 □ 자발적 □ 지역사회체육 □ 지역 주민 □ 참여 □ 상업체육 □ 기업 □ 스포츠 단체

11 ★★

생활체육의 활성화 방법에 대해 말하시오.

국민 누구나 언제, 어디에서든 생활체육을 즐길 수 있도록 충분한 시설이 필요하다. 아울러 모든 연령층이 참여할 수 있도록 다양한 생활체육 프로그램을 개발하고 제공하여야 한다. 또한 생활체육을 지도하는 지도자와 지도자를 양성하기 위한 교육이 필요하다.

꼭 외우는 키워드 □ 충분한 시설 □ 모든 연령층 □ 프로그램 개발 □ 지도자 양성 □ 지도자 양성 교육

12 ★★

생활체육 시설에 대해 설명하시오.

① 공공체육 시설: 사회 구성원의 적극적이고 건전한 체육 활동을 장려하고 특정 집단이 아닌 일반 대중을 위하여 국가 및 지방자치단체 또는 공공법인체의 지원으로 설치 및 운영, 유지되는 체육 시설을 말한다.

② 학교체육 시설: 각급 학교의 교육 과정과 체육 및 과외, 자율 체육 활동의 장으로서 역할을 할 뿐만 아니라 지역 주민의 생활체육 활동 공간으로서의 기능과 역할을 한다.

③ 직장체육 시설: 직장인에게 능동적 체육 활동 참가를 가능하게 하는 일차적 요건이며, 직장인의 근로 의욕 고취 및 바람직한 문화생활 영위를 위한 직장 내 복지 시설이다.

④ 민간체육 시설: 개인, 기업, 법인, 사회단체, 체육 단체 등이 일반 대중을 대상으로 설치하는 체육 시설로서 이윤 추구를 목적으로 운영하는 영리체육 시설과 일반 대중의 체육 활동 장려와 사회봉사를 목적으로 하는 비영리체육 시설로 구분된다.

꼭 외우는 키워드 □ 공공체육 시설 □ 일반 대중 □ 국가 □ 지방자치단체 □ 공공법인체 □ 학교체육 시설 □ 교육 과정 □ 체육 □ 자율 체육 활동 □ 직장체육 시설 □ 직장인 □ 능동적 □ 민간체육 시설 □ 개인 □ 기업 □ 법인 □ 사회단체 □ 체육단체

13 ★

생활체육 시설의 기능에 대해 설명하시오.

① 시설 대여 서비스: 체육 활동에 필요한 장소와 기구를 개인 또는 단체가 쉽고 안전하며 저렴하게 이용하도록 제공하는 서비스이다.

② 프로그램 서비스: 생활체육 시설의 경영 주체 또는 생활체육 지도자가 운동 참여자에게 생활체육의 활동 내용을 제공하는 서비스이다.

③ 조직 결성 서비스: 동일 종목 혹은 비슷한 기능 수준의 사람을 모아 동호인 조직이 결성되어 활동이 지속되도록 매개하는 역할을 수행한다.

④ 지도 서비스: 생활체육 시설의 유형 및 난이도에 따라 적합한 지도자가 배치되어 이용자의 요구에 부응하는 생활체육 활동을 지도하는 서비스이다.

⑤ 상담 서비스: 생활체육 관련 전문 도서를 비치하거나 생활체육 전문 상담원을 배치하여 건강, 체력 및 이론 상담 등을 제공하는 서비스이다.

⑥ 안내 서비스: 생활체육 시설의 소재지, 이용 방법, 지방공공단체나 민간체육단체 등이 제공하는 생활체육 정보 등을 수집 · 분류 · 비치하여 제공하는 서비스이다.

꼭 외우는 키워드 □ 시설 대여 서비스 □ 프로그램 서비스 □ 조직 결성 서비스 □ 지도 서비스 □ 상담 서비스 □ 안내 서비스

14 ★

생활체육 프로그램의 개념에 대해 설명하시오.

협의의 생활체육 프로그램의 개념은 특정 게임 및 스포츠 활동이 개인적 특성이나 사회적 환경에 따라 진행되는 방법 및 절차를 의미한다. 광의의 개념은 생활체육이 시간적 · 공간적 제약을 극복하고 체육의 생활화를 구현하는 데 수반되는 모든 수단과 방법을 의미한다.

꼭 외우는 키워드 □ 협의 □ 특정 게임 □ 스포츠 활동 □ 개인 특성 □ 사회 환경 □ 방법 □ 절차 □ 광의 □ 시간 제약 □ 공간 제약 □ 체육의 생활화

15 ★★★

생활체육 프로그램의 계획 과정에 대해 설명하시오.

① 프로그램의 목적 이해 → ② 욕구 조사 → ③ 프로그램 목적 및 목표 설정 → ④ 프로그램 계획 수립 → ⑤ 프로그램 실행 → ⑥ 프로그램 평가 및 보완으로 구성된다.

① 프로그램의 목적 이해: 프로그램의 철학과 목적을 이해한다.

② 욕구 조사: 프로그램 참가자의 요구 사항, 관심 등을 파악한다.

③ 프로그램 목적 및 목표 설정: 참가자의 욕구가 반영된 목표를 설정하여 프로그램의 진행 방향을 결정한다.

④ 프로그램 계획 수립: 목표에 따라 구체적인 설계와 계획서를 작성한다.

⑤ 프로그램 실행: 실제적인 체육 활동 진행, 참가자와 지도자 간의 지속적 상호 작용이 필요하다.

⑥ 프로그램 평가 및 보완: 효과성, 효율성, 만족도 등을 평가해 운동 기능 수준, 가치, 태도 변화를 판단하여 기존 프로그램을 보완하고 새로운 프로그램을 구성한다.

꼭 외우는 키워드 □ 프로그램의 목적 이해 □ 욕구 조사 □ 프로그램 목적 및 목표 설정 □ 프로그램 계획 수립 □ 프로그램 실행 □ 프로그램 평가 및 보완

16 ★★★

생활체육 프로그램의 구성 원리에 대해 설명하시오.

① 평등성: 모든 사람이 참여할 수 있어야 한다.

② 창조성: 창조적인 체육 활동을 도모한다.

③ 욕구 반영성: 참가자의 욕구를 반영한다.

④ 다양성: 일률적 방법으로 진행하는 것이 아니라 다양한 프로그램을 개발해야 한다.

⑤ 전문성: 전문가에 의해 운영 · 감독되어야 한다.

⑥ 평가성: 지속적이고 객관적인 평가를 해야 한다.

⑦ 보완성: 평가 이후에 그 결과를 가지고 지속적으로 수정과 보완을 해야 한다.

⑧ 편의성: 쉽게 참여할 수 있어야 한다.

⑨ 전달성: 광범위하게 보급될 수 있도록 하여야 한다.

꼭 외우는 키워드 □ 평등성 □ 창조성 □ 욕구 반영성 □ 다양성 □ 전문성 □ 평가성 □ 보완성 □ 편의성 □ 전달성

17 ★★

생활체육 지도자의 개념에 대해 설명하시오.

생활체육 지도자는 생활체육 참가자에 대한 안내자, 지시자, 영향력 행사자 등의 역할을 수행하는 사람이다.

꼭 외우는 키워드 □ 안내자 □ 지시자 □ 영향력 행사자

18 ★★★

생활체육 지도자의 역할에 대해 설명하시오.

① 안내자: 생활체육 참가자에게 보다 접근이 용이한 생활체육 활동 경로를 직·간접적으로 제시해 줌으로써 참가자의 생활체육 활동 욕구를 충족시켜 주고 바람직한 활동 결과를 얻을 수 있도록 도와주는 역할을 한다.

② 지시자: 생활체육 활동에 개입하는 참가자를 관리하고 지침, 명령의 형태로 참가자를 통제한다.

③ 영향력 행사자: 참가자 개인이 생활체육 활동에 몰입할 수 있도록 지도력을 발휘하고 생활체육 조직 내에서 자신의 지위에 의해 부여되는 권위보다는 자신의 인격과 식견, 매력에 의한 영향력 신장을 통하여 참가자를 지도한다.

꼭 외우는 키워드
- □ 안내자 □ 경로 제시 □ 욕구 충족 □ 지시자
- □ 참가자 관리 및 통제 □ 영향력 행사자 □ 지도력 발휘
- □ 인격 및 식견 □ 매력 □ 영향력 신장

19 ★★★

생활체육 지도자의 자질에 대해 설명하시오.

① 의사 전달 능력: 생활체육 지도의 성패는 참가자와 지도자 간의 의사소통에 의해 좌우되며 의사 전달 능력은 지도의 선결 요건이다.

② 투철한 사명감: 투철한 사명감을 지닌 지도자는 참가자의 과도한 긴장이나 불안을 해소시켜 줌으로써 생산적 활동을 주도하고, 자발적 의지로 자신이나 집단의 목표를 성취한다.

③ 활달하고 강인한 성격: 생활체육 참가자로 하여금 지도자에 대한 친근감 및 신뢰감을 형성시켜 주며 참가 집단의 우호적 분위기 조성에 기여한다.

④ 도덕적 품성: 지도자의 도덕적 품성은 생활체육 참가자를 유인하는 하나의 매력으로써 작용하며 참가자와 원만한 인간관계를 형성하게 한다.

⑤ 칭찬의 미덕: 참가자의 행동 및 태도에 대한 지도자의 칭찬은 참가자의 과제 수행에 대한 긍정적 동기 유발을 촉진한다.

⑥ 공정성: 생활체육 지도자는 일반 대중의 삶의 질 향상을 위해 참가자의 사회·경제적 배경에 따른 편견 없이 모든 참가자를 평등하게 대우하고 균등하게 지도한다.

꼭 외우는 키워드
- □ 의사 전달 능력 □ 투철한 사명감 □ 활달하고 강인한 성격 □ 도덕적 품성
- □ 칭찬의 미덕 □ 공정성

20 ★

생활체육 지도자의 기능에 대해 설명하시오.

① 지도자는 개인 및 집단의 목표를 확인하여 제시한다.

② 지도자는 목표 달성을 위한 방법 및 절차를 개발하여 제시한다.

③ 지도자는 참가자의 동기를 유발한다.

④ 생활체육 집단의 긍정적 분위기를 조성한다.

⑤ 지도 활동을 통하여 동료 의식 및 응집성을 강화한다.

꼭 외우는 키워드
- □ 목표 제시 □ 목표 달성 □ 동기 유발 □ 긍정적 분위기 □ 지도 활동
- □ 동료 의식 □ 응집성

21 ★★

생활체육 지도의 원리에 대해 설명하시오.

① 생활체육의 철학적 기초에 근거하여 지도한다.
② 필요한 지식을 전달하고 습득하게 지도한다.
③ 욕구와 개인차를 고려하여 지도한다.
④ 과학적이고 체계적인 방법으로 지도한다.
⑤ 자발적으로 참가할 수 있게 유도한다.
⑥ 다양하고 정확한 정보를 제공한다.

꼭 외우는 키워드 □ 철학적 기초 □ 필요한 지식 전달과 습득 □ 욕구와 개인차 □ 과학적 방법 □ 체계적 방법 □ 자발적 참가 □ 다양한 정보 □ 정확한 정보

22 ★

생활체육 지도의 목표에 대해 설명하시오.

① 신체적 · 정서적 건강을 증진한다.
② 운동 기술을 습득한다.
③ 건전한 품성을 개발한다.
④ 삶의 즐거움을 추구한다.
⑤ 사회적 관계를 개선한다.
⑥ 사회적 안정을 도모한다.

꼭 외우는 키워드 □ 신체적 건강 □ 정서적 건강 □ 운동 기술 □ 건전한 품성 □ 삶의 즐거움 □ 사회적 관계 □ 사회적 안정

23 ★★

생활체육 지도 시 성추행 및 성희롱을 예방하기 위한 방법에 대해 설명하시오.

① 무의식적으로 하는 신체 접촉이나 친밀감을 표시하기 위한 신체 접촉을 하지 않도록 주의한다.
② 외모에 대한 평가, 사적인 질문, 가벼운 성적 농담을 하지 않도록 주의한다.
③ 상대방의 특정 신체 부위를 응시하거나 본인의 신체 일부를 과도하게 노출시키지 않도록 주의한다.
④ 원하지 않는 만남이나 교제를 강요하거나 회유하는 행동을 하지 않도록 주의한다.
⑤ 상대방이 거부 의사를 표현하면 행위를 즉각 중단하고 잘못을 인정하며 진심으로 사과한다.

꼭 외우는 키워드 □ 무의식적 신체 접촉 □ 친밀감 표시 □ 외모 평가 □ 사적인 질문 □ 성적 농담 □ 신체 부위 응시 □ 신체 일부 노출 □ 만남이나 교제 강요 □ 거부 의사 □ 중단 □ 잘못 인정 □ 사과

8 유소년

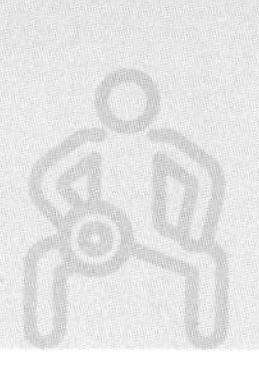

01 ★★

유소년 시기의 성장과 발달의 개념에 대해 설명하시오.

유소년 시기는 인지 발달에 중요한 시기이며 이 시기에 다양한 방법으로 인지 능력을 향상시키는 데 적극적으로 개입하여 사고와 개념 형성 인지 기능을 발달시켜야 한다.

꼭 외우는 키워드 □ 인지 발달 □ 중요 시기 □ 사고 □ 개념 형성 인지 기능 □ 발달

02 ★★

유소년 운동 지도 시 주의할 점에 대해 말하시오.

유소년 운동 지도 시에는 무엇보다 안전사고에 대비하여 지속적으로 주의를 기울여야 하고, 신체적 특성을 고려하여 재미와 흥미 위주로 프로그램을 구성하여 지도해야 한다.

① 안전하게 개인의 신체적 · 생리적 특성에 맞게 지도를 한다.
② 낮은 저항 운동부터 시작한다.
③ 최소한 주 2~3회, 회당 20~30분 연습한다.
④ 무리하게 고중량 운동을 하지 않는다.

꼭 외우는 키워드 □ 안전사고 대비 □ 신체적 특성 고려 □ 재미 □ 흥미

03 ★★★

유소년의 신체적 · 정신적 변화에 따른 지도 방법에 대해 설명하시오.

유소년은 성인과 달리 미성숙한 단계이므로 신체의 기능이 성인에 비해 떨어질 수 있다. 이에 저강도 운동을 반복하는 형태로 흥미와 재미 위주의 프로그램을 구성하여 지도하는 것이 좋다. 아울러 과도한 경쟁과 승리에 대한 집착보다는 스포츠를 통해 스포츠맨십, 인격 형성, 성취감, 자신감 등을 배울 수 있도록 지도해야 한다.

꼭 외우는 키워드 □ 저강도 운동 반복 □ 흥미 □ 재미 □ 스포츠맨십 □ 인격 형성 □ 성취감 □ 자신감

04 ★★

유소년 운동 프로그램 계획 시 포함해야 하는 운동 능력에 대해 말하시오.

유소년기를 발달 단계에 따라 가장 많은 영향을 받는 민감기라고 하며, 연령에 따라 민감기를 고려한 적절한 운동이 적용되면 효과적이고 긍정적인 운동 발달을 유도 할 수 있다. 발달 상태, 움직임의 경험, 기술, 수준, 체력, 연령 등을 고려하여 적절하게 운동 프로그램을 계획해야 한다.

꼭 외우는 키워드 □ 민감기 □ 발달 상태 □ 움직임의 경험 □ 기술 □ 수준 □ 체력 □ 연령

05 ★★

유소년 운동 프로그램의 목표에 대해 설명하시오.

유소년 스스로 자기 신체에 대하여 긍정적인 인식을 하여 일상생활에 필요한 기초 체력을 키우고, 건강하고 안전한 생활 습관을 만들도록 유도하는 데 있다.

① 다양한 신체 활동과 감각 경험을 통해 자기 신체와 주변을 인식하는 기초 능력 향상을 목표로 한다.

② 기본적인 운동 능력을 기르고, 기초 체력을 증진하며, 감정을 표현할 기회를 제공한다.

③ 지각과 동작의 협응 과정을 통하여 지각 운동 기술을 발전시킨다.

④ 체육 활동에 참여하여 즐겁고 건강한 정신을 유도하며, 안전한 생활 습관을 지도할 수 있도록 한다.

꼭 외우는 키워드 □ 자기 신체 □ 긍정적 인식 □ 기초 능력 향상 □ 감정 표현 □ 지각 운동 기술 발전 □ 건강한 정신 □ 안전한 생활 습관

06 ★★

유소년 운동의 지도 원리에 대해 설명하시오.

① 놀이 중심의 원리: 유소년의 흥미를 고려하여 체육 활동이 지속될 수 있도록 한다.

② 생활 중심의 원리: 일상생활에서의 신체 활동 경험을 바탕으로 체육 활동에 참여하게 한다.

③ 개별화의 원리: 유소년 개인의 운동 능력과 발달 속도에 맞추어 체육 활동에 참여하게 한다.

④ 탐구 학습의 원리: 유소년이 스스로 움직임을 탐색하고 학습하도록 유도한다.

⑤ 반복 학습의 원리: 안정, 이동, 조작 운동의 3가지 기초 운동을 반복 학습 한다.

⑥ 융통성의 원리: 유소년이 신체 활동 시간을 스스로 결정하도록 융통성을 제공한다.

⑦ 통합의 원리: 유소년 대근육 운동 중 기초 운동(안정, 이동), 운동 능력(협응, 균형, 힘, 속도), 지각 운동 능력(공간, 신체, 방향, 시간)이 통합적으로 발달되도록 한다.

꼭 외우는 키워드 □ 놀이 중심의 원리 □ 생활 중심의 원리 □ 개별화의 원리 □ 탐구 학습의 원리 □ 반복 학습의 원리 □ 융통성의 원리 □ 통합의 원리

07 ★

유소년 운동의 지도 방법에 대해 설명하시오.

① 일상생활에서 자신의 신체에 대해 자연스럽게 인식하도록 신체 놀이 활동을 계획한다.

② 교육적으로 풍부한 실내외의 물리적 환경을 준비하여 유아의 활발한 활동을 지원한다.

③ 신체 활동을 하면서 공간, 시간, 힘, 흐름 등 동작의 기본 요소를 반영한다.

④ 유소년의 안전에 세심한 주의를 기울이고, 놀이 규칙을 이해하여 안전을 확보한다.

⑤ 다양한 신체 활동이 이루어지도록 일과 중 충분하고 규칙적인 시간을 계획한다.

⑥ 유소년의 신체 발달 및 운동 능력을 정확히 파악하고, 개인차를 고려해야 한다.

⑦ 다양한 영역의 활동 경험을 바탕으로 통합적인 사고 능력을 다루도록 구성한다.

⑧ 유소년의 신체 활동만큼 충분한 휴식을 제공한다.

⑨ 유소년의 건강 상태가 신체 활동을 하기에 적합한지 사전에 파악하고 고려한다.

꼭 외우는 키워드 □ 신체에 대한 인식 □ 물리적 환경 준비 □ 동작 기본 요소 반영 □ 안전 □ 놀이 규칙 이해 □ 규칙적인 시간 □ 신체 발달 파악 □ 운동 능력 파악 □ 개인차 고려 □ 통합적인 사고 □ 충분한 휴식 □ 적합성 사전 파악

08 ★

유소년 운동을 지도하는 지도자의 역할에 대해 설명하시오.

① 열정을 가진다.
② 긍정적인 모습을 보여 준다.
③ 유소년의 반응에 관심을 가진다.
④ 수업 내용 및 진도에 대한 지식을 수립한다.
⑤ 수업 방법을 다양화한다.
⑥ 유머 감각을 가진다.
⑦ 좋은 음악을 선택한다.
⑧ 칭찬을 자주 한다.
⑨ 충분한 시간을 제공한다.
⑩ 운동 대형을 고려하여 지도한다.
⑪ 계절을 고려해서 지도한다.
⑫ 과도한 경쟁의식을 갖지 않도록 지도한다.

꼭 외우는 키워드 □ 열정 □ 긍정적 모습 □ 반응 □ 지식 수립 □ 수업 방법 다양화 □ 유머 감각 □ 좋은 음악 □ 칭찬 □ 충분한 시간 □ 운동 대형 □ 계절 □ 과도한 경쟁의식

09 ★★★

유소년 지도자가 갖춰야 할 자질에 대해 말하시오.

① 아이들을 사랑하고 이해하는 마음을 갖춘다.
② 아이들에게 봉사하는 마음과 정신을 갖춘다.
③ 아이들을 위해 인내심과 평정심을 갖춘다.
④ 아이들을 위해 건전한 성품을 갖춘다.

꼭 외우는 키워드 □ 사랑 □ 이해 □ 봉사 □ 인내심 □ 평정심 □ 건전한 성품

10 ★★★

유소년 운동에 맞는 영양 섭취에 대해 설명하시오.

유소년의 경우 전체 영양 섭취의 55~60%는 탄수화물, 25~30%는 지방, 12~15%는 단백질로 구성해야 한다. 성장기의 아이들을 위해 철분과 칼슘을 충분히 섭취하도록 해 주고, 인스턴트식품을 피하고 균형 있게 다양한 영양소를 섭취하는 것을 권장한다.

꼭 외우는 키워드 □ 탄수화물 55~60% □ 지방 25~30% □ 단백질 12~15% □ 철분 □ 칼슘

11 ★★

유소년의 체력이 약해지고 비만율이 높아지는 이유와 해결 방법 대해 말하시오.

식생활 습관의 변화와 운동 부족으로 유소년의 체력이 약해지고 비만율이 높아졌다. 신체 성장에 필요한 곡물, 생선류, 채소 위주의 식단을 제공하고, 흥미를 유발하는 놀이 형태의 운동 프로그램과 신체 능력의 발달을 위한 운동 프로그램을 병행하면 이를 해결할 수 있다.

꼭 외우는 키워드 □ 식생활 습관 변화 □ 운동 부족 □ 곡물, 생선류, 채소 위주 식단 □ 놀이 형태 운동 프로그램 □ 신체 능력 발달 운동 프로그램

9 노인

01 ★★★

노인의 신체적 · 정신적 변화에 따른 지도 방법에 대해 설명하시오.

지도자는 신체 활동이 건강 이상의 효과를 가져다준다는 점을 노인에게 인식시켜 주어야 한다. 규칙적인 신체 활동은 자기 효능감과 자기 존중감을 증가시키고, 스트레스를 감소시키며, 인지 기능을 유지하는 데 효과적이다. 아울러 체력은 노년의 전반적인 삶의 질과 밀접하게 관련되어 있기 때문에 규칙적인 운동의 중요성을 강조하며 지도해야 한다.

꼭 외우는 키워드 □ 건강 이상의 효과 □ 자기 효능감 □ 자기 존중감 □ 증가 □ 스트레스 감소 □ 인지 기능 유지 □ 규칙적인 운동

02 ★★★

노인의 보디빌딩에 맞는 영양 섭취에 대해 설명하시오.

보디빌딩과 같은 웨이트 트레이닝은 근육의 비대를 촉진하기 때문에 운동을 실시하는 기간에는 근육의 재료가 되는 단백질을 적절하게 공급해 주는 것이 중요하다. 보디빌딩 운동을 하고 있는 기간에는 하루에 체중 1kg당 2g의 단백질이 필요하다. 동물성 단백질이 식물성 단백질보다 영양가가 높으므로 육류나 어패류 중심으로 식사를 할 경우 하루 80g 정도의 단백질을 섭취하고 채식 중심의 식사를 할 경우에는 150g 정도의 단백질을 섭취해야 한다.

꼭 외우는 키워드 □ 단백질 공급 □ 체중 1kg당 2g □ 육류, 어패류 중심 □ 하루 80g □ 채식 중심 □ 하루 150g

03 ★★★

노인의 운동 지도 시 주의할 점에 대해 말하시오.

노인의 운동 지도 시에는 안전사고에 대비하여 지속적으로 주의를 기울여야 하고, 신체적 · 정신적 · 사회적 특성을 고려하여 운동을 지도해야 한다.

① 개인의 신체적 · 생리적 특성에 맞춰 안전하게 지도한다.
② 강도가 낮은 운동부터 시작한다.
③ 질병이 있는 노인은 운동 시작 전 의사의 상담을 권한다.
④ 무리하게 고중량 운동을 하지 않는다.

꼭 외우는 키워드 □ 안전사고 대비 □ 신체적 특성 □ 생리적 특성 □ 운동 강도 □ 질병 □ 의사 상담 □ 고중량 운동

04 ★

노인 운동 지도자의 지도 요소에 대해 설명하시오.

① 수업 장소에 일찍 도착하여 새로운 참가자를 파악하고 기존의 참가자와 상호 교류를 할 수 있는 시간적 여유를 준다.
② 운동 프로그램을 시작하기 전에 분위기를 조성한다.
③ 운동의 명칭을 알려줄 때 시범과 함께 언어적 · 시각적 단서를 제공한다.
④ 노인에게 어떤 운동을 왜 해야 하는지를 이해할 수 있도록 운동의 목적을 설명한다.
⑤ 노인이 신체 인식을 발달시킬 수 있도록 도움을 준다.
⑥ 참가자 중심의 접근 방법으로 인간 지향적인 관점에서 접근한다.
⑦ 지도할 때 단어 선택을 신중히 한다.
⑧ 사교적인 관계를 조성한다.
⑨ 편안한 분위기를 유지한다.
⑩ 우호적인 운동 환경을 만든다.

꼭 외우는 키워드 □ 참가자 파악 □ 상호 교류 □ 분위기 조성 □ 시범 □ 운동 목적 □ 신체 인식 □ 인간 지향 □ 단어 선택 □ 사교적 관계 □ 편안 □ 우호적

05 ★★

노인 운동 지도자의 자질에 대해 설명하시오.

① 책임감: 노인을 위해 교본에 제시된 신체 활동 지침을 따르고, 안전과 응급 처치에 관한 모든 사항을 정기적으로 갱신하고 실습한다. 또한 주기적인 반응 검사와 평가를 실시하고 피드백을 제공하며 고객과 관련된 개인 정보 사항은 비밀을 유지한다.
② 지지감 표현: 수업 때마다 참가자와 최소 한 마디 이상의 대화를 나누고 적절한 표현으로 긍정적인 면을 강조한다. 아울러 참가자가 2회 이상 결석을 한다면 전화나 이메일로 연락을 취하고, 자아 존중감과 자아 효능감을 북돋아 준다.
③ 관심: 참가자에 대한 배려와 관심을 표현할 수 있는 비언어적인 전달 방법을 사용하고, 참가자의 목표와 관심, 장점과 단점에 대해 마음에서 우러나오는 관심을 전달한다.
④ 동정심: 참가자의 걱정거리나 고통, 관심사, 실패를 귀담아듣는다. 또한 초보자는 초보자인 그대로 인정하고 참가자에게 자신의 신체에 대한 지혜에 귀 기울일 것을 상기시킨다.

꼭 외우는 키워드 □ 책임감 □ 신체 활동 지침 □ 안전 □ 응급 처치 □ 반응 검사 □ 평가 □ 피드백 □ 지지감 표현 □ 대화 □ 2회 이상 결석 □ 연락 □ 자아 존중감 □ 자아 효능감 □ 배려 □ 관심 □ 비언어적 □ 동정심

06 ★★★

노화에 따른 신체적 변화에 대해 말하시오.

피부와 지방 조직의 감소, 세포의 감소, 뼈대와 수의근의 약화, 치아의 감소, 심장 박동의 약화 등의 신체 구조 및 기능의 저하가 나타난다. 또한 신체 외적인 변화에는 흰 머리카락의 증가, 머리카락의 감소, 주름살의 증가, 얼룩 반점의 증가, 신장의 감소 등이 있다. 마지막으로 퇴행 관절증, 골다공증, 동맥 경화, 고혈압, 당뇨병, 심장병, 신장병 등의 만성 질환 유병률의 증가가 나타난다.

꼭 외우는 키워드 □ 신체 구조 변화 □ 신체 기능 저하 □ 신체 외적 변화 □ 만성 질환 □ 유병률 증가

07 ★★

노인의 건강 증진을 위한 효과적인 저항 운동을 2개 이상 설명하시오.

노인의 건강 증진을 위한 효과적인 저항 운동을 수행하기 위해서는 큰 근육을 사용하는 운동을 초반에 배치해야 한다. 독립된 근육 활동과 단일 관절 동작은 수업 후반부에 사용한다. 이는 근육의 피로를 감소시켜 대근육군 운동에서 더 높은 강도나 더 큰 저항이 있는 운동을 가능하게 하기 때문이다. 효과적인 저항 운동에는 하체 운동인 레그 프레스, 상체 운동인 체스트 프레스 및 시티드 로우 등이 있다.

꼭 외우는 키워드 □ 큰 근육 사용 □ 초반 배치 □ 독립 근육 활동 □ 단일 관절 동작 □ 수업 후반 □ 레그 프레스 □ 상체 운동 □ 체스트 프레스 □ 시티드 로우

08 ★★★

노인 운동의 긍정적인 효과에 대해 설명하시오.

노인이 규칙적인 운동을 할 때 나타나는 효과에는 순환계, 호흡계, 근육계, 골격계 등에 긍정적 영향을 미치는 신체적 효과가 있다. 또한 심리적 효과에는 스트레스와 불안 감소, 기분 상태의 개선, 정신 건강의 향상 등이 있다. 마지막으로 세대 간 교류 촉진, 확대된 사회적 · 문화적 연결망, 새로운 역할의 환경 조성 등의 사회적 효과가 있다.

꼭 외우는 키워드 □ 신체적 효과 □ 심리적 효과 □ 사회적 효과

09 ★★

고혈압이 있는 노인의 운동 지도는 어떻게 해야 하는지 설명하시오.

고혈압 환자에게 제공되는 운동 프로그램은 혈압의 비정상적인 변동을 초래하지 않도록 해야 한다. 운동에 대한 심박수 반응을 둔화시키는 심장 약물인 베타 차단제를 복용 중인 사람에게는 운동의 강도를 정하기 위해 운동 자각도(RPE)를 측정할 것을 권장한다. 이는 보다 낮은 강도(최대 40~50%의 산소 소비)의 운동이 강도가 높은 운동만큼이나 혈압을 낮춰주고, 더 안전할 수 있기 때문이다. 또한 혈압을 낮춰 준다는 점에서 낮은 강도의 운동이 고강도의 운동과 같은 효과가 있다.

꼭 외우는 키워드 □ 혈압 □ 비정상적 변동 □ 초래 □ 베타 차단제 □ 복용 □ 운동 자각도 □ 측정 □ 낮은 강도 운동

10 ★★

당뇨병 환자에 대해 운동 지도를 어떻게 하는지 설명하시오.

우선 운동 시작 전의 혈당치가 250~300mg/dL 이하일 것이 권장된다. 식품과 인슐린의 적절한 균형을 유지할 수 있도록 지도하고 운동의 강도, 빈도, 운동 시간은 참가자의 병력에 기초해야 한다. 이외에도 운동 처방에 영향을 줄 수 있는 기타 사항을 고려하여 운동을 지도한다.

꼭 외우는 키워드 □ 운동 시작 전 □ 혈당치 □ 250~300mg/dL □ 식품 □ 인슐린 □ 균형 □ 운동 강도 □ 운동 빈도 □ 운동 시간 □ 병력에 기초

11 ★★

관절염은 무엇이며, 관절염 환자의 운동은 어떻게 지도하는지 설명하시오.

관절염은 골관절염과 류마티스 관절염으로 구분한다. 골관절염은 가동 관절에 있는 뼈 바깥 부분의 연골 조직이 얇아져 통증, 조조 강직, 환부의 가동 범위 축소 등의 증상이 나타난다. 류마티스 관절염은 여성에게 흔하게 발생하며 환부에 만성적인 염증, 통증, 조조 강직, 붓는 등의 증상이 발생한다. 이러한 관절염이 있는 환자에게 제공되는 운동 프로그램은 관절에 충격이 적고 체중의 영향을 덜 받는 유산소 운동이나 저강도 운동이어야 하며, 사지를 동시에 사용해야 하는 운동 기구를 쓰도록 지도한다.

꼭 외우는 키워드 □ 골관절염 □ 류마티스성 관절염 □ 신체 충격 최소화 □ 체중 영향 최소화 □ 유산소 운동 □ 저강도 운동 □ 사지 사용

12 ★

노인에게 적당한 유산소성 운동 프로그램의 형태와 빈도, 강도에 대해 설명하시오.

노인에게는 신체 조성, 뼈의 건강, 신경근 긴장, 스트레스 수준의 변화를 촉진시키기 위해 한 가지 이상의 운동 형태를 이용하도록 권장해야 한다. 대표적인 유산소 운동에는 자전거 타기, 가벼운 조깅, 등산, 수영, 걷기 등이 있다. 빈도는 지속 시간, 운동 강도와 관련되어 있으며 프로그램의 목표, 선호도, 시간적 제약, 기능적 능력에 따라 다르지만 보통 일주일에 2일 혹은 3일마다 운동하는 것이 적당하다. 운동 강도는 운동하는 동안 인체에서 특정한 생리적 · 대사적 변화가 나타나도록 하고, 노인의 프로그램 목표, 연령, 능력, 선호도, 심폐계와 근육 골격계를 자극할 정도로만 설정한다.

꼭 외우는 키워드 □ 신체 조성 □ 뼈 건강 □ 신경근 긴장 □ 스트레스 변화 □ 촉진 □ 자전거 타기 □ 조깅 □ 등산 □ 수영 □ 걷기 □ 생리적 변화 □ 대사적 변화 □ 심폐계 □ 근육 골격계 □ 자극

eduwill

2021 에듀윌 스포츠지도사
실기+구술 한권끝장 보디빌딩

초판발행	2021년 3월 4일
2쇄발행	2021년 5월 28일
저 자	정수봉
펴 낸 이	박명규
펴 낸 곳	(주)에듀윌
등록번호	제25100-2002-000052호
주 소	08378 서울특별시 구로구 디지털로34길 55 코오롱싸이언스밸리 2차 3층

* 이 책의 무단 인용 · 전재 · 복제를 금합니다.

ISBN 979-11-360-0975-3(13690)

www.eduwill.net
대표전화 1600-6700

여러분의 작은 소리
에듀윌은 크게 듣겠습니다.

본 교재에 대한 여러분의 목소리를 들려주세요.
공부하시면서 어려웠던 점, 궁금한 점,
칭찬하고 싶은 점, 개선할 점, 어떤 것이라도 좋습니다.

에듀윌은 여러분께서 나누어 주신 의견을
통해 끊임없이 발전하고 있습니다.

에듀윌 도서몰 book.eduwill.net

- 부가학습자료 및 정오표: 에듀윌 도서몰 → 도서자료실
- 교재 문의: 에듀윌 도서몰 → 문의하기 → 교재(내용, 출간) / 주문 및 배송

에듀윌 스포츠지도사

실기+구술 한권끝장 | 보디빌딩 구술

에듀윌 스포츠지도사

실기+구술 한권끝장 | 보디빌딩 구술

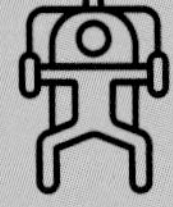
2급 전문

1급 생활

2급 생활

유소년

노인

YES24 수험서 자격증 스포츠경영관리사 베스트셀러 1위
(2020년 7월 3주~4주, 9월 4주, 10월 1주, 2021년 5월 3주 주별 베스트, 2020년 8월, 11월 월별 베스트)

에듀윌 공식 유튜브 '스포츠지도사 자격증, 2019 에듀윌 실기, 구술 한권에 끝내기'
조회수 483,266회(2021년 2월 23일 기준)

고객의 꿈, 직원의 꿈, 지역사회의 꿈을 실현한다

펴낸곳 (주)에듀윌 **펴낸이** 박명규 **출판총괄** 김형석
개발책임 이순옥, 박호진 **개발** 이예지
주소 서울시 구로구 디지털로34길 55 코오롱싸이언스밸리 2차 3층
대표번호 1600-6700 **등록번호** 제25100-2002-000052호
협의 없는 무단 복제는 법으로 금지되어 있습니다.

에듀윌 도서몰 book.eduwill.net
- 부가학습자료 및 정오표: 에듀윌 도서몰 → 도서자료실
- 교재 문의: 에듀윌 도서몰 → 문의하기 → 교재(내용, 출간) / 주문 및 배송